D0412262

Ève

Guy Hocquenghem

Ève

ROMAN

Albin Michel

22, rue Huyghens, 75014 Paris

ISBN 2-226-03006-9

À Willy Rozenbaum et à toute son équipe, dont l'action mérite certainement mieux que l'humour amer de mes dernières pages.

« Je suis amoureux de moi-même, pourquoi ? Parce que je suis épris de toi. »

S. Kierkegaard, *Le Journal du séducteur*

« Tu me demandes quel est mon père ? Je te répondrai sans retard. Ma mère m'a dit que j'étais le fils d'Ulysse ; pour moi, je n'en sais rien, car nul ne connaît son père. »

Télémaque, dans *L'Odyssée*

« Ayant ainsi parlé, il coupa les hommes en deux... comme on coupe un œuf avec un cheveu... Aussi chacun cherche sa moitié. »

Aristophane, dans Platon, *Le Banquet*

PRÉLUDE

LE SOLEIL roulait comme un bouclier de bronze le long de la montagne en pain de sucre couronnée de lourds cumulus ; il scintillait à travers les coulées vertes de la jungle, qui pendaient dans le vide et descendaient acrobatiquement les parois ocre du rocher. Le vert, si dense et si lumineux, dominait ce fouillis ; à cette distance, les arbres, en réalité géants, paraissaient des bonsaïs aux troncs noueux, renversés dans le néant, et poussant avec l'énergie folle de la marée verte sur le moindre méplat : fougères arborescentes au plumetis presque aérien, caoutchoucs aux larges feuilles luisantes comme des miroirs d'émeraude, ficus aux retombées formant des cascades végétales, qui s'enracinaient autour d'un premier tronc et multipliaient les rejets à répétition, lesquels s'enroulaient l'un autour de l'autre et coulaient à leur tour mollement en énormes racines vers le sol lointain ; et, çà et là, ponctuant la verdure de brassées colorées, les hibiscus aux corolles blanches tachées de rouge, sous l'étamine géante, obscène, tendue comme un sexe au vent tiède, et les chevelures roses, parme, violettes, écarlates, des bougainvillées retombaient de troncs parasités que leur abondance étouffait.

À cette heure, des fusions, des éruptions, des explosions silencieuses secouaient les nuages. Les vagues de pourpre, lisérées de violet sombre, montaient à l'assaut du ciel ; cette échelle de couleurs tirait à la fois, en un effort désespéré pour éteindre le soleil, sur le noir et le blanc, sur le plus clair et le plus sombre ; et le noir de la nuée semblait lui-même source de luminosité, jusqu'à faire imaginer une couleur invisible qui serait pure lumière.

Bref, c'était l'heure du crépuscule à Saint John, Virgin Islands, archipel de trois îles minuscules perdues à la frontière du grand océan, au nord-est de l'arc des Antilles, comme trois boulettes lâchées par la sarbacane des anciens Caraïbes. Saint John, à la fois américaine par la nationalité et britannique par la monnaie, est la plus petite. On la traverse à pied en deux heures. Elle faisait partie à la fois de l'Union et du Commonwealth, mais les maisons roses et blanches, sur le port, gardent les façades découpées, au pignon surhaussé comme celui d'une église baroque, propres à ses fondateurs hollandais. De plus, comme les Danois ont occupé l'île au XVIIe siècle, on continue d'y manger le Smörebrod avec des poissons fumés, et les femmes conservent les coiffes pesantes que portaient, malgré la chaleur, leurs ancêtres venues de Copenhague.

Le port, au pied du morne ensanglanté, tourné vers la mer intérieure dont le vert phosphorescent contrastait avec les vagues noires du véritable océan sur la façade est, le port donc se reposait de l'intense trafic de la journée. Saint John est l'un des innombrables nœuds de cette Méditerranée des Antilles, où télévisions et magnétoscopes japonais, produits chinois, cigarettes et alcools font l'objet d'une contrebande effrénée.

Sur le quai, un groupe de touristes, qu'on eût crus californiens s'ils n'avaient parlé français comme à Bobigny, avec shorts bariolés achetés au marché de Saint John pour imiter leurs modèles américains, gâchaient la beauté convulsive du paysage par leurs bruyantes réflexions.

« Décidément, je n'aime pas les beaux paysages. C'est

trop angoissant », venait de lâcher une jeune femme en compensées, aux jambes rouges et au nez pelé.

Aucun rayon vert ne surgit de la couche embrasée formée par les nuages, où le soleil se roulait ainsi qu'un fiévreux dans son lit, pour foudroyer la sacrilège. D'autres membres du groupe bâillaient, et parlaient de dîner et de restaurants. Quelle idée d'être restés dans ce trou pour la nuit ! Déjà, incapables de jouir de l'instant présent, ils échafaudaient le programme du lendemain. L'avion, la visite de Saint-Martin et de Saint-Barth'...

« Il paraît que les plages sont drôlement mieux qu'ici, aussi grandes qu'à Rio ; tu te souviens, c'était l'an dernier, chéri ? Ah ! Rio, quelle merveille... », continua la jeune femme en s'asseyant à la terrasse de la crêperie (oui, une crêperie bretonne, égarée en ce bout du monde, et tenue par des Canadiens).

En parlant ainsi, elle oubliait ses imprécations de l'an précédent contre le Brésil et ses moustiques. Son compagnon, la trentaine bronzée, avec un collier de dents de requin et un petit bedon déjà bien formé, lui répondit par un grognement distrait mais approbatif. La femme reprit d'une voix lasse et agressive :

« Jean-Loup, qu'est-ce que tu observes depuis tout à l'heure ? »

Lui avait mis la main en pare-soleil sur son front, il suivait des yeux un couple, qui marchait sur la petite plage dans leur direction, et dont les silhouettes se détachaient fantastiquement sur le sable noir né du volcan.

« Regarde ces deux-là, comme ils sont bizarres... »

Le couple eût attiré l'attention de gens moins frivoles. L'homme, grand, maigre, semblait avancer avec quelques difficultés. On lui aurait cru un peu moins de la cinquantaine ; ses joues creusées, son nez aminci, ses membres amaigris lui donnaient, dans ce soleil couchant, l'allure un peu effrayante d'une allégorie mortuaire en vêtements d'été immaculés. Il s'appuyait parfois sur l'épaule d'une très jeune fille, qui aurait joué auprès de lui l'allégorie de la Vie, tant elle respirait l'énergie de la jeunesse. Sa longue chevelure dorée et auburn, sa robe légère de couleur claire, ses pieds nus formaient un printemps de chair à côté de cet hiver décati ; et, en dépit de l'ombre douce et parfumée qui descendait des vanilliers dans la paix du soir, on pouvait reconnaître entre leurs deux visages, l'un plein et lumineux, l'autre décavé, une ressemblance si étrange qu'elle laissait pantois.

« Jolie fille », grommela instinctivement l'homme qui s'appelait Jean-Loup.

La jeune demoiselle avait fait volte-face, d'un geste gracieux qui fit perler un rayon du couchant entre ses jambes brunies, et son visage, nez un peu en l'air, et pommettes en saillie, se tourna vers celui de son aîné, tandis qu'elle lui tendait son bras nu pour l'aider à grimper le rebord de ciment qui séparait le quai de la plage.

Derrière le comptoir en acajou naturel de la crêperie, dont les étagères regorgeaient d'alcools US destinés aux surfeurs trop gras venus du Texas, Bob, le serveur aux cheveux longs, jeune athlète costumé ridiculement en pirate, un anneau à l'oreille, attendait patiemment, un sourire figé et absent aux lèvres, en rêvassant lentement au soir qui tombait, à des vahinés et à des cinémas « drive-in », le départ de ces importuns Français. Mais ils s'installaient à présent dans son établissement ; comme ces Américains qu'ils rêvaient de devenir, ils commandèrent des coca-gins avec leurs crêpes Suzette. Quelques-uns, qui n'avaient pas encore fait connaissance, se congratulaient en se découvrant des points communs :

« Ah, vous êtes de Bordeaux, vous aussi ? Oui, la mer est moins belle ici qu'au Cap-Ferret...

— Mais elle est plus chaude, répondait une jeune

poupée à lunettes rondes. Pourtant, on ne peut pas se baigner à poil comme au Cap, c'est décevant... »

Bob haussa intérieurement les épaules. À ce moment, la silhouette unique formée par les deux promeneurs du soir vint s'interposer entre le soleil dilaté sur l'horizon et le groupe assis à la terrasse. On percevait à présent la voix fraîche de la jeune fille ; elle parlait presque bas, et fit à l'homme un baiser dans le cou, posé avec une délicatesse sensuelle, en se haussant sur la pointe des pieds. Tout était tranquille, et la beauté de cette enfant digne du spectacle de la nature, la paix de ce serein tropical gagnèrent progressivement jusqu'aux touristes enfin silencieux.

Une note affreuse, un son discordant, vint rompre soudainement ce calme souverain. C'était criard et tragique, coassement syncopé, haletant, informe et violent. Ce cri, si c'en était un, contenait à la fois toute la haine et tout l'espoir, la volonté et le désir avide de vivre ; il venait du vieil homme, qui pointait un doigt furieux vers la terrasse de la crêperie. Et le pire, pendant que ces cris continuaient, c'est qu'on sentait derrière ce bruit maladroit l'effort terrible et impuissant pour parler.

Alors, la copine de Jean-Loup éclata brusquement d'un rire hystérique, incontrôlé, qu'elle tenta maladroitement d'étouffer dans sa serviette en papier. Son ami se pencha vers elle, un peu gêné.

« Tu es folle de rire comme ça, Marie-Jo ! Le pauvre ne le fait pas exprès, je suppose qu'il ne peut pas parler... »

Elle devint sérieuse, et dit, regardant sa victime avec dégoût :

« C'est probablement un débile, un de ces idiots de village, un muet de naissance... »

Jean-Loup tapota, indifférent, son collier, pour éloigner un éventuel mauvais sort, et ajouta :

« Tu as vu, c'est le père et la fille. Vraiment, c'est

incroyable comme ils se ressemblent... Ils ont le même regard pas naturel. »

Sur le quai, le vieux avait parfaitement entendu ce rire insultant. Il se dressa, jeta une nouvelle série d'onomatopées injurieuses, et s'éloigna d'un pas accéléré, entraînant sa fille. Ils fondirent tout d'un coup dans le noir, comme une vision qui s'efface, dans la nuit soudaine des Tropiques.

Derrière son bar, Bob, à ce rire, s'était arrêté d'essuyer ses verres. Quand il entendit les propos de ses clients, il intervint d'une voix traînante, de ces voix de Blancs élevés dans le Sud et qui n'ont connu que les langueurs des îles, les cocktails aux verres givrés, les ice-creams et les grosses bagnoles décapotables :

« Oh non, il n'est pas idiot. C'est même un sacré malin, d'avoir su garder ce joli morceau avec lui. Aujourd'hui, il a sa crise... Mais demain il causera de nouveau. Je l'ai connu qui parlait comme vous et moi. »

Sa voix posée avait centré toute l'attention sur lui.

« Et c'était pas plus tard que l'an dernier, quand ils ont débarqué à l'aéroport. »

C'était une minuscule piste, à flanc de montagne, cernée de lianes et de magnolias.

Le serveur cherchait placidement dans ses souvenirs.

« C'était quinze jours après Célestine, je me souviens qu'il faisait plutôt frais, malgré la saison. Oui, à l'époque, il parlait, et drôlement bien, il m'en a appris, des mots français », répétait Bob, qui parlait couramment, outre son anglais natal, le français et l'espagnol.

Aucun des touristes ne savait qui était Célestine, le cyclone qui avait ravagé tout l'arc caraïbe l'année précédente. Les habitants des îles datent ainsi leurs remémorations, comme les habitants du Sahel par les sécheresses, grandes pendules naturelles des catastrophes. .

PREMIER TEMPS

Adam, 1

La lumière s'alluma avec un grésillement venu du tube à néon, où le vide se peupla de petits orages magnétiques. Il se protégea de la blancheur d'éther en gardant la tête sous les draps, sans ouvrir les yeux. C'était certainement Goldorak. Goldorak était le nom qu'il donnait à l'aide-soignante de nuit, une énorme matrone noire, rude et efficace. Elle ne pénétrait dans sa chambre qu'après s'être caparaçonnée de la tête aux pieds ; elle entrait à minuit, terrifiant coucou, en glissant lourdement dans ses chaussons bleus, son armure de plastique vert sombre, couleur de l'asepsie totale, les cheveux pris sous une calotte à élastique de même matière ; et le visage noir, barré d'un masque en coton qu'elle laissait retomber sur sa gorge et qui faisait penser à quelque énorme pansement cachant la jugulaire, était la seule note humaine visible dans tout ce vert synthétique.

Mais ce n'était pas Goldorak. Comme il ne sentait pas le flot glacé de la piqûre dans ses veines, qu'elle accomplissait d'ordinaire sans même le réveiller, en s'emparant du bras qu'il sortait machinalement du lit, il abaissa un coin du drap.

Dans son champ visuel, étrangement déformé, il ne voyait que le bas du visiteur nocturne. Ou des visiteurs. Ils portaient des babouches ; le chuintement, qui finissait en claque, de leurs pieds traînant dans le couloir de l'hôpital, il l'avait confondu avec la démarche chaloupée de la grosse infirmière.

Ils n'avaient dû avoir aucune difficulté à entrer ; on pénétrait ici comme dans un moulin ; la loge du concierge restait ouverte toute la nuit, pour les malades chroniques qui allaient se saouler la gueule dans les petits bars du quartier ; et tous les bâtiments étaient libres d'accès, en partant du principe qu'on cherche plus à quitter l'hôpital qu'à y entrer.

Mais comment savait-il que c'était un hôpital ? Ses pensées étaient floues, indécises. Il entendit le bruit d'une voiture, une ambulance sans doute, en bas, dans l'allée centrale. Il glissa un œil par la grande fenêtre oblongue, à hauteur de lit, et constata que c'était la pleine nuit. Enfin, toujours aussi perplexe, il osa revenir à ses hôtes, non moins incompréhensibles que sa propre présence en ce lieu.

Il arracha le drap, ouvrit la bouche, mais la phrase qu'il prononçait : « Qu'est-ce que vous fabriquez là ? » ne fit à ses propres oreilles qu'un borborygme sourd.

Soudain, il eut peur. Il n'y avait encore aucune raison, sinon qu'il ne comprenait pas où il était, et que ces trois types à la mine patibulaire, en face de lui, encadrés par les barreaux du lit jusqu'à la taille, n'étaient de toute évidence ni des médecins ni des amis.

Il sursauta ; une décharge de mitraillette venait d'éclater dans une des chambres voisines ; elle roula longuement, répercutée au long des tristes corridors peints en vert pâle. Ce ne pouvait être, à cette heure, le son de quelque feuilleton télévisé. Il frissonna, voulut encore crier, tendit le bras ; la perfusion se rappela à lui d'un bref pincement à la saignée. Mais pourquoi diantre était-il sous perfusion ?

« Inutile d'appeler à l'aide. Toutes les sonnettes sont débranchées et les médecins prisonniers. »

La voix était rauque, dominatrice ; il la trouva excitante. Le gars avait un accent arabe à couper au couteau. Il se pencha vers le malade, à son chevet ; son costume de tergal usé était bosselé au cœur et sous les aisselles. La bouche serrée, les yeux noirs et perçants devinrent d'un seul coup énormes, tandis que son visage se collait presque au sien.

« Inutile aussi de protester. Tu es jugé. »

L'autre Arabe, barbu comme un mollah, qui portait une djellaba brune, sortit un papier de sous son vêtement, et se mit à lire d'une voix monocorde, entrecoupée de froissements et de raclements de gorge :

« Allah ou akbar. Seul Dieu est grand. »

Le troisième Arabe, le plus vieux, avait une moustache grise, et un bon regard de chaouch. Lui seul portait un fez. Les deux autres, eut-il à peine le temps de penser, n'auraient pas détonné dans une rue de Pigalle. Entre voyous et maquereaux, avec quelque chose d'illuminé. Mais son attention revint au premier, on le devinait tout en muscles, félin, une de ces têtes aplaties qui valent à certains Arabes de passer pour Japonais.

Il brandissait à présent à deux mains un pistolet-mitrailleur dont la bretelle pendait à son épaule. Bien que la présence de ce trio au cœur d'un service hospitalier spécialisé dans les maladies virales (mais comment savait-il cette spécialisation ?) pût paraître invraisemblable, il la pressentit malheureusement logique. Du moins au sein de cette démence où il avait été transporté, arraché de sa chambre en ville et couché là.

« C'est une plaisanterie ! D'ailleurs, j'ai toujours été du côté des Arabes... »

Cette fois, bouche et langue avaient fonctionné.

« C'est Dieu Tout-Puissant qui punit tes tendances honteuses, tes crimes et tes débauches. »

Le premier Arabe s'était reculé, et cracha de mépris. Ils semblaient n'avoir aucune conscience de leur irréalité. Puis, tout en agitant de la main droite le PM retenu en bandoulière, il reprit la lecture du tract ronéotypé qu'il tenait de la gauche.

« À Paris, Hôpital national. Nous, commandos de la Révolution islamique, nous poursuivons la tâche de purification que nous a ordonnée le Prophète. Nous débarrasserons le monde du germe de Sodome. »

Une décharge de mitraillette au plafond servit de point d'orgue ; il resta ébahi, en contemplant les petits trous noirs dans la laque saumonée. Il était stupéfait au point de ne plus pouvoir vraiment s'étonner.

« Mais vous êtes fous à lier ! Si je suis ici, c'est que je dois être malade. C'est contre toutes les lois de l'humanité, c'est même contre les lois de la guerre !

— Tais-toi. Tu es pourri. Tu n'as jamais connu la femme. Tu ne sers à rien... »

Une nouvelle décharge de PM vint inscrire une seconde giclée d'étoiles au plafond. Le premier Arabe avait repris la parole. Son ton à présent était presque doux, comme s'il éprouvait à sa place la résignation de la mort.

« Oui, tu n'es pas malade, tu es pourri. Nous n'avons rien contre toi comme individu. Si ce n'est que tu transmets ta pourriture d'Occidental aux peuples du tiers monde ; car tu portes en toi la malédiction de la chair. T'exécuter, c'est faire œuvre pieuse, et détruire un peu du Grand Satan.

— Mais de quoi parlez-vous ? Qu'est-ce que vous me reprochez ? Vous n'allez tout de même pas exécuter tout un service hospitalier, non ? C'est du pur fanatisme ! »

Sa voix montait à l'aigu, son regard se brouillait. Il s'adressait au troisième, au vieux, dont il espérait, plus ou moins consciemment, moins de rigueur idéologique. Il ressemblait un peu, avec son bleu de travail, son fez et ses rides bronzées, à tous ceux qu'il avait connus dans les terrains vagues les soirs de drague. La femme ! Ils disaient tous, avant de céder à ses avances :

« Si tu as une sœur, une amie, une fille, sois gentil, amène-la-nous... »

Et leur souffle se faisait court, leur regard vague, tandis qu'ils enfonçaient leur sexe érigé dans sa bouche.

« Tu n'as jamais connu la femme... » Pour eux cela voulait dire qu'il était un sous-être. La phrase résonnait dans son crâne, tandis qu'il s'épuisait à renouer au moins un fil de mémoire, car il était sans identité. Qu'est-ce qu'on lui voulait ? Qu'avait-il fait pour gésir sur ce lit, pour que tout ceci lui arrivât ? À l'instant où l'idée de se pincer lui traversait l'esprit, il ressentit une affreuse brûlure au bras. L'homme, d'un coup sec, venait d'arracher le tuyau de la perfusion ; et la bouteille, déséquilibrée, quittant son support de métal, s'effondra sur le sol, en nappant la chambre de verre pulvérisé et de sérum poisseux. L'homme à présent se reculait de nouveau, comme un sacrificateur qui a donné le coup de grâce, sans colère, serein.

« Tu n'as jamais connu la femme... » La bouche ouverte sur un cri silencieux, incrédule, il contemplait son bras, la petite canule transparente qui tenait encore à un morceau de sparadrap, et dont s'écoulait goutte à goutte son sang sur les draps. Pouvait-on le tuer pour cette raison-là ? Alors, il cria, de toutes les forces de ses poumons, en se râpant la gorge, et le mot qu'il criait, qu'il ne reconnut pas d'abord, il l'entendit résonner dans l'univers cotonneux où il se débattait :

« Cauchemar ! »

À l'instant où il le formulait, le roulement final du « r » se fondit avec la sonnerie du téléphone.

En sueur, le drap collé à la peau, j'avais dû laisser le chauffage trop fort, et le soleil zébrait le tapis en Barbès synthétique, j'ai tendu le bras, ce bras douloureux d'être resté trop longtemps engourdi sous l'oreiller, vers l'appareil à combiné ; mais le répondeur s'était mis en marche.

« Vous êtes bien au 42 69 84 05. Laissez-moi votre message, et je vous rappellerai. »

Les yeux mi-clos, je regardais danser les poussières dans les rais du store vénitien. Je ne note jamais mes rêves ; et je n'y aurais pas fait plus attention qu'à l'ordinaire, ce matin-là... Pourquoi cette histoire démarre-t-elle là, à ce rêve ? Les rêves sont comme les clochers bariolés des églises de Moscou. Leurs formes sont toutes différentes ; pures volutes, elles ne veulent rien dire.

« Parlez dès que vous entendrez la tonalité. »

L'appareil, ayant lâché d'un air ennuyé son message, se tut après un bref sifflement. Décidément, je n'aimais pas ce rêve. « Tu n'as jamais connu la femme ! » D'abord c'était faux. Au moins une fois, je l'avais connue, une fois de trop. Le top sonore avait fait vibrer un vase vide posé sur un coin de l'évier. Le stress du lever, accompagné de ce souvenir sanglant, pesait sur mes épaules. Pour me donner du courage, je sifflotai l'air d'une chanson d'Aznavour :

« J'habite seul avec maman... »

Le haut-parleur du répondeur n'émettait qu'un silence menaçant, parcouru de parasites lointains.

Je me dressai péniblement dans mon lit. Je devais avoir un peu de fièvre. Pour sûr, ce devait être Judith qui appelait. À tous les coups, c'était elle. Je sais discriminer entre les qualités de silences, chez mes persécuteurs téléphoniques. D'ailleurs, depuis quinze ans, Judith est embusquée derrière tous mes téléphonages anonymes. Il y a aussi cette fois où elle s'est couchée sur mon palier, quand j'habitais rue Rochechouart. Soixante-douze heures de siège.

Par quelle prodigieuse coïncidence avais-je rêvé cette phrase, au moment même où la seule femme que j'eusse jamais « connue » (oh, une seule fois) formait mon numéro depuis quelque cabine proche, pour jouir de l'illusion de partager mon lever ?

Je méditai quelques instants en traînant nu (l'important est de rester mince et bronzé) dans l'appartement sale, à la recherche d'un fond de Nescafé dans un pot qui n'eût pas servi de cendrier. On dit que les rêves sont si rapides que l'espace entre deux secondes peut contenir l'histoire d'un empire. Y a-t-il d'ailleurs un espace entre les secondes ? En tout cas dans les rêves. Je sais que souvent j'émerge « juste avant » la sonnerie du réveil. Ou est-ce un effet par lequel le choc de l'éveil nous propulse imaginairement en arrière, « avant » ? En somme, tout peut s'expliquer ainsi, me raisonnai-je en buvant le Nescafé mal dissous dans l'eau tiède.

Pour en revenir à Judith et à mon rêve, oui, j'avais connu une femme, elle, et ce jour-là, elle avait justement ses règles, et s'était bien gardée de me prévenir. Voilà qui dégoûterait un Arabe. En réalité, j'avais dû rêver l'ensemble de la scène entre la première et la seconde sonneries, et je sais que deux fois sur trois c'est Judith qui téléphone. Donc...

Je suis un ratiocineur. Mais pourquoi cet hôpital ? Je renversai une pile d'assiettes sales pour dégager un bout de biscotte à peu près présentable. Oui, qu'est-ce que je fichais dans un hosto ?

Cette question me préoccupait encore, tandis que j'inondais le tas de linge sale empilé derrière la baignoire, tout en prenant ma douche. Bien sûr, là aussi, je connaissais la cause ; cette conversation sinistre, la veille au soir, au restaurant, ce dialogue de seringues et de virus. À croire que tout le monde était en train de tomber malade. La vie moderne, n'est-il pas vrai, commence et finit à l'hôpital. Et ces temps-ci, avec cette nouvelle maladie qui menace... Certes, ce n'est jamais moi, mais les autres qui sont malades. Cependant, un cœur de quarante ans, comme disait mon cardiologue, ce n'est plus si solide... Dans le placard de la salle de bains, la veste Cerruti sentait le vieux torchon. Je ne mets que rarement une cravate, mais j'ai fini par consentir à la veste. À une veste, en fait. Celle qui me sert dans les grandes occasions. Je n'ai eu qu'une femme, je n'ai qu'une veste.

Au fond, ils avaient peut-être raison, ces Arabes, ai-je pensé en dévalant l'escalier (cinq étages à Montmartre, c'est plus haut que cinq étages partout ailleurs). Pourquoi devient-on homosexuel ? J'ai toujours eu le sentiment que j'aurais pu aimer les femmes, si je n'avais connu Judith. Durant tout ce monologue, j'avais l'impression d'être en retard et, par scrupule, j'ai détourné les yeux de toutes les pendules publiques sur mon chemin. N'est-ce pas honteux de se lever si tard ?

J'ai descendu la rue Lepic, encombrée de soleil, de cris de marchands, de légumes blets et de cageots défaits, où une moto ramasse-crottes slalomait entre les camions de livraison. Il y a belle lurette que je ne la distingue plus, cette rue Lepic. J'étais tout occupé à considérer si mon rêve avait un substrat raciste. À cette question stressante s'ajoutait cette affaire de femmes qu'on a ou non connues. J'eus une pensée pour ma grand-mère, une de ces fortes femelles qui avaient en une génération fait la fortune de ma famille. Judith est-elle une forte femme ? Sans doute. Elle est grande, nerveuse comme un cheval ombrageux, elle a des yeux noirs à l'espagnole, qui vous fusillent à distance et toute l'énergie des hystériques qui s'habillent en rouge, elle a fait du strip-tease dans les baraques du boulevard Clichy, et elle a été psychanalyste féministe. Depuis toutes ces années qu'elle me persécute, j'ai réussi à ne presque jamais la revoir. J'ai des ruses de Sioux, je la sens à distance. Je n'ouvre jamais ma porte sans regarder à l'œilleton, après avoir fermé celle de mon couloir pour éviter le trop révélateur changement de lumière. Je ne réponds jamais directement au téléphone.

Je mène une vie de conspirateur. Tout ça à cause d'une femme que je n'ai pas revue depuis, avec laquelle j'ai fait une seule fois l'amour, et dans quelles circonstances !

J'hésitais, sur le bord du trottoir, devant le spectacle trop familier de la place Blanche, ses échoppes à frites et ses cafés dépareillés, en computant à quand remontait notre dernier entretien. Je l'avais connue dans une revue, un mensuel, pas un spectacle, de « psy » anarchisants. Et elle avait jeté son dévolu sur moi, un dévolu si obsessionnel qu'il avait tout de la transe. Elle voulait à tout prix un enfant de moi. Un jour, elle finira par m'assassiner. Elle montera l'escalier, un grand couteau de cuisine à la main, ou un flacon d'acide sulfurique dans son sac, elle sonnera en retenant sa respiration, elle se cachera dans le noir...

Évidemment, mon rêve, les Arabes, Judith, je ne voyais que trop où je voulais en venir. Incidemment, ma mère habite en Argentine, et nos différents pères, à mes demi-frères et à moi, se répartissent entre photographe mondain et jésuite en rupture de ban. C'est particulièrement le sort du mien. Il a disparu, défroqué, dans les favelas de Bahia.

Un car de touristes, énorme et luisant, m'a presque écrasé les pieds. J'ai reculé en clignant des paupières, face au soleil. Il y avait quelque chose de pas ordinaire dans ce bel après-midi.

Le nombre de gens sur les trottoirs, la masse compacte des véhicules bloqués sur le boulevard...

Ce à quoi je voulais en venir tournait autour de ce que j'allais dire à Desbourses. Cela ne s'invente pas ; mon éditeur s'appelait Desbourses. Il y a bien des charcutiers qui s'appellent Lardon et des prêtres Oraison. Desbourses, avec qui j'avais justement rendez-vous à dix-sept heures précises, au cocktail. Et ces différents cauchemars n'étaient que la patiente mise en place d'un « sujet » à lui annoncer Lequel devait à son tour déclencher un premier à-valoir

Ce fut face aux grilles du métro que j'en pris conscience. Face, car les grilles en question étaient closes. C'était la grève. L'égoïsme fait qu'une grève, c'est d'abord une catastrophe imprévue pour soi. Par exemple, moi, j'étais furieux parce que les ouvriers du métro étaient en grève et que j'allais rater mon rendez-vous.

Évidemment, pas de taxi. En continuant à pied vers Saint-Lazare, le spectacle des rues devenait dantesque. On eût dit l'exode. Une apocalypse de bagages, de bambins épuisés d'avoir crié assaillait au canon les rares autobus, surchargés au point de sombrer dans le goudron. Des familles en transfert entre gares, car c'était veille de Pentecôte, se tordaient les mains de désespoir aux stations de taxis soigneusement vides. D'autres, courageux malgré l'adversité, s'engageaient dans la rue d'Antin, les valises traînant au sol, les pères, comme des capitaines de vaisseaux en perdition, à la proue du groupe qu'ils remorquaient, déchiffrant péniblement les plaques indicatrices et ces noms mystérieux qui sont aux provinciaux de passage autant d'énigmes insolubles.

Ces familles héroïques, qui ne se plaignaient pas et assouvissaient leurs angoisses par des gifles aux enfants attachés par une ficelle à leur mère, défilaient en un flot serré, une inondation pacifique devant les Parisiens goguenards, qui sont tous comme moi célibataires endurcis. Un garçon de café, son torchon sur le bras, se frottait les mains en comptant le troupeau. Des apprenties secrétaires de chez Pigier pouffaient en se poussant du coude devant cette marée d'inconfort et de fatigue. Et moi, cynique et sans enfant, comme tous les quadragénaires de Paris et New York, j'étais tout de même pris d'une grande pitié à la vue de tant d'efforts inutiles, à la contemplation de ce martyre enduré sans plainte. Moi, j'aurais tout abandonné sur place. Ces pères, ces mères, qui accomplissaient sans douter leur devoir, jamais l'idée d'abandon, ni même l'idée qu'ils existassent par eux-mêmes, individuellement, hors de l'ensemble familial, ne les avait effleurés. Je les aurais embrassés ; Nietzsche embrassait bien les chevaux dans la rue.

Je suis un égoïste, un inutile, un sans-famille, ai-je pensé avec une joie mauvaise d'aristocrate en franchissant la Seine. Un « tout-seul », un dépareillé. J'hésitais à trouver trop amer ou trop sucré le goût de cette liberté-là, que je ressentais à peine d'ordinaire, tant j'en avais l'habitude. Je n'aime personne, je vis sur moi-même ; ce que le moindre d'entre eux sait faire, se fondre et s'oublier dans le sentiment d'autrui, j'en suis strictement incapable, me répétais-je en longeant le quai Saint-Bernard.

Il était cinq heures à l'horloge de la tour de la Conciergerie. Je m'étais souvent dit ces choses-là, surtout quand j'étais en panne d'inspiration pour le livre suivant. Une manière, sans doute, de fouetter la monture. Pour le rendez-vous, c'était râpé. Et c'était tant mieux, car, plus j'avançais à travers la foule monstrueusement compacte qui convergeait vers les gares de Lyon et d'Austerlitz, plus je doutais de la supercherie mentale qui consiste à parler d'un livre avant de l'avoir écrit. Non que Desbourses fût un sot, loin de là ; il ne me demanderait évidemment pas de lui raconter le livre. Si confuses que pussent être mes explications, il y chercherait le ton d'une certitude, il me jugerait à mon enthousiasme.

J'ai continué d'avancer, les bras ballants, alors qu'il était déjà trop tard. Atome inutile, je suivais un couple de Portugais, dont la femme, jeune, au visage carré, aux cheveux courts, poussait un caddy emprunté à un supermarché où dormaient sur les sacs deux bébés enlacés.

Des péquenots, sortis de leur campagne d'Ille-et-Vilaine ou des bourbeux cantons de l'Oise, me heurtaient au passage, leur chapeau vissé sur la tête ; leur marmaille épandue sur la chaussée réclamait des gaufres introuvables. À voir tous ces visages, à imaginer toutes ces vies, cette femme blême, par exemple, en robe d'Uniprix, là-bas, contre la pile du viaduc, qui donnait tranquillement le sein à son moutard, au milieu des cartons et des paquets, ou ce gamin perdu, à bout, la morve au nez, qui arrêtait chaque passant pour demander : « Vous n'avez pas vu papa ? », et même ces fenêtres des vieux immeubles de Paris, derrière lesquelles de vieilles mains tiraient un voile pour mieux contempler la débâcle, j'avais honte de chercher. De chercher « une idée », comme on dit chez les journalistes. C'est-à-dire l'idée comme absence de toute vie. Plutôt se suicider.

Près d'Austerlitz, dans une guérite, des employés de la RATP tapaient joyeusement le carton. Généreuse ou inconsciente, la foule les contournait, comme s'ils n'avaient aucune responsabilité dans son malheur. Au coin du pont, le flux qui s'en allait camper à la gare de Lyon, dans l'attente d'hypothétiques départs, laissait le quai désert. Au point où j'en étais, autant continuer. Je savais que ce cocktail que mon éditeur offrait ce soir en l'honneur d'un de ses principaux écrivains durerait fort tard. Et je pourrais sans doute lui glisser un mot entre deux verres.

La pitié. Pourquoi donc en étais-je capable, de cette pitié qui m'avait fait interroger chaque face dans la cohue, comme elle m'avait fait presque pleurer hier soir, quand Michel racontait la catastrophe arrivée à son ami de vingt ans, sa vie brisée par la maladie, son emploi perdu, sa force vitale détruite ? Pitié à froid, inutile elle aussi, savourée esthétiquement.

Le quai, à ce point, était hérissé de voitures en épi, où de splendides bergers, de longs et minces sloughis bâillaient en attendant leurs maîtres. Mon éditeur avait fait aménager ce hangar abandonné, vers la gare de Tolbiac ; il espérait donner ainsi une touche hyperréaliste et un style loft à ses réceptions. Le grand homme de la soirée, en trois-pièces couleur tabac, ses longs cheveux blancs encadrant un visage épanoui, où des lunettes d'écaille capturaient des reflets malicieux, errait sur la mêlée comme un gros papillon brun et soyeux. J'avais cru que la grève aurait empêché le monde de venir s'empiffrer de petits fours tièdes et de mini-sandwiches inévitablement rassis. Il n'en était rien ; au contraire, cette halte sur la route du week-end, au sortir d'un Paris paralysé, les excitait.

« Moi, je me suis mise en tenue de campagne dès ce matin. Si vous aviez vu la tête des représentants quand ils m'ont vue comme ça dans mon bureau... »

L'assistance éclata d'un rire servile. La grosse dame au teint de groseille, les cheveux à la Jeanne d'Arc, enfilée dans un jogging fatigué qui craquait sous son poids, était une autorité dans le monde de l'édition. Elle vacillait d'alcool. Je supputai, en évitant ses embrassades, à qui chaque chien et chaque véhicule pouvaient bien appartenir. Les lévriers et le cabriolet, à ce jeune homme comme il faut, en Lacoste, auteur à succès ou directeur commercial ; la berline et le dogue, à cet écrivain-des-champs sexagénaire en costume pied-de-poule, moustachu et arrondi ; la minuscule Fiat et le caniche nain à cette attachée de presse, armée d'un perpétuel sourire commercial, qui se dandinait sur ses talons trop hauts. À chacun correspondait aussi, sans doute, une fermette en Normandie, un moulin dans l'Yonne, une grange retapée avec piscine dans le Lubéron, où il s'apprêtait précisément à se rendre en week-end.

« Bravo pour votre dernier livre. C'est d'une fraîcheur... »

Le grand homme dodelina gravement de la tête devant mon compliment maladroit ; la foule nous serrait l'un contre l'autre ; il étendit les ailes pour s'envoler plus près du buffet et y butiner, après m'avoir répondu, bonhomme et heureux de sa propre simplicité :

« Vous savez, je n'invente jamais rien... »

Et c'était certainement vrai. Moi, une telle sagesse m'est inaccessible. Je ne peux écrire qu'en mettant de côté mes éjaculations imaginatives.

On me frappait sur l'épaule. Je me retournai, en laissant filer mon verre, qui disparut happé dans la tourbe. J'aimais bien Antoine ; mais, d'habitude, dès qu'on le regardait en face, il se mettait à bafouiller. Il faisait du zen, et relaxait ainsi sa petite personne trapue dans sa chambre qui donnait sur le cimetière Montparnasse, assis en lotus, son bon gros visage myope détendu par l'extase. Cela lui permettait de garder la tête froide au milieu des intrigues et des humiliations de l'édition, qu'il subissait le premier parce que trop bon lecteur.

« Je devais voir Desbourses. Tu sais où il est ?

— Dans la galerie du premier. Avec des huiles. »

Il me fit un clin d'œil appuyé.

« Tu veux lui parler ? »

Comme le grand homme de la soirée menaçait de prendre la parole, le jacassement littéraire, autour de nous, monta d'un cran, exaspéré par les spiritueux, pour lui marquer le désir général. Il eût, il est vrai, risqué de dire quelque chose d'intéressant.

Il renonça aussitôt à se faire entendre. De toute la soirée j'étais le seul sans doute qui lui eût parlé de son livre. Autour de nous, on comparait la nouvelle formule d'un journal à la précédente, on supputait des rachats de maison.

« Il paraît qu'Untel (un nom célèbre de l'édition) est en faillite De plus, il est mêlé à une histoire de vol de voiture..., hurlait la grosse dame groseille.

— Ah oui, quelle histoire ? suppliait aussitôt l'échotier malingre d'un supplément littéraire, ancien éreinteur de littérature bourgeoise devenu machine à cirer les pompes des prix et des jurys.

— Je ne sais plus s'il volait des voitures ou si on lui a volé la sienne, mais c'était très louche... », soupira la dame.

Antoine me fit fendre la presse ; des plantes vertes en bacs Riviera constellés de kleenex, de mégots et de gobelets plastique, se mouraient au pied de l'escalier en fer, style « Usine », moquetté de gris.

« O-o-oh ! A-a-adam ! »

C'était une écrivaine sèche comme un insecte, qui me fixait de ses yeux durs, en me serrant le bras. Je ne supporte pas qu'on se gargarise de mon nom, ni d'ailleurs qu'on le prononce comme « verre à dents ». Elle s'agrippait à moi comme à la rampe, bouchant le passage. Au demeurant, brave personne, elle avait une façon d'appoggiaturer les voyelles qui laissait sous-entendre tout un monde de sensibilité froissée, d'amitié déçue ; ce qui n'empêchait pas cette pauvre petite chose toute simple, cette souris grise et romantique de travailler dans cinq journaux et trois « maisons ».

« Tu travailles ? Tu es heureux ? Tu ne m'appelles jamais. »

Antoine me tirait de son côté. Cette discrétion feinte, ce mot, « travail », pour savoir où j'en suis...

« Le pire, c'est que je n'ai aucune idée. Je me demande bien ce que je vais dire à Desbourses. »

J'avais parlé à haute voix.

« Mets-y une femme.

— Quoi ? »

Je dévisageai mon compagnon. Il avait dû trop boire. Mais peut-être y avait-il là, sinon une idée, du moins sa potentialité.

« D'abord, je ne connais pas de femme. Enfin, presque pas. »

Je savais qu'involontairement il serait choqué par cette

confidence, comme par tout ce qui touchait à mon intimité homosexuelle. Dans l'escalier, il fallait enjamber des pique-niqueurs mondains, qui s'étaient fait un petit groupe, s'étaient volé une assiette de petits fours et se la mangeaient entre eux, ravis de ce chapardage en commun. Raconter l'histoire de Judith ? Aucun intérêt. Je n'allais pas passer un an, même en imagination, avec une personne que j'avais fuie toute ma vie.

« Et ta sœur ? »

Il avait ricané en parlant. À son ton, je compris qu'il ne faisait que mettre en doute ma virginité en matière de relations féminines. Mais il y avait un autre sens à son exclamation, un sens à creuser. J'ai en effet une sœur, elle élève des chèvres ou des moutons dans le Berry.

Nous arrivions devant Desbourses, qui posait en face d'un affreux tableau post-pop aux couleurs fluorescentes, pour le photographe maison, avec le grand homme de la soirée, à peine un peu plus défraîchi que tout à l'heure, et qui battait encore faiblement des ailes sous les sunlights, épinglé par l'objectif.

Desbourses ressemble à tous les autres éditeurs que j'ai connus : costume de flanelle grise, tempes argentées, play-boy distingué et vieilli, avec un sourire d'indulgence fatiguée et un bronzage tous temps. Il héla un loufiat pour me faire servir un verre, feignant, à son accoutumée, d'être suroccupé, et affectant de me prendre pour un vague pique-assiette sans le sou qu'on aimait bien.

« Alors, ça avance, ton projet ? Il faut battre le fer tant qu'il est chaud, tu sais. Je trouve ton sujet passionnant... »

C'est fou ce que le mot « sujet » peut avoir de sens. Je me raclai la gorge, obéissant. De quel fichtre « sujet » parlait-il ?

« Euh, oui, finalement je le tiens, c'est une histoire de ma sœur. »

Les veines du cou de Desbourses s'étaient gonflées, et son regard bleu roi embrumé.

« Tennessee Williams a écrit l'histoire d'un masseur noir », dit le grand écrivain d'un petit air modeste, pour m'aider. Je ne rectifiai pas. Tout ce que je désirais, intensément, était de trouver un mot d'esprit, une cabriole, pour obtenir mon premier chèque. Mais comment parler argent à un homme qui m'aimait tant ? et qui était si occupé ?

« Tu sais, Philippe et moi comptons beaucoup sur toi. Je ne te l'ai peut-être pas assez dit, mais nous t'aimons beaucoup ici... »

Ici, c'était « la maison », des poutres du hangar jusqu'aux bureaux du sous-sol. Desbourses s'humanisait, se débraguettait presque. Philippe, l'héritier de « la maison », gros jeune homme barbu et épanoui, fit avec les deux mains le geste de soulever une masse de livres imaginaires, après avoir lancé dans ma direction :

« Il faudra nous en vendre gros comme ça, de votre histoire de masseur ! On compte sur vous !

— Pour une fois, j'étais venu par pure amitié, pour vous voir, on ne se voit jamais, commençai-je sans assurance, en m'enlisant au lieu de placer naturellement mon problème de chèque.

— C'est vrai, repartit Desbourses, on n'a que des rapports professionnels. »

Sa voix s'était imperceptiblement mouillée. Il but une gorgée et reprit, tout pensif :

« Je ne t'en ai jamais parlé, mais moi aussi j'ai fait Mai 68. »

Enfin Desbourses me parlait d'homme à homme. Mon chèque s'enfuyait, balayé par le vent de ces souvenirs communs qu'il nous inventait. Il était pris dans un tourbillon de nostalgie récupératrice où il nous créait inconsciemment des destins parallèles.

« J'étais au comité de gestion de la fac de droit. »

Il avait dit cela à voix basse, presque honteusement. Juste à sa gauche, la tête de serpent du plus influent critique de droite, qui cachait sous l'apparente bonhomie du bon ventru l'âme retorse d'un Machiavel littéraire, darda une oreille curieuse. Je savais qu'il se méfiait de moi, au moins autant que le principal critique de gauche, un Corse colérique dont le crâne rasé et le faciès de légionnaire s'encadrèrent symétriquement à droite de mon patron, qui s'effondra aussitôt en amabilités susurrées.

Alors je me sentis vieux. Je ne vais jamais dans les coquetèles littéraires, j'ai trop peur de m'y perdre, je veux dire de me confondre avec cette masse médiocre, spirituelle, affairée. J'avais besoin d'un chèque. De là à vendre Mai 68, dont en plus je me souciais comme d'une cerise... Le grand homme était redescendu, et le trio me tournait le dos, en me pressant contre la balustrade de la galerie, comme pour me jeter, moi, le romantique contestataire sans cravate, par-dessus la rambarde.

J'étais coincé contre un pilier de fonte, repeint, comme toute la ferraille, sur une idée de Desbourses, en violet épiscopal, avec les boulons soutachés d'argent ; en bas, à mes pieds, menacés sans le savoir par les verres et les cendres tombées des cigarettes de ceux du premier, qui utilisaient coiffures et assiettes de ceux du rez-de-chaussée comme cendriers, les invités étaient saisis d'un irrésistible mouvement brownien qui les jetait l'un sur l'autre, puis les séparait malgré leurs cris de détresse (On se voit ! On se téléphone ! Sans faute !) dans le grand maelström de la fête. Un jeune éditeur allemand, ivre mort, rouge et en blouson de cuir, s'était suspendu au lustre et se balançait comme un singe au-dessus du public. On le fit redescendre. On n'était ni à Berlin ni à Manhattan.

Les professionnels de la littérature sont, moins encore

que les prêtres ou les médecins, des êtres peu susceptibles d'inspirer, en groupe, un quelconque respect pour leur art. Les femmes, trop maquillées, hasardées sur des talons hauts qui les faisaient trébucher, n'avaient à cœur que de peindre sur leurs joues les expressions de la cucuterie systématique. Les jeunes étaient habillés vieux, du chic reprisé acheté aux puces, et s'aplatissaient devant la Critique et l'Édition. Les vieux habillés sport leur flattaient la tête comme à des chiots, et le sentiment de leur propre importance, l'éternelle préoccupation des médiocres ambitieux, les contraignait sous leur hâle à un air tendu, contracté. Chacun prétendait avoir abdiqué toute illusion, s'être résigné à la cage des habitudes et des relations. Les prêtres parlent peu de Dieu, les gens de littérature ne parlent jamais de lettres, ne lisent pas, sauf un Agatha Christie ou un bon gros Zola en poche, dévoré sur la plage. C'était devenu un principe chez eux ; comme le Critique-de-Gauche (dont les éreintages faisaient vendre) et le Critique-de-Droite (dont les chroniques, intitulées « les livres que j'aime », n'étaient que subtils regrets et démolitions onctueuses), les journalistes ne pensaient qu'à deux choses : écrire des articles dont on ne pût isoler une phrase pour la réclame (c'était le cas du Critique-de-Droite), ou au contraire dont chaque terme fût une réclame toute préparée et ajustée au futur « pavé » de publicité.

Personne ne lit, en littérature. Tous sont dégoûtés, désabusés, la seule vue d'une page imprimée, d'un chapitre, leur donne la nausée. Ils les détestent si sincèrement, après toutes ces années de bouquins ingurgités de force, de gavage d'oie, qu'ils ne peuvent plus peser que dans un sens : empêcher le public, lui aussi, de lire. En le saturant d'avance.

Et moi ? Moi non plus, me disais-je, tandis que les conversations et les bruits grossissaient, s'amplifiaient sous l'effet des boissons, je ne lis pas. Cela fait vingt ans que je ne lis plus.

« L'important, Adam, c'est que tu trouves ta petite musique... Peu importe le point de départ. »

Antoine, qui essuyait ses lunettes embuées par la chaleur humaine, tentait timidement un conseil. J'éclatai, bien que je ne lui voulusse aucun mal :

« Ah non, pas toi, pas ça ! La petite musique ! Qu'ils aillent tous en enfer avec leur petite musique ! »

Les gens, en dessous de moi, levèrent la tête. C'était comme si vingt ans de médiocrités accumulées me tombaient sur les épaules. Et ma colère s'abattait toujours sur les innocents. Il prit un air chagrin, mais il était incapable de s'offenser durablement.

« Tu n'as plus vingt ans, Adam. Tu ne peux plus nous faire le coup du mépris, du bel indifférent, du vagabond des lettres. »

Le bruit, sous le toit de tôle, était à son apogée. Les manteaux débordaient des tréteaux du vestiaire, les garçons affolés s'appelaient l'un l'autre, au-dessus des verres tendus :

« De la glace, vite ! Champagne, par ici ! »

Tout près de moi, une personne rota. Je reconnus le Critique-de-Gauche, qui se raclait à présent la gorge pour trouver la rime et tromper son monde. « Tu n'as plus vingt ans. » Je me sentais sali, vieilli, insulté d'être là, ivre comme eux tous, et encore bien content que le pauvre Antoine me donnât l'illusion d'être quelqu'un dans la maison.

Nous sortîmes ensemble, lui et moi. La grève était finie. Un orage menaçait. Nous prîmes le métro.

Voici arrivé le moment décisif. Antoine repétait mécaniquement :

« Tu n'as plus vingt ans. Regarde-toi donc. »

Il était assez pompette. Une rame qui venait en sens opposé, abordant à l'autre quai, emplit la station de ses chuintements et cliquètements. Par un effet de l'arrêt de travail, ou de quelque décision administrative visant à faire partager le caractère exceptionnel de la situation aux voyageurs par le moyen d'une gêne supplémentaire, les néons intérieurs des voitures étaient éteints ; et celles-ci n'étaient éclairées à l'intérieur que par de rares et misérables ampoules nues du système de sécurité. Je me surpris à contempler mon visage, seule partie que j'apercevais de moi, dans la vitre du métro qui venait de s'arrêter en face. La différence d'éclairage accentuait la netteté du reflet. Du moins, je le crus.

Et, tandis que je me regardais ainsi dans la glace où se reflétait le quai illuminé aussi parfaitement que dans un miroir, un fou rire commença de me gagner, qui balayait les soucis, les peurs, le chèque, et tout ce qui m'avait amené à cette soirée, et tout ce que je détestais ; parce que, dans cette glace, malgré la mauvaise lumière blême et Antoine, je paraissais, oui, j'avais vingt ans.

Le métro n'était certes pas l'endroit où j'aurais pensé jouer les Narcisse. L'impression fut très passagère, en éclair. Comme les vagues de la mer en furie se referment hermétiquement sur le naufragé, la houle des épaules devait aussitôt me dissimuler à moi-même.

Était-ce Dieu possible ? Était-ce bien moi, ce petit visage entr'aperçu, aux cheveux courts, au menton volontaire, aux pommettes hautes, que j'aurais pensé plus maigre et plus ridé ? Était-ce moi, cet air troublant d'ingénuité, ce teint de pêche, hérité de nos ancêtres d'Égypte ? Souvent, enfant, j'ai cru me reconnaître dans un grand livre d'art offert à ma mère, en contemplant l'un des portraits sur bois retrouvés dans le Fayoum, qui représente une jeune élégante aux lys avec une colombe sur l'épaule. On la nomme « La Vaironne », à cause de ses yeux, l'un brun, l'autre bleu-vert. J'ai aussi cette particularité.

En ce jour, je m'étais entrevu, par quel sortilège ? tel que je pouvais me rêver ; le nez fin et retroussé, dont la courbe, sur le tableau, rappelait celle des fleurs ; les lèvres de pulpe sombre, presque noires, au dessin ironique et sensuel, avaient perdu ces plis verticaux et amers que j'ai contractés avec l'âge aux deux commissures, et qui me font, m'a écrit ma mère, ressembler, au moins en photo, à mon père le jésuite. Je m'étais saisi beau, dans cette vitre ; non, ce n'est pas suffisant. J'ai toujours su que j'étais beau, que je le suis encore. Je m'étais vu, à cet instant, brillant d'un éclat, d'un désir pour moi-même que j'ai depuis longtemps éliminé. D'un coup d'œil je m'étais attrapé beau et jeune, le regard gonflé de sève ; au contraire de cet écrivain, qui, voyant un vieux monsieur entrer dans un salon, se découvre et découvre qu'il salue son propre reflet dans un miroir, je m'étais révélé à moi-même, en moins d'une seconde, comme l'incarnation de l'adolescence sauvée. Délicieuse surprise ! C'était donc encore moi, ce demi-sourire inquiet et enjôleur, plein de promesses, ce modelé du cou long et fin, à la peau délicate, ces traits gréco-orientaux, ces cils chargés de noir, que l'espace d'un instant la glace miséricordieuse m'avait offerts à moi-même. La vérité souvent se découvre en un clin d'œil ; je ne doutai pas d'avoir alors atteint à la vérité réfléchie, celle d'une jeunesse qui, en moi, refusait de s'en aller, me faisait différent des autres, qui n'avaient jamais eu d'autre âge que celui de leur carrière ou de leur génération.

Peut-être mon cerveau, sous l'effet du mauvais mousseux que les garçons avaient servi en dissimulant l'étiquette sous leur torchon, s'était-il mis à délirer. On saisit mieux, cependant, un individu d'un seul coup d'œil à la sauvette que par une longue appropriation. On pénètre jusqu'au cœur dans le premier cas, on reste aux apparences dans le second. De m'être surpris aussi jeune ne m'étonnait donc qu'à moitié ; et j'avais détourné le regard, pour ne pas risquer de me retrouver et d'être déçu par un plus attentif examen ; j'avais l'esprit léger, je trouvais à présent ce cocktail d'où je sortais une idée formidable ; et ces mêmes bavasseries fielleuses que j'évitais tout à l'heure, je m'en souvenais maintenant comme du plus harmonieux des concerts, plein de subtils accords qui m'avaient d'abord échappé. Antoine lui-même, avec sa bonne gêne permanente, son incurable maladresse dans la conversation, je l'aurais embrassé. N'était-ce pas grâce à lui que j'avais regardé dans cette vitre ? Mais, au fait, où était Antoine, dans ce reflet ? Malgré moi, je revins à la glace. Il aurait dû se trouver à côté de moi, et, les dos qui me cachaient à moi-même s'étant dispersés comme un vol de corbeaux, j'aurais dû l'apercevoir. Mais il n'y avait personne à côté de ma silhouette. Je me frottai les yeux ; et, me tournant vers Antoine, je voulais lui faire part des propriétés miraculeuses de cette glace, peut-être provoquées par l'excès de mousseux, quand je découvris son gros corps empêtré dans un costume à raies, sur la vitre suivante, à côté d'un grand individu maigre, aux cheveux courts et mi-poivre mi-sel, au teint bilieux, qui leva le bras vers son voisin factice en même temps que moi vers le vrai. C'était moi, le grand maigre bilieux. Mais qui était donc l'autre moi-même ? À qui appartenait ce visage entrevu que j'avais pris pour le mien, dont la ressemblance étonnante avait pu m'illusionner à ce point ?

Mon esprit se désembruma aussitôt. Il était impossible que les corps engoncés des voyageurs entrés dans le wagon aient éclipsé mon reflet. Ils étaient, ces voyageurs, de l'autre côté de la glace. Tout comme ce visage qui m'avait tant séduit.

Je lâchai Antoine au milieu d'une phrase ; il me fallait savoir. Je courus sur le quai ; heureusement, le nombre de voyageurs à charger, au soir de cette journée de grève, ralentissait le départ de la rame. Je traversai la station à coups de bourrades et de zigzags. Je rageais contre les obstacles, en sentant que mon but m'échappait. Je ne pouvais tout de même pas prendre le temps d'expliquer à tous ces gens-là que je me cherchais moi-même. Si brève qu'eût été notre croisée de regards dans la glace, l'inconnu m'avait vu comme je le voyais, puisqu'il semblait me fixer. Si instantané qu'eût été le contact, presque électrique, entre nous, il avait été suffisamment long pour nous permettre, à l'un et à l'autre, de mémoriser parfaitement nos traits. Je lui avais donc fait, en miroir, le même effet qu'il m'avait produit, c'est-à-dire la même surprise, symétrique inverse de celle provoquée en moi. Dit plus simplement, il aurait pu s'exclamer en se voyant ainsi sur le quai : « Bon Dieu, comme j'ai vieilli ! » Et puis il avait, comme moi, compris que ce n'était pas lui, ce sosie inquiétant et décalé, ni un effet vieillissant de la glace, mais un autre individu, si semblable à lui-même que c'en était hallucinant. Le même visage à vingt ans d'intervalle ; ou une vieille photographie de moi, du temps que j'étais un gauchiste nomade aux flancs creux, ranimée et revenue à travers le flot du temps ; et, pour lui, j'étais donc comme l'un de ces trucages où l'on vieillit les traits en ajoutant rides et moustaches, un trucage de lui-même. Si, pour moi, la surprise avait été divinement agréable, qu'avait-elle pu signifier pour lui ? Il n'avait, lui, aucun souvenir de lui-même comme j'en ai, moi, de moi ; il pouvait fort bien ne pas s'accepter tel qu'il serait, alors que j'étais bien obligé de me reconnaître tel que je fus. J'en venais à cette conclusion, que sinon, il aurait évidemment cherché à me connaître.

Outre l'envie féroce de vérifier si c'était une hallucination, il entrait dans mon excitation présente quelque chose d'érotique ; je l'avais trouvé beau, ce regard, parfait dans son asymétrie de toujours, ce léger décalage de teintes qui semblait le prolonger au-delà du cache étroit du visage, le dédoubler et le varier à l'infini. Je me souvins des cris des autres enfants pour me faire honte, à l'école : « Vilain petit vairon ! »

Mais j'avais su, très tôt, que c'était plutôt une chance, un charme de plus, dont je connaissais les ressorts, d'avoir deux prunelles différentes, l'une ocre et or, l'autre verte et bleutée comme une aigue-marine. Il y a longtemps que je ne saisis même plus mon regard, dans les miroirs. Et là, de rencontrer ces yeux que j'avais pris pour les miens m'avait donné une bouffée de plaisir et d'espérance.

J'avais monté l'escalier, parcouru le couloir des correspondances, redescendu de l'autre côté ; pendant ce temps, la perpétuelle guerre de ceux-qui-descendent et de ceux-qui-montent avait connu une nouvelle bataille. Au moment où je touchais au but, le métro s'ébranla dans un grand brinquebalement accompagné des soupirs de l'air comprimé. Sur le quai en face, je distinguais, à travers les vitres de la voiture, un Antoine haché par le mouvement, qui m'attendait patiemment, tassé sur la banquette de plastique vert, sous un gigantesque bébé cul nu qui brandissait un énorme rouleau de papier hygiénique d'un air conquérant.

Je remontai en courant le long des wagons ; le signal ayant retenti, les portes, en se refermant, avaient serré un peu plus les voyageurs arc-boutés contre elles. Comme j'arrivais à la hauteur du wagon de première, le train se mit à prendre de la vitesse ; à l'intérieur, les voyageurs pressés s'inclinèrent tous vers l'arrière, comme un château de cartes humain, pour résister à l'accélération.

Je me mis moi aussi à accélérer, doucement d'abord, puis de plus en plus vite, et les grandes publicités, collées sur les parois de la station, se penchaient vers moi ; et le muret du fond, ses carreaux blancs luisants, commençait à se rapprocher. Je dépassai l'avant-dernier wagon, en culbutant une mère de famille à cabas qui en demeura assise par terre de stupéfaction. Il était vital d'arriver à la première voiture avant sa disparition sous le tunnel, dont le trou noir paraissait l'aspirer. Je parvenais à la fin du quai ; le conducteur, en me voyant courir dans son rétroviseur, ralentit brutalement. Les voyageurs, sous l'effet du freinage, s'empilèrent aussitôt en un mille-feuille oblique, dans l'autre sens. Et comme le convoi repartait, le conducteur rassuré, au moment où j'atteignais le mur de faïence et l'escalier dérobé que clôture un « Interdit au public », et qui conduit au souterrain obscur où clignotent faiblement des ampoules nues, je l'entrevis à nouveau, ce profil, presque enfoui dans la masse, et je sus que je ne m'étais pas trompé.

Cette fois-ci, il était trop tard. Le métro disparut dans le demi-ovale sombre, ne laissant derrière lui que le vacillement des feux rouges, et le bruit décroissant des roues sur le rail. La dame que j'avais heurtée revenait sur moi, comme une éléphante blessée, en bramant sa furie. En face, Antoine, les bras au ciel, hurlait aussi ; il avait cru que j'étais devenu fou, ou avait supposé un suicide. Je pris la fuite par le couloir de sortie, et distançai rapidement ma poursuivante en plantant là le pauvre Antoine.

Dehors, les réverbères orange au sodium du boulevard de la Bastille allumaient des reflets sur les capots des voitures, et les feux arrière formaient dans le soir, comme sur les cartes postales, de longues traînées rouges au long du canal de l'Arsenal. Apparemment, le garçon entrevu ne m'avait pas, lui, cherché comme son sosie, ou alors j'aurais dû le heurter dans les couloirs du métro, tandis qu'il accomplissait le trajet réciproque du mien. Était-ce mon Narcisse qui me jouait un tour ?

Je remontai à pied jusqu'à la République, puis Magenta jusqu'à Barbès. Était-il vrai que chaque homme sur cette terre possédait son sosie, perdu dans la foule immense des grandes villes ? Ou bien, le désir et l'alcool aidant, avais je inventé, sur un jeune visage plaisant à voir, au hasard, cette similitude frappante, l'âge en moins ? Je me souvenais d'un roman de Nabokov, où était contée une méprise analogue. M'aimais-je à ce point de ne pouvoir aimer que mon double, et de le projeter ainsi sur autrui ? Non, j'aurais pu me tromper une fois, mais pas deux. Je n'ai jamais d'hallucinations. D'ailleurs, pourquoi aurais-je inventé quelqu'un qui était, de toute évidence, plus jeune que moi d'une génération entière ?

À Anvers, je grimpai la rue de Steinkerque, en tournant à droite, et les marchands de tissus et pâtisseries arabes étaient encore ouverts dans le soir tiède. Je passai le square Willette, que tout le monde, sauf les plans et les agents, appelle jardin du Sacré-Cœur. Sous les marronniers, d'où surgissaient des cônes de fleurs roses ou blanches au parfum de sperme humain, des promeneurs s'écartaient déjà des allées trop éclairées, deux par deux.

En arrivant dans mon grenier, échauffé par une journée de soleil et qui sentait encore l'odeur âcre d'un réveil tardif, je me suis planté devant ma glace, celle qui est cassée dans un coin, que Michel m'a offerte pour cette raison, en craignant qu'elle ne lui porte malheur. J'ai pris conscience de quelque chose, à quoi je n'avais pas prêté attention jusque-là.

Les yeux de l'inconnu, quand je les avais examinés un peu longuement, la première fois, m'avaient paru parfaitement semblables aux miens. En revoyant par la pensée cette exacte réplique, je fus frappé de constater qu'il y avait pourtant une différence. Cette différence même expliquait que j'aie pu le prendre pour mon image inversée. Plus qu'à moi-même, il ressemblait en effet à mon reflet. Chez lui, j'en étais sûr à présent, le moindre détail s'étant gravé dans ma mémoire, c'était l'œil gauche qui tirait sur le brun ocré, et chez moi le droit. Nous n'étions pas « pareils », mais symétriques, en miroir.

Je descendais, au long de ses reins, la courbe de son accent grave. Je répétais son nom, incapable d'articuler autre chose, d'articuler quoi que ce fût, car « Ève », ça ne s'articule pas, ça ne contient pas d'occlusives, à peine une consonne. Cela fond dans la bouche comme une glace, à moitié solide, à moitié liquide, à moitié consonne et à moitié voyelle, premier aleph et dernière parole, premier prénom soupiré par Adam qui jusque-là n'avait jamais eu de langage car il n'en avait nul usage. Je redevenais cet Adam premier. Cela fond dans la bouche, comme disait la publicité de ces affreux bonbons au chocolat multicolores, qu'elle suçait sur la plage, accoudée et sur le ventre, en gardant les yeux dans le vague, vers les dunes, droit devant elle, fixée sur cet endroit où le sable chaud crée le mirage d'une brume solaire.

« Ève, oh, Ève, qu'est-ce que tu regardes ? »

Je la retournais comme une crêpe, en manière de jeu, en lui attrapant les deux chevilles, ces chevilles brunies de gamine, où elle gardait la trace d'un anneau, cercle enchanté de peau claire cousu dans la peau sombre. Je la maintenais, les fesses en l'air, elle faisait la brouette un moment, puis, aussitôt lassée, se libérait en agitant les jambes, faisait voler le sable autour d'elle, et se retournait, offrant ses cuisses, son ventre plat, où la cicatrice de l'appendicite s'enroulait à l'aine comme une fermeture Éclair, que je rêvais parfois d'ouvrir pour lui caresser l'intérieur ; un intérieur de boyaux blancs et nets, d'organes bourrés de vitalité, craquant de jeunesse.

Suivant les cuisses fuselées, ma main droite s'attardait à l'entrée de cet intérieur ; elle fermait les genoux, emprisonnant mes doigts. Un peu de sève coulait entre ses jambes. À quatre pattes, écartant le sable, je léchais les lèvres duveteuses. Ève était presque imberbe ; et elle ouvrait enfin largement les jambes en soupirant, offrant sa chatte à la chaude lumière du soleil, qui baissait juste en face d'elle, sur la mer. Un frisson, une contraction, la prenait alors, parce qu'un oiseau, là-bas, avait parcouru le sable de son ombre, ou que quelqu'un, peut-être, regardait depuis les dunes couronnées de genêts en fleur. Et puis elle se laissait aller en arrière, et ses cheveux, moisson permanente de fils châtains aussi minces que les fils de la Vierge, s'étalaient en corolle sur le sable blanc.

Une cétoine dorée, somptueuse pierrerie vivante à la cuirasse verte étincelante, lui courait sur le bras. Elle la laissait faire en riant, chatouillée par les pattes minuscules à la saignée, là où le fin réseau des veines, à l'abri du soleil, parcourait la peau olivâtre.

Ève. Ses lèvres, son nez, ses seins eux-mêmes ont la forme de son nom. Tout s'y retrousse ; leur ligne supérieure, quand on les regarde de profil (celle des seins, surtout), s'incurve vers le haut, comme si le bouton, le bourgeon presque noir, dont l'aréole paraît un savant maquillage, était un pic dressé contre l'âge, contre la pesanteur, une protestation érigée contre la laideur du vieillissement. J'ai lu dans Clément d'Alexandrie que les seins s'affaissent, au premier enfant, pour se mettre à la portée du nourrisson.

Elle se décidait parfois à retirer le casque de son walkman. J'oubliais aisément la présence de cet instrument ; elle passait sa vie avec, au début ; elle préférait écouter de la musique que les gens.

« Qu'est-ce que tu écoutes ?

— Les “ murmures de la forêt ”, dans *Siegfried*... »

C'était bien d'elle d'écouter Wagner au milieu du bruit des vagues. Elle me prenait le visage entre ses deux mains, le serrant comme pour le déformer, et, me plaçant impitoyablement en pleine lumière, elle me demandait, de sa voix encore mal élevée :

« Qu'est-ce que ça fait, pour un homosexuel de ton âge, d'être amoureux d'une fille pour la première fois ?

— Petite idiote, petite sotte, petite ignorante... »

Je n'essayais même plus de lui faire croire que j'avais connu d'autres femmes. Même pas Judith. Cette lubie m'était passée. Elle continuait de me tenir, et malgré le soleil, le vent et le sable, j'ouvrais grands les yeux, car je savais ce qui allait venir ; son front s'approchait du mien, comme pour le cogner, je plongeais dans son regard comme on entre dans la mer, ce regard clair à gauche, et sombre, insondable, à droite, et nous ne formions plus qu'un, noyés l'un dans l'autre.

Mais je me laisse emporter, j'anticipe. Revenons à notre point de départ. Les jours qui suivirent le cocktail, l'énigme de ce visage entrevu dans le métro ne cessa de me poursuivre. J'étais surpris moi-même de cette obstination. À mesure que le temps passait, la signification de cette rencontre me paraissait plus obscure. Ou, plus exactement, ce qu'elle pouvait signifier prenait le pas sur l'événement lui-même, et bâtissait devant lui l'ingénieuse façade des explications, au point de le dissimuler.

« Il voit des doubles partout.

— *Son* double. C'est du dédoublement de personnalité. Ou du narcissisme. »

Ce soir où je dînais avec des amis dans le petit restaurant à l'angle de ma rue, où les coussins couverts de nylon brillant ont depuis longtemps absorbé l'odeur de mille consommateurs, je les avais d'abord laissés plaisanter sans réagir.

« Le pire, c'est que ça peut recommencer d'un moment à l'autre... Tu devrais aller consulter un spécialiste.

— Un spécialiste de quoi ? Du double ?

— Un spécialiste de l'illusion du double...

— Un psychiatre, en somme, tu me crois fou ? »

J'étais déçu par leur attitude. Je tentai de leur expliquer ; jamais ça ne m'était arrivé avant ; j'étais exactement le même que la veille de l'incident, je n'avais ni angoisses ni visions.

« Les homosexuels, c'est comme ça, personne ne les contrôle, personne ne les empêche d'aller au bout de leur délire solitaire. Quand tu dérailles, ça t'arrive toujours une première fois, et sans doute on ne peut pas arriver à y croire soi-même », fit sentencieusement Patrice, le patron du restaurant, qui s'introduisait sans façons dans la conversation à l'heure du café.

L'endroit, qui aurait dû s'appeler logiquement « Chez Patrice », continuait de se nommer, d'après le cuisinier fondateur maintenant exilé à New York, « Le Petit Charles ».

« J'ai lu dans un article que nous sommes tous narcissiques. Dans nos amours, nous ne cherchons que nos doubles, des autres nous-mêmes en nos amants. Tu es un cas avancé... »

Je fis tomber ma cendre dans le reste de gratin de morue. La remarque était d'autant plus déplacée que deux des présents étaient mes anciens amants. Et nous n'étions en rien des doubles ; au contraire, même, notre tablée avait un côté bric-à-brac, elle entassait dans le désordre des strates différentes de ma vie amoureuse ; bien oubliés, ces moments d'autrefois, et la preuve en était l'innocence objective avec laquelle notre ami avait prononcé sa sentence.

Nous étions là, tous les quatre, sous la clarté louche des lampes gazées de tulle rose auréolé de chiures de mouches ; mais aucun d'eux trois, ces vieux copains qui me connaissaient depuis des dizaines d'années, Jean-Albert, qui travaillait comme comptable sous les tropiques en accumulant une malsaine graisse suante à l'ombre des climatiseurs de bureau, Michel, qui ne manquait ni un défilé de mode, ni un vieux film pour cinéphiles, et s'emplissait quotidiennement le crâne de futilités médiatiques, sans oublier Patrice, patron du Petit Charles, pas un d'entre eux ne m'avait jamais entendu délirer, je veux dire délirer vraiment, paranoïser, perdre la boule ; et pourtant, je le voyais à leur attitude, la façon dont Jean-Albert tournait la cuiller dans son express gorgé de calva tout en souriant aux anges, celle dont Michel aiguillait la conversation sur autre chose, ils ne croyaient pas un mot de ma version des choses.

« Il y a un festival de péplums fabuleux dans le Marais. Les authentiquement vieux, comme celui écrit par D'Annunzio.

— Tout de même, fit Patrice en coupant Michel, ce n'est guère rassurant. Je serais plus effrayé que ravi, si je rencontrais mon double... »

J'eus un regard perfide sur la petite bouille moustachue, aux cheveux en brosse, qui couronnait comme une petite pomme sur une citrouille le dodu cuisinier, puis sur la masse avachie, qui débordait la ceinture en un repli de chemise nylon, qu'était devenu Jean-Albert. Seuls les petits yeux de cochon, dans ce déballage, me le rappelaient encore, nos voyages en Grèce vingt ans plus tôt, nos militantismes communs d'adolescents, et ce jour où il m'avait jeté, sur la piste d'Olympie, parce que j'avais bu toute l'eau de notre gourde : « Non seulement tu es un sale aristocrate de caractère, mais je découvre que tu n'es même pas communiste. » Je ris tout seul à mon évocation intérieure.

Quelle naïveté de leur part ! Évidemment, on n'a pas envie de rencontrer son double, quand « on » est aussi enlaidi. La situation n'est pas généralisable. Personne n'a de double sauf moi. Le double de Jean-Albert ou de Patrice, ils ne m'intéressaient aucunement à rencontrer. En effet, comme à eux-mêmes, ils me feraient probablement horreur. Mais le mien ? Leur ferait-il le même effet qu'à moi l'idée du leur ? Il y avait une glace dans l'angle de cette caverne montmartroise enfumée. Je la sentais derrière moi. Je pouvais m'y contempler. Je ne le fis pas.

Ainsi, ils ne me croyaient pas. Je découvrais quelque chose à leur propos. C'était comme s'ils avaient attendu patiemment ces vingt ans en me dissimulant qu'ils me considéraient comme un cinglé. Et la conversation était trop futile pour que je pusse leur faire remarquer la grossièreté de leur trahison : ayant pour la première fois l'occasion de choisir entre la vraisemblance et moi, ils optaient à l'instant et sans l'ombre d'une hésitation pour la vraisemblance.

« Il paraît que nous avons tous nos sosies perdus dans le grand melting-pot des continents. Nous ne sommes pas uniques, mais des dépareillés qui ne rencontrons jamais notre complément. La vie est un grand carton dans lequel on a versé pêle-mêle des milliards de boutons de manchettes, tous différents entre eux, sauf deux par deux... »

C'était ma botte secrète. Je la poussai si faiblement que je n'en tirai nul avantage.

« Il y a une histoire de sosie chez Thomas Mann, je crois que c'est dans *L'Homme sans qualités...* »

Michel estourbissait souvent ses références culturelles. Ce n'était pas Mann, mais Musil, pas une histoire de sosie, mais d'inceste.

« Si vous l'aviez vu vous-mêmes, vous me croiriez, fis-je piteusement pour conclure.

— Parce que tu ne l'as jamais revu ? »

En effet, je ne l'avais plus revu après cette soirée.

Mais justement : c'était bien la preuve que je ne voyais pas mon double partout.

« Est-ce qu'il ressemblait à tes photographies d'autrefois ? Barthes disait que la photo est un double de la mort, je crois.

— Oui, j'ai pensé que si je voyais mon double, j'allais mourir. Comme dans les contes allemands. Sur une photo, on est exactement pareil à ce qu'on est ; dans ce cas, j'étais en miroir. »

Il était totalement faux que j'eusse pensé à ma mort, je venais à l'instant d'inventer cela, pour les impressionner, les tirer de leur quiétude d'alcooliques cyniques, les arracher à ces paradoxes à l'à-peu-près qui étaient toute leur pensée. Étaient-ce là mes amours et mes souvenirs ? Ce fut Patrice qui eut le mot de la fin, en s'essuyant les mains sur son tablier poisseux :

« On ne meurt pas de rencontrer son double. Au contraire, on est deux fois plus vivant. »

Je trouvai sa réflexion assez sensée.

Avais-je assez pensé à ce qu'éprouvait l'autre, qui était vivant et sentant, lui aussi ? Dans cette affaire de double, tout se passait depuis le début comme si je m'étais naturellement considéré comme l'unique lieu où cette existence dédoublée eût une conscience. Comment pouvait-il n'avoir pas, lui aussi, cherché à me contacter ? Et même s'il n'osait pas se donner le ridicule d'y croire, à ce qu'il avait d'abord pris pour une vision, n'avait-il pas « réfléchi », plus tard ? Le terme, emprunté aux miroirs, me fit l'effet d'une coïncidence heureuse.

Comme il est de coutume, l'addition m'échut bien au-delà de ma part. Il est vrai, m'objectai-je, cette histoire est sans issue. Où chercher son double ? Autant chercher une aiguille dans une meule d'aiguilles. Par les petites annonces ? « Homme ayant rencontré son double lui donne rendez-vous devant le monument aux morts de la gare Saint-Lazare... » Faute de photo, et si la chose était moins rare qu'on ne le pense, d'innombrables doubles dépareillés risquaient de venir en masse au rendez-vous.

« Tu as besoin d'amour, alors tu fantasmes sur le passant inconnu, le garçon-du-métro... », me dit en guise d'adieu, dans la rue, Jean-Albert, qui partait le lendemain à l'aube mettre en faillite quelque affaire jusque-là prospère au Gabon ou au Congo.

Je m'aperçois, un peu tard, que je ne me suis pas vraiment présenté. Je m'appelle Adam Kadmon, célibataire, j'ai quasiment quarante ans, six amis, dont deux le plus souvent à l'étranger, sept livres derrière moi, toutes mes dents et plus d'amant.

Je n'ai plus d'amant régulier depuis des années. Au début, ça s'est simplement espacé. Ils se faisaient rares. Comme dans les changements écologiques, je ne me suis rendu compte de rien. Le paysage amoureux était déjà aux trois quarts stérile autour de moi, quand j'ai pris conscience que les pluies acides de la désillusion avaient exterminé les bosquets de l'amour.

Je ne vois ni ma famille, trop dispersée, ni mes collègues écrivains. Je vis si seul que je pourrais bien finir assassiné, comme les vieilles dames du quartier, par un type qui m'aurait suivi, avec mon accord, depuis le boulevard ; et personne ne s'apercevrait de rien avant des semaines, quand l'odeur s'étendrait en nappes fétides dans l'escalier.

Je suis insensiblement devenu un bel échantillon de misanthropie. « Et de misogynie aussi », ajoute l'un de mes six amis.

Et les cinq autres d'acquiescer en chœur :

« Oh, ça, il n'y a pas plus misogyne qu'Adam ! »

Comme ils sont tous homosexuels, ça les délivre de leur propre faute, de m'avoir comme bouc émissaire de la misogynie.

Boy ne faisait pas partie de mes six amis. Je le maintenais à l'extérieur, au prix d'efforts continuels pour le décourager. Boy nous était arrivé d'Amérique, il pesait cent vingt kilos, deux cent quarante livres d'Irlandais gonflé par le whisky. Il était venu de là-bas dans le cadre du renversement général des rapports, disait-il, il nous rendait la monnaie de notre pièce, quand nous étions partis, au cours des années soixante-dix, pour les métropoles libertines · Manhattan, San Francisco, L. A. Il fuyait le « retour du bâton de ce fasciste de Reagan » (*sic*). C'était à sa façon un exilé politique. Sa grosse face de lune blanche était perpétuellement déformée par un sourire en coin, affreusement pervers, qui n'était que la cicatrice d'une poliomyélite mal soignée. Alors qu'au fond de son ivresse irlandaise jamais complètement éteinte, qui entretenait son énorme expansivité, il se voulait tout amitié naïve, du moins je le croyais.

Je ne l'avais pas connu en Amérique, mais j'avais croisé tant de gens là-bas que je ne pouvais jurer de rien quand il m'affirmait le contraire. Et puis son commerce, uniquement fait de gossips, de ragots cueillis dans les journaux et qu'il présentait comme autant d'informations exclusives, me rappelait les mœurs provinciales, échotières, de Soho ou de Tribeca, les quartiers de l'East Village. Comme tous les New-Yorkais de ce temps-là, Boy employait « sophistiqué » pour dire élégant, raffiné (en passant, le vrai sens en est : truqué, adultéré, comme le vin italien).

Ce jour-là, deux semaines après l'incident du métro, j'avais décroché, par faiblesse, en entendant sa voix poussive dans mon répondeur :

« Oh-oh, Adamme, tou sayes comme c'est un tel plaisoir de te parler... »

Il avait l'amitié gluante ; un simple contact d'un instant lui suffisait pour vous intégrer dans sa liste : les milliers de noms d'intellectuels, de journalistes ou de poètes dissidents rock qui formaient son carnet d'adresses, de Budapest à Madrid. Ce réseau lui permettait apparemment de faire survivre son éléphantiasique personne, à coups d'emprunts internationaux et de mandats télégraphiques.

« Tou es pour moi si important, mon che-e-e-r Adamme, et toute notre petite fammmille...

— Quelle petite famille ?

— Nos amis dou cœur, ce che-e-er Djann Alberte que j'aime tant, Michel et les autres... »

Boy débordait en permanence de sentimentalité comme les gâteaux américains de crème fouettée. Aurais-je pu deviner ce qui se dissimulait sous de si enrobantes, bien qu'exaspérantes, déclarations d'amour ? Sa voix, dont j'imaginais l'organe tordu, vrillé dans l'effort fourni pour flûter les syllabes, était entrecoupée de petits sanglots intimes de satisfaction, et de râles respiratoires, autre cadeau de la poliomyélite.

« Che-e-er Adamme, j'ai un cadeau pour toi. À propos de petite fammille, j'ai connou ta... comment dites-vous ? Ta nièce. Aoh, c'est une fille marvellous, extraordinaire. Je loui ai promis de t'en dire un mot...

— Me dire quoi ?

— Elle voudrait tellement beaucoup te vouarr... Mais elle n'ose pas te téléphoner. Pour elle, tou es un homme célèbre, elle est si jeune... Et pouis tu auras une surprise. »

Il n'y a pas de grand homme pour sa femme de ménage, mais on est toujours célèbre pour ses nièces. Ma famille, je l'ai dit, m'intéresse peu.

« Elle a eu tant de malheurs terribles pour son âge, elle a fait de la prison en Afghanistan parce qu'elle aidait la guérilla... »

Boy se prenait pour un anti-impérialiste en mission, même à Paris. Bon, cette nièce sortie du néant de ma mémoire (à peine si je me souvenais de son existence) voulait probablement me taper d'un billet ou deux. Quelle aberration d'avoir choisi Boy comme intercesseur ! Je ne pouvais décemment refuser la rencontre. Boy avait le don de se charger des commissions les plus extravagantes : c'était un moyen de s'imposer dans l'intérieur d'autrui, de nager avec délices dans l'eau profonde des relations sentimentales. Sa laideur phénoménale ne lui laissait, à mon avis, que ces relations par procuration. Et rendez-vous fut pris pour le lendemain.

Aimé-je ou n'aimé-je pas ma famille ? J'ai la chance d'appartenir à une véritable salade génétique, brassée par l'histoire mondiale de ce siècle. J'ai de la famille partout, des juifs de Constantinople aux ladies de Londres ; ma mère, argentine, vivait seule dans un appartement minuscule au sommet d'une tour, près de l'avenida Corrientes, à Buenos Aires. Le sang juif et égyptien vient du jésuite (c'était un jésuite circoncis). Si j'étais resté en Europe, quand ma mère eut définitivement regagné sa patrie, c'était aussi pour me débarrasser d'elle et de sa douce démence.

La famille de ma mère expliquait sans doute son « grain » à elle. L'album avait tout du trombinoscope de l'ONU. Son grand-père maternel était un Coréen qui avait vécu soixante ans en Argentine en faisant son yoga tous les jours, et réussi dans l'importation massive de soja pour nourrir les vaches du pays.

« Mon grand-père disait qu'un gentleman a toujours un peu froid », soupirait ma mère en revoyant la silhouette chétive, le visage mince et barbichu aux lunettes fines, et l'habit noir qu'il ne quittait par aucune des chaleurs de l'été austral, quand Noël met des sapins enneigés et des dindes farcies aux devantures des magasins de l'avenida Belgrano, par quarante degrés à l'ombre.

Il avait engendré, avec l'aide d'une fille de l'Entre Rios qui parlait à peine espagnol, et qu'il avait choisie après l'avoir vue chanter en travesti des tangos au Viejo Almacen, près du port, ma grand-mère, mère de ma mère, poétesse féministe aux longs cheveux noirs lustrés à l'indienne. Toute sa vie, ma grand-mère fuma de l'herbe, et but le maté. Ce qui ne l'empêchait pas d'être la Virginia Woolf locale. Elle était très belle, mate de peau, mince comme une liane, et les photos la montrent en robe longue, tournée vers l'objectif, le pied posé sur un tabouret, comme une écuyère qui descend de cheval.

Ma grand-mère poétesse avait passé sa vie dans une relation tumultueuse avec l'un des hommes les plus puissants du pays. De mon grand-père, son seul portrait connu disait tout. Il était le personnage essentiel de la famille ; mes cousins restés là-bas, ma mère elle-même, lors de ses accès de folie des grandeurs, ne se référaient qu'à lui.

Il avait une dégaine typique de gangster italien. Sur la photo, on le voyait avec le chapeau blanc fendu, le profil mussolinien (il était, lui, fils d'immigrants venus de Gênes), la chaîne de montre et le gilet de soie, tout comme ses gardes du corps qui souriaient bêtement derrière lui. Tous ces hommes en costard posaient devant l'Umbu national argentin, sous lequel le général San Martin, fondateur de notre indépendance, aimait à faire la sieste après avoir donné des lois au pays. Ledit San Martin devait mourir en France, pays pour lequel mes parents, qui en savaient Gardel originaire, avaient une telle admiration qu'ils faisaient expédier et ramener chaque trois mois leur linge sale par bateau jusqu'aux bonnes blanchisseries françaises.

Mon grand-père dirigeait le principal quotidien du continent. *Epoca* était diffusé à dos de lama du Pérou à la Terre de Feu. Il en dictait les titres depuis son sauna privé, au sommet de l'immeuble moderniste de marbre blanc, qui est aujourd'hui la préfecture de police. Ce qui provoque chez ma mère, chaque fois qu'elle passe devant, de nouveaux accès de vaine rage.

Inutile de dire que le journal était sans scrupule. Après avoir accusé les filles du Président d'avoir ramené la syphilis d'Europe, avoir fait écrouler trois fois la Bourse de Buenos Aires à coup de fausses nouvelles, mon grand-père mourut à la veille de la dernière guerre, dans un accès de fureur contre son gendre qui se termina par une apoplexie. Il avait toujours été un sanguin, et un amateur de pâtes. Trois mois avant sa mort, il avait enfin obtenu de ma grand-mère qu'elle acceptât de porter son nom. Le mouvement des suffragettes était en recul, ils étaient vieux l'un et l'autre, elle finit par céder. Mais elle ne pardonna jamais à sa famille, ma mère, son propre mariage.

Quand mourut mon grand-père, ma mère et mon père, qui n'était pas encore dans les ordres, voulurent faire à la veuve toute fraîche une visite de condoléances. Elle habitait une suite pour milliardaire, dans un grand hôtel, et élevait sur sa terrasse des poneys miniatures. En voyant entrer mon père, elle sortit de son sac un amour de pistolet à crosse de nacre, et lui expédia, comme il prenait la fuite, deux balles dans le gras du mollet.

J'ai fort peu connu mon père. Mon grand-père, qui n'avait des êtres masculins qu'une idée brutale, aurait voulu un gendre politicien, relais idéal pour le journal. Il décida de faire de mon père un sénateur ; pour un petit émigré juif égyptien qui avait séduit ma mère (laquelle lui préféra vite des amants mondains) grâce à sa barbe de jais et à ses yeux couleur havane, c'était inespéré. Il en avait fait la conquête sur les courts de tennis. Finalement, à l'âge de quarante-cinq ans, après avoir ruiné ma mère, qui avait eu en cadeau une Rolls pour ses dix-huit ans, et l'avoir contrainte à émigrer des grands palaces de Montevideo aux garnis du Quartier latin, après avoir également ruiné sa carrière politique, après la mort de mon grand-père et de son épouse, et la dislocation du journal, mon père avait demandé la « séparation » (nous n'avons pas le divorce en Argentine, ce divorce pour lequel ma grand-mère avait tant milité). Et il s'était reconverti en entrant chez les Jésuites. Rien de pire ne pouvait nous arriver ; la sincérité obtuse de cette conversion exaspéra ma mère. Mon grand-père, et ma grand-mère, anarchistes de toujours, étaient deux fois trahis. Nous ne l'avons jamais revu ; il dirigeait une institution pour jeunes Indiennes handicapées, au nord du Brésil.

Ma sœur et moi avons passé notre jeunesse entre lesdits palaces et les villas à Mar del Plata ou à Punta del Este. Nos cousins, nos demi-frères ne s'habillaient qu'en chemise anglaise, et pilotaient des Jeep sur la plage au lieu d'aller au lycée. Une telle éducation devait porter ses fruits. En gros, à trente ou quarante ans, ils vivent aux crochets de ma mère, sur sa petite retraite de sénateur, enfin celle de mon père, dont elle a déclaré le décès.

Il est temps d'en venir à ma nièce. J'ignorais tout d'elle, son âge comme son nom. Je supposai qu'il s'agissait de la fille de ma sœur, je me souvenais qu'elle en avait une, et pas d'une vague rejetonne de mes demi-frères.

Suprême vengeance, pour le marginal, l'homosexuel, l'exilé qui n'avait de liens ni avec son pays ni avec les siens, c'est sur moi que retombait, quinze ans après, sur moi le célibataire endurci, la charge d'une nièce en perdition ! Cette nièce n'irait pas chercher les familles demi-fraternelles, elle venait à moi, le sans-famille. C'était la fille de ma sœur Anne, et son père, si ma mémoire était bonne, était un étudiant en médecine qu'Anne avait connu en 68.

Il y a souvent, dans les familles, une fracture, un pivot ; j'avais été, en ce temps-là, ce pivot, et ma petite sœur Anne, la seule de ma famille pour laquelle j'aie éprouvé à l'époque une grande affection, s'était trouvée du même bord que moi lors de cette fracture.

Anne. Le regret de la longue séparation m'envahit. Comment avais-je pu l'oublier ainsi ? Elle porte un prénom français, hommage de la francophilie parentale, au même titre que le goût des bordeaux et des Modigliani. La fille d'Anne devait avoir seize ou dix-sept ans. Anne vit en France, dans le Berry, et, pour reprendre une expression bien sotte de nos Français américano-maniaques fabricateurs de néologismes barbares, elle est une typique « baba cool ». La fracture, pour elle comme pour moi (elle a cinq ans de moins), ça a été, bien sûr, Mai 68.

Quand Boy m'avait téléphoné, on était début juillet. En raccrochant, au moment précis où je reposais le combiné, j'ai eu le sentiment qu'un rideau se déchirait. Je suis resté sur place, en écoutant ce qui se dévoilait en moi. L'erreur au cocktail. « Masseur » pour « ma sœur ». Cette providentielle arrivée de ma nièce. Jusqu'à cette rencontre dans le métro, que je rangeai soudain au rang des illusions créatrices. Je tenais mon fil, ma piste, mon « sujet ». Mon prochain roman serait l'histoire de ma sœur Anne. En plus, venant de moi, un héros féminin, cela surprendrait. Et cette apparente apostasie de l'homosexualité m'apporterait à tous coups les suffrages des deux grands critiques, même si celui de gauche, surtout parce que celui de gauche l'était justement, homosexuel. J'avais maintenant hâte de voir cette nièce tombée du ciel, moins pour elle-même que pour ce qu'elle me conterait à propos de sa mère. Oserais-je prendre des notes ?

Tout s'éclaircissait. Le travail de mon esprit épuisé pour produire encore une fois, aux forceps, une nouvelle raison d'écrire ; ma sœur, en exagérant à peine, c'était un autre moi-même au féminin. Et il y avait tant de souvenirs qui ne demandaient à présent qu'à couler sous ma plume : elle et moi en train de jouer dans les couloirs de l'hôtel Carrasco, lors de notre premier exil, quand notre père nous avait abandonnés en Uruguay avant de filer vers le nord. À six ans, elle m'appelait à l'aide pour torturer nos bonnes indiennes, dont l'une ou l'autre était enceinte, en renversant les thermos où elles mettaient l'eau chaude pour le maté (elles le versaient dans une courge évidée, et l'aspiraient goulûment, d'un seul trait, avec une paille). Nous deux chevauchant dans le vent, au bord des eaux chocolat du grand Rio. Après Buenos Aires, puis la vie des palaces pour exilés, je revois ma mère, serrant en sanglotant Anne sur son sein, le jour où mon père lui fit découvrir, dans la villa en face du Carrasco qu'il avait louée par économie, la cuisine sans esclaves. Elle pleura, parla de vendre ses bijoux. Ma sœur et moi jouions à présent dans le jardinet sec, avec les enfants des domestiques de l'hôtel, juste en face de l'entrée de l'immense pâtisserie 1900 où nous avions été, l'année précédente, des petits princes. Et ma mère suppliait qu'on fermât les fenêtres, qui donnaient sur le jardin du casino où elle avait tant joué, et d'où nous parvenaient les bruits de plaques et d'autos de luxe.

Pendant toute cette première enfance, ma sœur et moi n'avons presque jamais dîné avec nos parents. Mes demi-frères et cousins, mis en pensions anglaises, n'étaient là que pour les vacances, à l'hacienda, et ne parlaient que chiens et motos, quand ils n'essayaient pas de faire croire que c'étaient eux qui avaient engrossé la bonne. Ce qui était notoirement faux ; nous qui étions dans le secret des domestiques, puisque nous dînions à l'office avec elles, savions que les bonnes avaient de solides amants porteños aux moustaches conquérantes, et non des play-boys de quatorze ans longilignes et dégénérés.

Puis ce fut la France, la rue Monsieur-le-Prince, enfin l'appartement avenue Mozart, quand nous récupérâmes quelques lambeaux de la fortune familiale, le lycée français pour moi comme pour Anne ; et aussi les platanes du seizième arrondissement, les premiers métros, où je découvrais avec ravissement une station « Argentine ». Tout nous paraissait si poli, cultivé, la nourriture si complexe, les magasins si raffinés, et la ville elle-même si petite, si serrée et si précieuse, que nos habitudes d'Argentins, accoutumés à manger une vache entière et à bâiller à table, me devinrent honteuses.

À la même époque, c'était la fin des années cinquante, j'avais de la gomina dans les cheveux, et ma petite sœur s'éloignait un peu de moi. Mais voilà que ma mère, abandonnée pour Dieu par mon père, et qui elle-même s'était à peine préoccupée de notre éducation, se découvrit un passé et un avenir de mère exemplaire. Notre commun refus de ce retour tardif d'affection nous rassembla à nouveau. Quand elle décida de retourner en Argentine pour faire de nous des citoyens de là-bas, j'obtins de finir ma scolarité à Janson-de-Sailly. J'avais quinze ans, la guerre d'Algérie agitait les lycées, Sartre et Camus se lisaient sous les tilleuls de la cour de récré. J'étais censé rejoindre ma mère dès l'été venu ; je n'en fis rien, revendis le billet d'avion, et commençai à vivre des poèmes que je vendais aux passants sur le pont Saint-Michel. Pendant cinq ans, je me fis passer pour majeur sans difficulté, y compris dans les cinémas (où l'odeur des hommes m'attirait depuis Buenos Aires), grâce au culot phénoménal dont j'ai hérité. On reste forcément un peu argentin quelque part. Et en 67, ma sœur revint à Paris, arguant auprès de ma mère de ma garantie, pour suivre les cours de l'Alliance française. Elle allait avoir seize ans.

Moi, je m'étais fait un petit nom, j'habitais deux chambres de bonne à Saint-Germain-des-Prés, et je préparais mon premier livre. Mais cinq ans de plus ou de moins, à cet âge-là, créent plus de différence que chez les petits. La cohabitation avec ma sœur, dans mon genre de vie célibataire, et dragueur, avait quelque chose de gênant. Au bout de trois semaines, passées dans ma seconde chambre, devenue plus gauchiste que moi, elle s'éclipsa un matin, pendant mon sommeil. En ce temps-là, je me couchais et je dormais tard. Aujourd'hui, il ne me reste que dormir tard pour me donner l'illusion d'avoir mené la veille une vie de patachon.

Suivant à la lettre mes conseils d'indépendance, elle s'était envolée en compagnie d'un barbu musicien de jazz ; j'hésitai à prévenir ma mère. Au bout de quelques mois, quand elle réclama son retour, je fis l'innocent. Anne suivait ses cours, elle désirait rester, quoi de plus normal ? Elle avait toujours bien parlé le français, elle ne se plaisait pas à fréquenter les golfeurs et les tennismen de la bourgeoisie porteña. Deux ans plus tard, elle était émancipée ; la seule chose en réalité que je ne voulusse pas fournir, c'était son adresse, celle du barbu clarinettiste, par précaution contre les lubies de ma mère.

Je revoyais Anne, de temps à autre, à la Sorbonne ou dans un meeting, car elle militait à présent dans un groupuscule maotiersmondiste rival du mien. Le clarinettiste laissa la place à un cinéaste qui montait des images de bidonvilles avec des portraits du Grand Timonier. Moi, qui n'avais jamais été inscrit à l'Université, je participais maintenant à la direction du syndicat étudiant.

S'étonnera-t-on de cet abandon par ma mère de son enfant chérie ? En réalité, elle n'en avait jamais été très proche ; et l'abandon est une tradition dans cette famille, tradition que ma sœur continuait à son tour en m'expédiant aujourd'hui sa fille. De plus, deux chaînes d'événements rompirent les liens entre Buenos Aires et Paris. Ma mère s'enfonçait dans la démence obsessionnelle d'un gigantesque procès contre l'État, la police, et sa propre famille, afin de récupérer le fameux immeuble de marbre blanc, ancien siège d'*Epoca*, qui avait été, prétendait une nuée d'avocats, confisqué de façon spoliatrice. Et, en France, Mai 68 éclatait.

Ma sœur s'était alors amourachée d'un étudiant en pharmacie, avec qui elle circulait dans les manifs, à bord d'une deux-chevaux peinte aux couleurs de la Croix-Rouge. Je crois que c'est à cette époque qu'elle rencontra le père de son enfant, ou un peu auparavant.

Elle fut émancipée par correspondance le jour même où les étudiants élevaient la première barricade. Cette émancipation intervenait à temps ; en dépit de la deux-chevaux, dont elle espérait sans doute un effet abortif, Anne circulait, portant son enfant, entre les cageots en feu et les grenades lacrymogènes. Et puis, quelque temps après son accouchement à la crèche sauvage des étudiants, dégoûtée déjà de Paris, des jeunes gauchistes prématurément vieillis, comme elle n'avait jamais eu la moindre ambition sociale pour elle-même, elle partit dans le Berry élever des moutons et des chèvres, dans une communauté de lesbiennes. Elle y vit encore, près de dix-huit ans après, à l'heure où débute ce récit.

C'était donc l'enfant de la crèche sauvage que j'allais voir. Pendant ces dix-sept années, ma sœur ne quitta plus son trou à chèvres. J'ai appris à admirer ce détachement volontaire, cette pudeur, cette volonté de ne pas céder aux attraits faciles des soirées, des fêtes, des propositions qu'elle connaissait à Paris.

En vérité, si Bardot avait renoncé dès le début à sa carrière, elle eût ressemblé à ma sœur, qui avait autant de sex-appeal. Sexy comme le châssis d'une Cadillac, elle avait aussi cette naturalité un peu tapée, cette schizophrénie d'authenticité, qui l'avait poussée à choisir entre Buenos Aires et Paris, puis entre Paris et le Berry profond, ses étangs glacés et ses moutons tête-de-nègre ; entre un mariage confortable en Argentine, un rôle de starlette contestataire dans les films de ses amis, et la retraite anticipée dans une campagne perdue.

Voici le point qui m'importait le plus. J'avais certainement été amoureux de ma sœur, et n'avais jamais osé le lui dire. En tout cas c'était indispensable au roman. Je l'imaginais à présent, ridée par les travaux des champs, mais ayant gardé son petit sourire en coin, et cette mèche qui lui cachait un œil, et aussi ce rire trop nerveux, cette audace timide, et l'habitude de manger ensemble du camembert et du chocolat. Elle avait choisi la retraite à dix-huit ans. Elle avait compris bien avant moi, mieux que moi, la pourriture profonde de cet univers calculateur et moribond qu'était la jeunesse ex-révolutionnaire de la capitale.

C'était Anne, et non sa fille, qui m'intéressait. À travers l'enfant, retrouverais-je la petite Anne en maillot de bain rouge, ses longs cheveux tombant jusqu'à ses pieds nus (elle détesta les chaussures dès son âge tendre), telle qu'elle jouait avec moi sur le bord de la grande piscine en plein air du Parque Norte ? La fille nue sous son pull qui faisait retourner les hommes sur son passage, quand elle descendait le boulevard Saint-Michel en distribuant des tracts ? Je la revoyais éclatante de santé ; elle faisait penser à un essaim d'abeilles en plein été, riant de toutes ses dents en assemblée générale, brandissant des drapeaux rouges et noirs, sanglée dans son éternel jean, les cheveux au vent, au sommet d'un tas de pavés.

Elle n'avait pas eu d'autre enfant. Après quelques mois d'expériences néopédagogiques, de crèche collective en collectif féministe, elle s'était décidée à emmener sa fille au Berry. Et la petite, dirait-on, avait de qui tenir, pour se faire entauler à seize ans en Afghanistan. Je la supposai pourrie de problèmes psychosociaux. Et je sacrais silencieusement en tournant le coin du Wepler, où j'avais donné rendez-vous à Boy. Plutôt que ma nièce, c'était ma sœur qu'il me fallait retrouver. Partir pour le Berry, me mettre à l'écoute de sa sagesse tacite, faire des conserves ou des confitures ensemble, vivre au rythme de la nature...

Dans la salle de la brasserie, lustres 1920 de verre dépoli et cuir rouge, je faillis heurter l'énorme masse de Boy, qui sortait de son box comme un crabe de son casier, à reculons. De l'autre côté de la table, il y avait, sur la banquette, presque cachée par les fleurs de plastique, une petite personne aux cheveux très courts (tout ce que je vis d'abord, la peau blanche et délicate du crâne entre les poils à ras), une personne que Boy me présentait à présent d'un air vainqueur ; et mes oreilles se mirent à bourdonner et mon sang à battre.

« Che-e-r, voici ma sourprise. Je suis bien content que tu connais enfin ta nièce Elle s'appelle Ève. C'est drôle, non ? »

Ce prénom, comme le mien, lui venait sans doute de sa grand-mère. Boy était évidemment ravi de me présenter ma propre famille. Il faisait, je l'ai dit, un complexe d'intermédiaire, de truchement, il adorait que les gens se fréquentassent par son canal. Cela lui donnait de l'importance. Et c'est en serrant la main, la petite patte qui m'était tendue, si pareille, en réduction, à celle que je tendais moi-même, que j'ai reconnu dans ma nièce mon inconnu du métro.

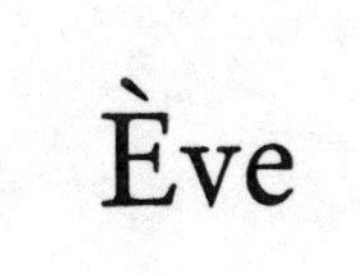

Ève

Je veux dire tout haut et à tout le monde, l'écrire dans le ciel avec un avion à réaction pour qu'on le voie jusqu'à la lune s'il le faut, que tout ce qui m'est arrivé est la faute unique et totale de Karim. On paye toujours d'être une femme, comme dit Tantine. Même à dix-sept ans. Je l'ai bien vu devant le tribunal de Kaboul. Et encore, moi, j'étais prévenue, quand je l'ai rencontré au jardin de la Cité universitaire. Il sortait du pavillon de l'Afghanistan, ses yeux noirs luisaient gentiment ; il m'a dit qu'il était fils d'un prince que les communistes avaient exécuté, un vieillard en gandoura perché dans un nid d'aigle en ruine, dont il m'a montré la photo dans sa chambre, au-dessus de son lit. Même que c'était bizarre, en faisant l'amour avec lui, de sentir la présence du vieux, au-dessus de nos têtes, le vieux qui regardait ailleurs, vers le ciel des bons musulmans, je suppose.

J'étais prévenue, et comment, puisque je suis fille de féministe, et petite-fille de jésuite. Mon père, qui était étudiant en médecine, je ne l'ai pas connu. De si loin qu'on remonte, ma grand-mère, mon arrière-grand-mère, ce sont des femmes qui dirigent. J'ai bu du féminisme au biberon ; j'ai été allaitée par ma mère et ma tante à l'indépendance de la femme. Mon arrière-grand-mère faisait la grève de la faim pour avoir le droit de vote, ce qui est assez inutile ; le droit de vote, je m'en tamponne comme d'une guigne, je m'en balance.

Je suis née juste pendant les « événements », comme elles disent encore, en soupirant au coin de leur feu de veuves de la Révolution, dans le salon humide du Berry. C'est les événements de Mai 68 ; ce que je m'en fiche, si vous saviez... C'est curieux, ma mère et Tantine étaient communistes, et moi j'ai lutté contre. Les temps changent. À propos, j'ai oublié de dire que Tantine n'est pas ma vraie tante, on n'a aucun rapport de famille, c'est une tante de politesse. En vérité, elle vit avec ma mère ; elles ont dû coucher ensemble autrefois, mais elles ne veulent pas que je le sache.

Née à la crèche de la Sorbonne, sortant d'une communauté lesbienne du Berry, comment aurais-je pu échapper à ma destinée, comme on s'exprime dans les romans-photos italiens que je lisais dans la chambre de Karim en l'attendant ? Quand j'étais petite, parce que j'avais les deux yeux de couleurs différentes, et que j'étais la plus mignonne, les autres vilains enfants, pleins de poux et de morve, se moquaient de moi. Les deux yeux pas pareils, c'était un signe ; ce n'est pas pour me faire plaindre, mais je suis une enfant de gauchiste, et c'est un sort plutôt à part, surtout qu'il s'agit de femelles.

J'ai mis longtemps à comprendre qu'il y avait d'autres manières de vivre que celle de notre groupe de femmes. J'avais été un bébé sans couches-culottes, parce que le comité de la crèche était contre.

On traînait tous à quatre pattes dans le grand amphi, enfin les plus grands, les autres étaient suspendus par les bretelles aux portemanteaux ; et les bruits de manifs, les explosions, les mots d'ordre montaient jusqu'à ce grand grenier où nous dormions, immense et plein d'ombre comme un bateau renversé, au sommet de la Sorbonne, qui sentait le vieux livre et la craie. J'imagine, du moins, car j'étais trop petite pour me rappeler. Il paraît que quand les CRS sont entrés, j'avais tout juste deux mois, les enfants se sont tous mis à crier, à pleurer et à leur jeter des pots de yaourt et des biberons à la figure. J'ai été de crèche sauvage en crèche sauvage. On ne nous empêchait de rien faire, sauf de nous tuer les uns les autres.

Alors quand aujourd'hui on me dit que je n'ai pas de freins et que je conduis mal ma vie, je pense que c'est dû à cette première éducation.

Et puis on est parties dans le Berry. À dix ans, bien plus tard, j'ai compris ce que voulait dire être une fille. Avec mes premières règles, qui sont précoces chez les Argentines. Avant, comme je ne vivais qu'avec des femmes, je ne ressentais pas la différence. La brûlure du regard de Karim, qui soulevait ma petite jupe courte écossaise, son rire gonflé de sexualité, j'y ai succombé d'autant mieux que j'étais pas du tout habituée à l'homme.

De trois ans à seize, j'ai donc vécu dans le Berry, entre les chèvres. Nous n'avions pas de bouc, on les faisait engrosser par celui des voisins, des paysans à la retraite aussi vieux et laids que leur bête. Ce bouc puant avec une barbichette blanche, c'est à peu près le seul homme que j'aie connu quand j'étais petite. On m'a fait mon éducation à l'envers. Tant que j'étais bébé, c'était la révolution, tout était permis. Et moi qui m'étais traînée dans l'anarchie, qui crachais la viande au point qu'on me la faisait manger hachée et sucrée, en confiture de sang, qui refusais de me laver et qu'on ne réprimandait pas pour ne pas me complexer, quand je suis devenue fillette, Maman et Tante sont entrées dans un trip petite fille modèle, en m'habillant avec des jupons romantiques et des bonnets de paysanne. Mais elles ne voulaient toujours pas être directives, elles craignaient que le monde extérieur, qui est méchant et phallocrate, ne brime le petit bout de femme bien décidé à ne pas se laisser marcher sur les pieds, que j'étais déjà. Alors elles ne m'ont même pas envoyée à l'école, à cause des garçons, des maîtres barbus, et de ce qu'ils racontaient qui était sexiste, même leur façon de nous apprendre l'histoire de Jeanne d'Arc. Tantine s'est épuisée les yeux à m'apprendre à lire, écrire, compter. Lire ne me passionnait guère. Ce n'était, chez nous, au-dessus des claies à fromages, que des rayonnages de littérature de femmes. Je n'aimais que les récits d'aventures, et elles ne lisaient que des manifestes et des vies de féministes, et de la psychanalyse.

Ma mère et Tantine forment un couple bien uni. Elles en sont touchantes, très années soixante. Tantine est grande, maigre, agitée, elle porte des robes longues à la gitane, elle a le teint brun, l'œil noir. Pour ses quarante ans, elle est encore drôlement cambrée. Maman, elle, ne marche que pieds nus, pour mieux sentir les forces de la Terre, qui est notre mère à tous. Elle est moins grande, moins autoritaire, elle ne criaille pas tout le temps d'une voix aiguë comme Tantine. Elle est belle, blonde avec des cheveux longs qu'elle ne lave qu'avec des écorces pilées, ou de la cendre, dans le lavoir, en bas de la route ; et les gendarmes, l'été, viennent faire leur ronde pour la surprendre à poil dans son bain glacé (faut dire qu'elle a un beau corps) et lui coller un P-V, en grognant contre ces hippies de la vallée, dont ils se méfient encore après quinze ans.

Maman ne me ressemble pas beaucoup, ni au physique, ni au moral. À trente-cinq ans, elle est encore une mystique de la nature, et une ennemie de la télévision. Elle a refusé la route qu'on devait goudronner jusqu'à chez nous, le téléphone que la mairie lui avait proposé. Elles étaient contre la télé parce qu'elle montre la guerre et les cuisses de footballeurs. C'était encore de l'homme qui serait rentré à la maison, avec sa sale violence et son odeur de sueur.

Maman parle aux fontaines et aux oiseaux, elle écoute les arbres, elle chuchote aux légumes ; et Tantine crie des messages à Maman de sa voix aigre, à travers les murs, en faisant le ménage.

La maison : on voit encore, sur le crépi usé, un cadran solaire où il est resté quelques chiffres romains. En bas, il y a la vieille route, celle qui existait au temps des rois, en pavé envahi d'herbe ; depuis la construction de la nationale, plus personne ne la prend, alors on est très isolées. Plus personne, sauf les quelques burdins, les fous de l'hôpital, qui marchent droit devant eux toutes leurs journées ; et Tante se précipite, dès qu'elle en voit un, en agitant un torchon pour les effrayer et les éloigner.

Elle est grande, la maison, trop grande pour nous, avec des pièces à demi détruites où on ne va jamais, humides et sombres, où le liseron et la mousse sont rentrés par les trous du toit. Le soir, quand je dormais dans une autre chambre qu'elles, j'entendais gémir les gens qui ont vécu là autrefois. Si je pleurais, elles venaient en marchant dans le cercle de lumière de la lampe à pétrole (à l'époque on n'avait pas l'électricité), en ayant quitté leur partie de canasta pour venir me consoler.

Entre elles aussi, elles sont très attentionnées, elles se repassent le dernier morceau de gâteau, à table, ou bien se disputent à savoir qui desservira la première : Tante prépare des bains pour Maman dans le cuveau posé sur le carreau de la cuisine ; et j'ai su, si loin que je remonte dans ma mémoire, qu'entre elles communiquait un secret, un jardin privé, où elles se retrouvent à demi-mot, et d'où les hommes sont exclus ; ce jardin mystérieux, où tous les gestes seraient doux, toutes les haines, les agressions chassées, j'ai appris avec Karim qu'on l'appelle l'amour, et que ça n'existe pas qu'entre lesbiennes. Pourtant, elles deux couchées ensemble, ce n'était pas tout leur secret ; une partie était ailleurs, une partie qui me concernait, moi, j'en étais sûre ; moi la fille de ces deux filles, l'enfant de vierge de ces deux presque virginités.

Je crois que Tante a été très amoureuse autrefois, mais

elle ne veut pas en parler. Elles m'ont traitée toute mon enfance comme si j'étais leur enfant à elles deux. Une leader féministe de leurs amies, qui venait parfois chez nous manger notre pâté aux pommes de terre et nos cerises à l'eau-de-vie, habillée d'un tailleur gris fer et d'espadrilles, a commencé un soir à expliquer, ça m'intéressait bien, que j'étais la première naissance sans homme, puisque je n'avais quasi pas de père. Tantine et Maman faisaient « chut » en me montrant du doigt, faussement endormie dans mon sofa. Elle parlait de parthénogenèse, j'ai été regarder le mot dans le dico. Cela veut dire naissance par une vierge, je suis le Christ en femme, en somme.

Les paysans des environs n'aiment pas beaucoup ce couple de femmes sans homme qui semblent n'avoir eu besoin de personne pour se faire un enfant. Les paysannes, assises au printemps à plumer un canard ou à éplucher des haricots sur le seuil, devant leurs petites maisons basses sans étage ni cave, qui ont l'air de s'enfoncer dans l'argile, soupiraient en me voyant passer :

« Pauvre petite, qui n'a pas de père ! »

Et quand je marchais dans les roseaux, le long des étangs qu'on vide en novembre, et qu'on pêche avec des grandes bottes, pendant que la masse brillante des carpes s'agite dans les dernières flaques sous le soleil froid d'hiver, j'écoutais les groupes joyeux, près de la pelle, l'écluse où frétillent brochets et tanches ; je distinguais leur haleine échauffée sortant de leur bouche, j'entendais leurs grosses blagues, mais je savais que, si je sortais de ma cachette, moi la petite que séquestraient ces deux burdines dans la maison hantée, ils prendraient un air de commisération. Et les gamins à béret, les fillettes à nattes et à tablier étaient les premiers à chantonner sur l'air des lampions :

« C'est la fille qu'a pas de père ! C'est la fille qu'a pas de père ! »

Moi, ça m'était complètement égal, notez bien. Beaucoup de choses me sont égales dans la méchanceté des gens. Tantine et maman, je les vois plutôt avec un peu de pitié. Comme des enfants que j'aurai un jour à protéger.

Ces gamins, ces gamines, c'est eux qui m'ont fait comprendre très tôt qu'il y avait un secret dans ma vie, et dans celle de Maman. Pourtant, tout paraissait simple ; on vivait avec les saisons, les fromages de brebis à préparer, à démouler, à retourner, les chèvres à soigner, les semis chaque année retardés par le gel ou la pluie, la taille des arbres fruitiers qui pullulaient autour de la maison, et des framboisiers qui avaient l'air des buissons du palais de la Belle au Bois dormant ; dans cette vie bien réglée, j'avais remarqué, entre elles, des confidences retenues, des phrases commencées et arrêtées au milieu, parce que j'étais là.

J'avais pour ainsi dire deux mamans. C'est ce que me disait Tantine en m'étouffant de baisers. Mais ni frères, ni sœurs, ni père. Comment était-ce possible ? J'avais parfois l'impression que Tantine montrait envers moi plus de maternité que Maman. Maman, elle, s'est toujours défilée. Elle rit et se baisse pour arracher une mauvaise herbe, ou ramasser un escargot, si je commence à lui en parler. On dirait qu'elle a fait une croix sur mon père et sur l'époque de ma naissance.

Alors, le jour de mes seize ans, j'ai décidé de partir à Paris chercher mon père. Jusque-là, je n'avais pas beaucoup éprouvé que c'était un manque de ne pas le connaître. Maman se moquait de moi si j'y faisais des allusions. Tantine, elle, m'a pris la tête entre ses deux mains qui tremblaient un peu, elle a plongé son regard dans le mien, dont la couleur est tellement variable entre droite et gauche que je m'amuse à fermer l'un puis l'autre devant la glace pour m'imaginer enfin un visage symétrique. Et pour une fois sa voix aiguë s'est faite quasiment douce.

« Fais bien attention, à Paris. Reviens vite. » Et c'est alors qu'elle a ajouté, à voix presque basse, pour elle-même : « C'est fou ce que tu lui ressembles.

— À mon père ?

— Non. À ton oncle. »

Je ne pensais pas à cet oncle dont Tantine ne parlait qu'en soupirant, les pupilles noyées de regrets. De toute évidence, c'était de lui qu'elle avait été longtemps amoureuse. Ma mère, je l'ai dit, parlait peu du passé. Il lui était devenu indifférent. Ma mère, à sa façon douce, est tellement opiniâtre qu'elle préférerait mourir que de renoncer à ses idées.

Elles ne firent rien pour me retenir, elles ne voulaient pas brimer une créature de leur sexe, toute autorité étant phallocrate. Si elles ne firent rien pour m'empêcher de partir, elles ne firent non plus rien pour m'aider à le retrouver, ou pas grand-chose. C'était le début de l'été ; Maman cueillait des groseilles, c'est ma dernière vision d'elle, accroupie pieds nus dans sa robe à fleurs, ses longs cheveux blonds, qu'elle rejette du même geste d'un seul côté et en arrière, parce qu'ils l'empêchent de voir, tombant jusqu'à terre, devant les arbustes illuminés de petites grappes rouges. Elle était lassée de mon intérêt pour mon père, comme si c'était une forme de trahison.

« Maman, j'ai besoin de savoir son nom », lui ai-je soufflé, le cœur battant.

Elle m'a répondu sans me regarder, comme s'il s'agissait d'un renseignement technique parmi d'autres, que j'avais demandé s'il fallait essuyer les cornichons ou arroser les citrouilles.

L'annuaire, je connaissais, j'en avais vu un au village, notre chef-lieu, et j'avais été éblouie par tant d'adresses, il y avait donc tellement de gens avec le téléphone ! À part son nom, tout ce que je savais de lui, par elle, c'est qu'il avait accepté de ne pas me reconnaître, par respect pour une femme qui ne voulait pas de père à son enfant. Maman lui avait de la gratitude, de s'être pour ainsi dire effacé, gommé de ma vie.

« Tu n'as rien à lui dire ?

— Rien. Que tout va bien. »

Dix-sept ans après, c'est tout ce qu'elle trouvait à lui transmettre. Tante, elle, en roulant des yeux de biche effarée me fit promettre d'aller voir mon oncle Adam. Elle semblait y tenir tout particulièrement. Je promis, à cause du prénom.

Je pris le train à Saint-Amand ; je n'avais jamais dépassé Bourges. À Paris, je ne comprenais rien. Les agents me faisaient une peur bleue, je n'avais pas appris qu'ils servent à renseigner. J'étais une petite sauvageonne qui se peigne avec ses doigts et qui a l'habitude de jardiner l'été en maillot de bain. Alors, pensez, Paris en juin, le métro puant, avec toutes ces mains poilues qui me pinçaient les fesses, les directions à suivre, les feux rouges, bref, ça a été une expédition. Je n'aurais pas cru qu'on pouvait entasser autant de gens différents dans les wagons, les couloirs, et même les rues, où on peut à peine marcher sans cogner quelqu'un. Je devais loger chez des amies de Tantine, la psychanalyste qui habite le septième arrondissement, que j'avais vue chez nous autrefois. Mais j'ai commencé par le plus urgent pour moi, qui était de LE rencontrer. J'ai trouvé son nom dans l'annuaire, à la poste ; une voix de femme m'a répondu qu'il était à l'hôpital, asteure.

C'était un grand hôpital, dans un ancien parc, entre deux métros aériens. Du métro, on voit les bâtiments comme des dominos dispersés. Il était au service des maladies africaines. J'ai cherché longtemps le pavillon. Et là, je suis montée à l'étage sans rien demander à personne.

Je connaissais la clinique de Saint-Amand, où j'avais fait mon appendicite (Maman avait tenu à ce que je sois opérée par une chirurgienne) ; et tous les hôpitaux sont pareils. J'ai cherché les noms sur les portes des bureaux, à gauche du couloir qui donnait sur les chambres de malades. Maladies d'Afrique, brr, mon père avait une drôle de spécialité. Et j'ai trouvé son nom ; je suis entrée, il était en train de regarder une radio en la levant devant sa lampe. Il a eu un petit bruit de gorge, et il a demandé, la tête encore en l'air, et en examinant sa radio :

« Qui êtes-vous ? Qui vous a permis d'entrer ? »

J'étais plutôt déçue. Petit, avec une blouse blanche trop longue qui lui descendait jusqu'aux chevilles, il avait une tête à la Woody Allen, frisé, avec des lunettes rondes qui lui donnaient un air tout le temps étonné

Comme je ne répondais pas, il a posé la radio et baissé son regard de porcelaine, tout bleu, vers moi. Nous n'avions décidément rien en commun. Je suis grande pour mon âge, j'ai de très beaux cheveux, châtains avec des reflets auburn. Lui, mon père, ce petit bonhomme frêle avec des taches de rousseur, un long nez mobile, et ces bouclettes poivre et sel de quarantenaire ?

« Qu'est-ce que vous cherchez, mademoiselle ? Puis-je vous aider ? »

Sa voix de fausset se voulait agréable, et il s'approcha de moi en grimaçant un sourire inquiet. Il sentait l'éther et sa blouse tachée (du pus de maladie africaine, sans doute) me répugnait.

Décidément, je n'allais pas lui tomber dans les bras ; je l'aurais renversé.

« Je suis la fille d'Anne.

— Quelle fille d'Anne ? »

Ou bien il avait connu plusieurs Anne, ou bien il était abruti par ses recherches. Le téléphone se mit à bourdonner ; il appela une infirmière pour répondre. Elle lui témoignait un tel respect que je saisis que mon père était un docteur important ; piètre consolation.

« Écoutez, mon temps est précieux. J'ai bien connu une Anne, autrefois... Mais vous ne lui ressemblez guère. »

Ni à vous, heureusement, pensai-je à répliquer. Sa voix s'était mise à trembler. Il s'assit derrière son bureau, se prenant le front entre les mains, en murmurant :

« Au fait, serait-ce possible ? Depuis tout ce temps... »

Et il se mit à m'examiner à travers ses lunettes. Une mouche est entrée par la fenêtre et s'est posée sur une des taches pour la sucer. Je forçai la voix pour la chasser.

« Maman vous fait dire qu'elle se porte bien. »

Cela faisait un peu provincial. J'aurais pu lui apporter un panier de groseilles, ou un pot de confitures. Devais-je poser six baisers, sur chaque joue, comme nous faisions le soir à la maison ? Mais il aurait été si surpris...

« Je n'arrive pas à vous dire : papa... »

Il eut un sursaut, releva la tête et me considéra avec anxiété :

« C'est elle qui vous a dit ça ? Au sens propre, je ne suis pas votre père...

— Je sais, Maman ne voulait pas que je porte votre nom.

— À l'époque, j'étais un jeune externe, dans le service de gynécologie et obstétrique... »

J'avais vu ces noms sur un autre pavillon. C'est tout ce qui concerne la naissance. Comme je ne saisissais pas le rapport, je me tus en attendant une confidence. Il continuait, l'air égaré :

« C'est pour elle que je l'ai fait. Nous étions en plein délire, c'était l'époque. Et un jour, bien sûr, ça devait arriver, qu'on nous transforme en pères, ça arrivera à mes collègues.. »

Je trouvais sa façon de me raconter ses anciennes amours et ma naissance plutôt énigmatique. Les urgences bourdonnaient à l'interphone. Les infirmières passaient la tête par la porte. Je paralysais tout le service.

Il avait l'air, en somme, aussi angoissé que si un bataillon d'Èves allait entrer, qui n'aurait attendu pour débarquer que mon intervention. Avait-il semé beaucoup d'enfants « naturels », ce petit étudiant vieilli qui avait dû être un séducteur ? Comment ma mère, si belle, avait-elle pu s'amouracher de ce maigrelet ?

L'intelligence, ça, il devait en avoir à revendre. Il n'y avait qu'à voir comment il réagissait à ma présence. On aurait dit que j'étais une découverte scientifique. Il m'interrogea sur mon enfance ; il ne se conduisait nullement en père, mais en médecin. Il voulait savoir si ma croissance avait été normale, mes maladies, mes règles.

« Encore qu'à vous voir, tout paraît diantrement normal, et même en superbe état... »

Il continuait de me vouvoyer. Je continuai aussi. Il ouvrit sa blouse pour chercher son paquet de cigarettes dans la poche de sa veste en tweed reprisée, s'emmêla dans ses manches trop longues. Je lui tendis une de mes gauloises.

« Vous fumez, à votre âge ? »

Son ton était doctoral. Tantine et Maman roulent leurs propres cigarettes, selon une méthode qu'une Américaine lesbienne leur a apprise. Moi, je vais passer aux bouts dorés, ça me vieillira et ça me donnera mauvais genre.

Je lui expliquai où je logeais ; il n'offrit pas une seconde de me prendre chez lui, il devait habiter un studio d'étudiant ; la voix de femme, c'était la femme de ménage.

« Vous devez vous demander pourquoi je ne me suis jamais préoccupé de votre sort. Après tout j'avais une responsabilité. Mais c'était mon devoir, en tant qu'homme et que médecin, de respecter la volonté de la mère.. »

Je fronçai les sourcils, en cherchant en quoi le médecin était concerné, dans mon cas.

« Embrassez votre mère pour moi, ainsi que son amie... Elle a bien une amie, n'est-ce pas ?

— Tantine ? Vous la connaissez ?

— Embrassez-la pour moi également, se borna-t-il à répondre en se levant pour me signaler que l'entretien était fini. Venez déjeuner avec moi demain, si vous pouvez... »

Son remords était tardif. Non, je ne pourrais pas. Dehors, la meute des docteurs avec des dossiers sous le bras, des internes boutonneux et affolés, des externes qui étaient des jeunes à peine plus âgés que moi, et qui se forçaient à prendre l'air professionnel, n'avait nullement l'idée qu'une jeune fille venait de retrouver son père. Je suis sortie la tête haute, et bien décidée à ne jamais le revoir.

Paris me paraissait déjà plus petit. J'étais sous le choc. Je suis allée me promener dans le parc de la Cité-U, que ma tante évoquait comme « le bon temps », parce qu'elle y avait logé, dans le pavillon italien, pendant les « événements », dont ils avaient fait une miniature dans chaque maison de chaque pays. Et comme j'étais encore sous le choc de la déception, je marchais sans penser à rien ni faire attention à personne. Et c'est ainsi que j'ai bousculé Karim. Il s'est excusé en riant, mais moi j'étais culbutée sur le gazon, la jupe en l'air. Tout de suite, quand il m'a tendu sa longue main brune et chaude, j'ai su qu'il me désirait. Cette fois-là, peut-être à cause de ma déception, ça ne me déplaisait pas.

Je me sentais plus âgée, de connaître ce père à qui je ne ressemblais pas du tout, et qui me considérait comme un cas médical. J'avais espéré trouver chez lui l'origine des traits qui me différenciaient de ma mère. Alors, ce grand garçon sombre aux pupilles de bronze, avec son battle-dress (même à la Cité-U, Karim se considérait comme sous les armes), m'est immédiatement entré dans le cœur.

Sa façon peu chevaleresque de me faire la cour m'a

conquise. Gentil, il l'a vraiment été quand il a découvert mon âge ; il a ri de ses grandes dents blanches, et il m'a caressé les seins à travers ma chemise. Il n'a pas fait de remarque, il ne m'a pas traitée en enfant, ce à quoi je suis extrêmement sensible. Et si je n'ai pas un père qui s'intéresse à moi, il y avait en tout cas quelqu'un pour qui je comptais ; ses mains déjà me palpaient et me pétrissaient comme du bon pain.

Chevaleresque, il ne l'a pas été du tout, dans son pays, quand on s'est fait prendre par une patrouille de soldats russes. Il m'a tout mis sur le dos, en prétendant que j'avais dix-huit ans ; tout, les postes radio qu'on transportait dans la Jeep, les cartouches, et même le petit fusil-mitrailleur. Comme il était fils d'un prince et que les prorusses voulaient à tout prix le récupérer, tout est tombé sur moi. Et c'est comme ça que je me suis retrouvée, à dix-sept ans, détenue deux mois dans un pénitencier de Kaboul.

C'est l'expérience la plus importante de ma vie. J'ai découvert la lutte pour l'existence. Pourquoi avez-vous fait ça ? me demandait tous les jours, en me braquant dans la figure une lampe ultra-forte, une femme kapo avec une règle qu'elle m'appliquait sur les doigts. Je pleurais, je suppliais, elle écrasait. Je n'ai pas pu me servir de ma main pendant toute ma détention. Pourquoi ai-je fait ça ? Parce que Karim m'a embobinée avec ses beaux discours de play-boy de la résistance ? Parce que j'avais été élevée dans le culte de la révolution féministe ? Ou, simplement, pour voir du pays ? (Ce qui fut raté, parce que nous avons voyagé sous une bâche sur le pont d'un bateau, puis de nuit, et que je n'ai rien vu sauf l'étoile rouge sur les casquettes des soldats russes débraillés, qui sont sortis de l'obscurité avec leurs torches.) Ou encore par déception parce que mon père n'était plus un secret ?

C'est là-bas, dans ma cellule infecte, entre des cafards gros comme des rats et des rats gros comme des bébés, que j'ai trouvé que tout n'était pas clair. Je ne pouvais pas être la fille de cet homme, ni lui mon père. Comme Tantine et Anne s'étaient démenées auprès de leurs relations ex-gauchistes passées au Quai d'Orsay, et comme aucun journal n'avait parlé de mon cas, je fus libérée au bénéfice de l'âge au bout de huit semaines, et expulsée par avion. J'avais maigri, j'avais les cheveux tondus à ras ; en débarquant à Paris, je devais retrouver mes deux mamans. Mais j'étais hantée par mon idée fixe ; il restait du non-dit entre ces trois personnes, en ajoutant mon père, dont on m'excluait, moi la première concernée. J'écrivis à Maman de me laisser revenir seule ; et, à Paris, je rencontrai un ami de la seule autre personne qui avait connu ce temps-là, hors ma grand-mère argentine, qui n'était pas en France : mon oncle Adam.

Adam, 2

C'EST un aéroport du bout du monde, cerné d'un petit bois poussiéreux de bouleaux gris. Sur la façade de béton sali, mussolinienne ou stalinienne, le nom est presque illisible ; deux lettres sont décrochées ; il lit quelque chose comme : LAKNO. Il fait chaud et gris ; les cloisons de verre, au rez-de-chaussée, sont grandes ouvertes. Mais quand il veut entrer, un garde en vert-de-gris l'appelle et lui désigne impérativement la seule porte fermée.

Dans le hall, sur des valises, des enfants dorment en geignant, de grosses femmes tricotent, emmitouflées malgré la température étouffante dans d'énormes robes de laine colorée, sous lesquelles elles dissimulent paquets et cartons ficelés, sacs à provisions. De temps à autre, un garde donne un coup de pied dans la pile, qui s'éboule sous elles.

Bien qu'il n'ait aucune idée de l'heure (il sent qu'ici les gens viennent dormir dans l'aéroport pour attendre leur avion avec une nuit d'avance), il est convaincu d'être arrivé à temps. Il sifflote et s'assied, en lorgnant du coin de l'œil ses voisins de banc. L'homme à côté de lui, le regard bovin, a les deux mains à plat sur ses genoux, comme pour se lever immédiatement ; sa nuque rouge, épaisse, le fascine. Plus loin, un adolescent maigre se cure le nez avec application. C'est la foule des aéroports, faite de regards croisés, de vies entrevues, sans espoir de se revoir.

Lui sait pourquoi il est là ; parce que aujourd'hui IL arrive. En revanche, il ne sait ni qui il est lui-même, ni qui est IL. Il ne se pose pas la question de savoir pourquoi il a rendez-vous ici, dans cette pampa ou cette Sibérie ; il se répète, en se tournant vers les piliers de béton fendillé, que LUI et soi, c'est pareil.

Par-delà les baies ouvertes, il voit l'herbe grise frissonner, le long de la piste, sous le vent tiède ; des oiseaux picorent entre les flaques de pétrole, et derrière les grillages, de petites maisons, aux murs décrépis, se blottissent au bout du goudron ; des faces d'enfants et de vieillards, sans doute, s'y écrasent le nez sur des vitres sales, pour voir partir ces avions où ils ne pénètrent jamais ; et ceux qui, d'en haut, laissent tomber par le hublot un regard vers les jardinets misérables et les toits d'ardoise, pensent à peine qu'à chaque lopin correspond une conscience.

L'annonce faite dans un haut-parleur grésillant l'arrache à son banc. Voici le moment tant attendu : IL arrive, SON vol est annoncé pour dans quelques minutes.

L'arrivée de l'avion a réveillé l'aéroport. Les douaniers, frénétiquement, se mettent à vider cabas et valises sur de grandes tables de fer. Les passagers, en se groupant autour, essaient chacun d'arracher, de sauver des gabelous quelque bouteille, quelque bijou passés en fraude.

C'est bien la première fois qu'il voit un tel aéroport. Comme le bruit des réacteurs de l'avion commence à lui parvenir, loin dans le ciel pommelé de nuages gris, les gardes sortent du hall et s'installent dans l'herbe, pour jouir du spectacle.

Il se rend soudain compte qu'il ne sait pas où est le couloir des arrivées. Au bout de la piste, le monstre d'acier vient de se poser dans un rugissement, avec la délicatesse d'un hippopotame debout sur une tasse de thé. IL va arriver et il a soudain peur de le manquer. Il court de droite et de gauche, mais personne ne lui répond, le bruit des réacteurs est si fort qu'il est obligé de crier.

IL arrive, il est là. Son cœur bat à éclater ; soudain il sort des bâtiments et court vers la piste. Ses bras s'agitent en signe de bienvenue, et les cris de joie se pressent, inarticulés et bondissants, sur ses lèvres. IL le voit déjà, sans doute, petite silhouette sur le béton peint d'un pointillé blanc ; à quel hublot se trouve-t-IL ? Il crie des mots d'accueil en courant à sa rencontre ; et, à l'intérieur du cockpit, les deux pilotes crient eux aussi, car ce gars-là, en bas, n'est pas leur guide, et ses gestes n'ont aucun sens. Il se précipite vers l'avion qui roule encore, et au moment où il va enfin LE serrer dans ses bras, l'appareil le heurte de sa roue avant. Il tombe au sol ; l'énorme appareil l'écrase délicatement avec un bruit mou, pendant que déjà les hôtesses déverrouillent la porte de la cabine et que s'approche l'escalier roulant.

Quand je me suis réveillé, cette fois-ci, les draps étaient à tordre, au point que le matelas même était trempé. De tels rêves relevaient, les autres avaient raison, de soins psychiatriques, et de telles suées du paludisme. Je me suis regardé dans la glace, j'avais les yeux très cernés. Me revint le visage, frais et tendu, que j'avais vu la veille, où l'arête et les méplats étaient encore brillants de jeunesse ; le visage de ma nièce, mon visage, exactement tel que j'étais à son âge.

Pourtant, le début de cette première rencontre m'avait plutôt décontenancé.

« Hein, quelle ressemblance stoupéfiante ! » ne cessait de répéter Boy en se frottant ses petites mains courtes et grasses.

Moi, pour dire quelque chose, j'ai bredouillé :

« Effarante, en effet, terrifiante... »

Et comme je voulais me rattraper :

« Enfin, terrifiante pour vous, j'imagine ; vous voir en homme de quarante ans... Je vous avais bien prise pour un garçon, dans le métro. »

Elle feignit de ne pas se souvenir, peut-être était-elle sincère, de notre première rencontre, et éclata d'un rire plein de vie ; elle ne portait qu'un chemisier à manches courtes ; elle me tendit la main en camarade, par-dessus la table, et répondit d'une voix que j'écoutais cloué sur place, ma voix un peu nasillante, précise, sans la sécheresse qu'elle avait acquise avec l'âge, impétueuse et fraîche comme fut la mienne autrefois, au Quartier latin.

« Je ne savais pas qu'on se ressemblait tant. Maman ne me l'avait pas dit. »

Anne, je le savais, exécrait les photographies, résidu fétichiste du monde technique et touristique qu'elle avait abandonné. Pendant que le garçon prenait la commande, nous donnant le temps de nous remettre, j'examinais cette nièce venue de nulle part.

« J'ai les cheveux courts parce que je sors de prison. »

Elle avait dit cela très simplement, *recto tono*. Je commençais à croire que Boy avait raison : cette fille était exceptionnelle. Par sa manière de se conduire, à la fois sans gêne et un peu détachée, comme si elle avait tant vécu qu'il était inutile d'en parler ; par ses façons garçonnes, de petite fille par moments, comme quand elle suçait sa paille en faisant de petits bruits, mais aussi de femme facile, car elle buvait des mélanges d'alcools enrichis de cerises confites. Vu son physique, je me dis avec satisfaction que bon sang ne saurait mentir. Elle était grande pour son âge et son sexe, mince et découplée, comme je l'étais, en lévrier ; ses jambes gainées par le jean, qu'elle avait allongées, croisées, à côté de la table, étaient longues et fines. Ses seins, dressés sous le coton léger du chemisier, m'obnubilaient littéralement ; je n'avais peut-être encore jamais autant regardé une poitrine de fille de ma vie. Depuis mon unique et malheureuse expérience avec Judith, j'y ai renoncé, en me lavant dans ce lavabo de HLM du sang dont elle m'avait souillé. Mais là, c'était différent ; je n'avais que curiosité, surprise, légère griserie assez plaisante à détailler ce corps à la fois presque jumeau du mien et si différent.

Hallucinante, en vérité, notre similitude pouvait pourtant passer à l'œil inattentif pour une simple parenté proche. Mais plus je la déchiffrais, plus je sentais à travers le corps fin et délié, aux épaules à peine voûtées par la pose alanguie, une communauté profonde de mouvements et de traits. Elle tenait sa cigarette comme moi, de sa petite main aux ongles ébréchés où j'avais reconnu l'esquisse de ma main, osseuse et longue. Je me demandai si j'avais moi aussi cette tête d'oiseau effaré, et en effet je l'avais ; et sa moue, cette lèvre inférieure un peu boudeuse, richement coraillisée, comme un petit coquillage ourlé, ce nez légèrement retroussé, ces pommettes hautes et presque asiates, ces sourcils d'un seul arc, soulignés du bourrelet de la chair mobile et ferme, ces deux yeux aux teintes de sable et de mer, infiniment variées, jusqu'à cette forme allongée du crâne, sous les cheveux courts que je portais aussi, comme tous les homos de mon âge, pour me rajeunir (alors que jeune homme je les avais eus longs), c'était la grâce mutine et l'appel irrésistible du portrait du Fayoum, soudain ressuscité devant moi, dans le cadre ingrat de cette brasserie, sur cette moleskine noircie de graisse et de mains sales.

Ses cheveux trop courts, châtains avec des reflets roux, la rajeunissaient encore. Assise, on lui donnait quatorze ans. Sur son crâne allongé (me suis-je assez fait traiter de dolichocéphale par les médecins scolaires !), ils avaient dû être peignés à gauche, avec une raie qui transparaissait maintenant comme une cicatrice blanche ; et elle avait gardé le geste instinctif de rejeter les cheveux disparus, de la main droite, en penchant la tête. C'est à ce geste que j'ai fait une seconde découverte.

Si notre ressemblance était frappante, ce n'était pas pour être parfaite ; elle était femme, j'étais homme. Pendant que Boy faisait à lui seul tous les frais de la conversation, je pensai que cela me faisait la percevoir très intensément, comme si elle eût été moi en femme. Elle était beaucoup plus jeune, miroir de mon passé, qui se reflétait en elle. Miroir de ma féminité, de la part femelle de moi, miroir de ma jeunesse, elle était plus qu'une exacte imitation ; elle me disait plus sur moi que moi-même, elle me montrait moi-même autrement que je m'étais jamais vu. À la jumelle de la différence du sexe, au télescope du temps retrouvé.

Puis je fis une dernière découverte, qui me laissa la gorge sèche, tandis que le soufflet asthmatique et mouillé de Boy me racontait à sa manière les malheurs de ma nièce :

« Elle a été victime de l'affreuse police de cette dictatoure... Quand je l'aye rencontrée, je t'ai reconnou tout de suite. »

Suivait un récit interminable d'où il ressortait qu'il avait fait sa connaissance au Zazie Bar, un café de nuit pour nègres et artistes du quartier des Halles.

« Ils ne vous ont pas demandé votre âge ? »

Je savais que l'endroit n'était pas du genre à s'inquiéter de l'âge d'une consommatrice aussi décorative. On aurait pu la suspendre comme enseigne à une sex-shop, tant elle respirait l'éros.

C'était la première fois que je m'adressais directement à elle. Elle haussa ses épaules minces et bronzées, un peu plus l'épaule gauche, et je pris conscience de notre face à face : ce mouvement décalé, je l'accomplissais aussi, mais inversé, de l'épaule droite. Nous n'étions pas « pareils », nous étions exactement symétriques inverses, comme le reflet du miroir et l'objet reflété, de part et d'autre d'une invisible ligne qui passait là, au milieu de la table de bois verni tachée de ronds, juste entre nous deux. Elle avait l'œil gauche plus clair, et moi l'œil droit.

Elle lissait ses cheveux vers la gauche, et de la main droite, et moi l'inverse. Je m'attendais, à chaque geste que j'ébauchais, à la voir l'inverser au même moment.

Le résultat était étonnant : les mêmes tics, le même battement de paupière, pour un troisième observateur, étaient exactement retournés. Ce n'était pas particulièrement désagréable, mais très fatigant à observer. Sa conversation, elle, fut d'abord décevante. Elle ne parlait que juke-box, cinoche (dont elle avait été longtemps frustrée), et disco (dont elle rêvait). Pour dire qu'un objet ou un être lui plaisait, elle s'exclamait, en levant les bras et en découvrant des aisselles d'enfant :

« C'est chou-crème ! »

Au bout d'un quart d'heure, je décidai que hors sa ressemblance avec moi, et son sex-appeal, elle n'avait rien de passionnant. Et puis me visita, pendant qu'elle se replongeait dans son verre pour pêcher la cerise confite avec ses doigts, une impression saisissante : ni elle ni moi n'étions intéressants, pris séparément. C'est à deux que nous formions un seul être surprenant. Elle n'était pas mon double, elle n'était pas « pareille » à moi, elle formait avec moi, pour un tiers attentif, un être unique, dont chaque moitié était le répondant de l'autre. Un seul être à travers le miroir, le miroir de notre double existence en reflet l'une de l'autre, le miroir, aussi, du temps, du sexe.

En la contemplant, je pensai à cette néoténie, cette évolution par rajeunissement dont parlent certains biologistes ; par l'effet de ce miroir, elle était mon avenir et j'étais son passé autant que la réciproque inverse.

Cette pensée me réconforta et dissipa un peu mon malaise. Elle ne me connaissait que des allusions de sa mère, qui me présentait comme une célébrité achevée du

Paris des lettres, à l'en croire. Mais elle n'avait pas le ridicule d'y attacher de l'importance ; et, comme je me félicitais de cette indifférence à mes livres et à mon existence publique, je perdis comme souvent dans ces cas-là beaucoup de mon attention à elle. En plus, je désirais m'éclipser pour réfléchir. J'avais accepté cette rencontre parce que mon premier projet était de lui faire parler de sa mère. Et elle, que me voulait-elle ? Si la loi du miroir était vraie, que je lui parle de son père ? En fait, je sentais qu'elle allait inévitablement, à un moment ou à un autre, en venir au but, qui ne pouvait être que me taper de quelques centaines de francs. J'aurais dit cinq cents, compte tenu de sa jeunesse et de ce qu'on peut espérer d'un oncle écrivain.

« Et tu vas rester à Paris ? Cela te plaît ? »

J'étais passé au tutoiement. Elle hocha la tête en me regardant droit dans les yeux.

« Je sais que c'est dur. Pas plus dur que la taule, tout de même. Le métro, c'est pas Kaboul. »

Elle eut un petit gloussement. Je ne revins pas sur notre rencontre dans ledit métro. Parler de cette première vision était resserrer les liens, lui donner barre sur moi

« Tu as dû avoir de la peine, en prison. »

Malgré moi, je lui parlais comme à un enfant, jaloux peut-être sans y penser de tout ce que cet enfant-là avait déjà vécu.

Sa joue était duvetée comme la peau d'une pêche, elle rosit légèrement.

« Je suis preneuse de son, ajouta-t-elle sans transition, en revenant ainsi à notre conversation sur Paris.

— Preneuse de quoi ?

— De son. Avec un magnétophone, pour le cinéma, la radio, la télé... J'aimerais bien trouver du boulot ici. »

Boy intervint avec vigueur :

« Elle le fait depuis quinze jours, elle est très bonne, tou sais.. »

Mon air sceptique ne la démonta pas. Elle se mit à me raconter son travail, et son vocabulaire maladroit, à l'écouter, prenait de la force et du punch.

« Les sons, il n'y a pas plus volatile. C'est comme des papillons. On s'approche d'eux, le micro c'est le filet, et puis hop ils ont filé ailleurs. C'est aussi une question d'orientation. En plus il faut être invisible, passer entre les gens, glisser derrière sans faire d'ombre... »

En fait elle avait été perchwoman une journée dans un tournage que lui avait trouvé Boy. Elle le connaissait depuis deux semaines. Couchaient-ils ensemble ? La pensée de cette masse de chair, rose et gris, écrasant cette croupe adolescente et gracieuse, me fut étonnamment odieuse.

Comme Boy s'éloignait pesamment vers les toilettes, elle posa sa main sur mon bras. Le moment de l'emprunt était sans doute venu. Mais elle demanda seulement :

« J'ai besoin de vous revoir... seul à seule. Sans lui. J'ai quelque chose à éclaircir. »

Elle était restée au voussoiement. Je ne pus qu'acquiescer. Il me fallut donner mon adresse, mon téléphone. Elle écrivait sur une feuille de cahier à spirale, qu'elle avait détachée de celui qu'elle portait avec elle. Elle avait une façon d'écrire tout à fait étonnante ; elle faisait faire un quart de tour à la feuille, avant de tracer les mots. Je la crus dyslexique, mais c'était pour elle le seul moyen d'écrire droit. Moi, j'étais depuis toujours droitier ; et elle, bien sûr, était gauchère.

Le nombre de chances pour que, depuis l'origine de l'humanité, deux embryons différents donnent deux êtres identiques, au sexe près, est nul.

Ma sœur me ressemble très peu. Aucun parent ne ressemble à son parent comme Ève à moi.

Le lendemain, je me suis mis à potasser des livres sur

l'hérédité dans le calme byzantin de la bibliothèque Sainte-Geneviève. Je n'avais jusqu'ici pas réfléchi à cela : pourquoi diantre les enfants de mêmes parents, et les petits-enfants à la suite, ne sont-ils pas tous identiques entre eux ? Mes souvenirs des lois qui gouvernent les pois ridés et lisses étaient lointains. Je découvris avec intérêt, au travers des métaphores graphiques où de gélatineuses cellules se divisaient par le milieu, l'incroyable loterie que la nature a mise au point pour être sûre de ne jamais ressortir la même combinaison génétique, le même individu. Comme le joueur bat et coupe les cartes avant de les distribuer, s'assurant que le seul hasard détruira, par la division et le désordre, toutes les combinaisons précédentes, la reproduction sexuée, c'est-à-dire celle qui assemble deux sexes différents, coupe d'abord dans le stock génétique au hasard, lors de la création des cellules sexuelles ; et chacun des spermatozoïdes, chacun des ovules, est à nul autre pareil, si minuscule soit-il. Nous sortons, comme le brelan d'as ou la paire de valets, de cette loterie ; et tout le système de la différence sexuelle n'est à son tour présent que pour participer à ce gigantesque brassage kaléidoscopique, dont le but le plus évident est justement d'éviter toute répétition.

Comment s'y prend la nature pour réussir ce coup me serait difficile à expliquer. Je saisissais que, grosso modo, elle opérait d'abord une division de la cellule, dès les débuts de l'existence de l'embryon futur parent, à quelques semaines ; elle fabriquait ainsi les cellules sexuelles. C'était la méiose : au lieu de disposer des quarante-six chromosomes habituels, la nouvelle cellule n'en avait que la moitié. Ni tous paternels ni tous maternels, bien sûr, mais alternés dans une proportion et dans un ordre à chaque fois unique. Réduit à vingt-trois chromosomes, le gamète partait à la rencontre de son réciproque, lequel l'accueillait pour reformer une cellule à quarante-six brins, moitié à lui et moitié à l'autre.

Comme, chez le gamète, certains gènes venus du père ou de la mère, devenus grand-père et grand-mère, étaient dominants et d'autres dominés, la nouvelle synthèse préparait au petit être des traits, une apparence organisée de manière originale. Quelques semaines après la formation de l'embryon, à nouveau, la méiose formait ses cellules sexuelles, répartissant au hasard les caractères du père et de la mère en une combinaison inédite.

Rentré chez moi, je me suis mis à fouiller derrière la pile poussiéreuse et chancelante des vieux manuscrits, jusqu'à retrouver d'anciennes photos de moi ; et si cette impression de symétrie était exagérée par le souvenir que j'avais de moi-même ? Au premier coup d'œil (j'étais en costume blanc, à la rambarde d'un bateau qui arrivait d'Argentine dans les brumes sales d'Anvers), je sus que ce n'était pas le cas. C'était bien simple, avec cette gomina laquée, ce costume ambigu, Ève, à peine plus jeune, me souriait insolemment sur le pont du *Louis Pasteur.* On eût dit, même, que la différence de sexe augmentait la similitude des poses, un peu alanguies, les jambes croisées ; et je me souvins d'un passage, lu l'après-midi, dans un livre d'un universitaire bardé de titres, que le garçon de bibliothèque, dans sa blouse grise crasseuse, m'avait apporté par erreur : un livre sur la gémellité glissé parmi mes ouvrages sur l'hérédité. L'auteur y affirmait que l'expérience montrait plus de points communs entre jumeaux de sexes différents qu'entre ceux du même sexe ; jumeaux hétérozygotes du moins, nés de deux œufs différents, et donc pas plus similaires que des frères et sœurs. Pour ceux nés du même œuf, ils sont tout naturellement de même sexe.

La différenciation sexuelle, chez les « faux jumeaux », augmentait le besoin de symétrie ; et c'était ce qui m'arrivait avec Ève. À l'espionner comme je l'avais fait, en cherchant sans cesse le point où elle était déjà femme et moi encore homme, et elle, à sa manière brutale et franche, marchant à la recherche de la discrimination inverse, nous nous étions rapprochés, en ces quelques minutes, par cette différence même qui nous était commune, qui formait sur notre fond partagé le point de convergence ; unique différence, qui faisait d'autant mieux ressortir notre identité. De nièce à oncle, le calcul des probabilités ne laissait qu'une chance infime à un miracle comme le nôtre. Je m'étais gardé de lui parler de son père ; je savais qu'Anne n'avait aucune relation avec lui. On me l'avait montré de loin, une fois ou deux, dans la cour de la Sorbonne, à l'époque où drapeaux rouges et banderoles drapaient irrespectueusement les épaules des statues de Descartes et d'Auguste Comte. Une chose était sûre, il était beaucoup plus petit que moi. Et blond. C'étaient mes seuls souvenirs de lui, quand moi-même, en casque de chantier qui laissait passer mes cheveux bouclés à l'afro, je faisais du zèle vocal sur les marches de la chapelle.

Entre-temps, je reçus un avis de mon éditeur, comme quoi il réduisait ma mensualité, compte tenu des ventes de mon dernier livre, un pourtant remarquable recueil de nouvelles. Mais les nouvelles, affirmait-il, ça ne se vend pas. Il aurait fallu les coller ou les coudre ensemble pour faire un roman, me suggérait-il à mots couverts. Que dirait-il quand il lirait ces notes informes (car j'avais, j'ai continué sans y attacher d'importance à noter ces journées du début de l'été, ces jours où la ville s'anémiait progressivement jusqu'à la convalescence de septembre) ? Au téléphone, le standard des éditions répondait en bâillant ; même Antoine, qu'on chargeait parfois de garder la maison pendant que les maîtres étaient sur leur yacht et les employés au Club Med, profitait de l'absence de surveillance pour s'adonner à des orgies de zen. Ève n'avait pas usé de mon autorisation, et ne m'avait pas téléphoné. Peut-être avais-je été un peu froid avec elle ?

Ce fut la veille du 14 Juillet que du nouveau se

produisit. J'avais fermé mes persiennes, pour atténuer le bruit des pétards jetés dans la rue déserte par des gamins blêmes qui n'avaient pas trouvé de place en colonies de vacances, et que leurs parents, concierges ou kiosquistes, contraignaient à vivre leur été dans la loge ou sur le seuil de la boutique paternelle.

Rien de plus triste que le bruit des pétards dans la ville abandonnée. Je cogitais, étendu sur mon lit, les différents moyens de transformer ces notes, cet amas de feuilles griffonnées posé sur ma table à tréteaux, en roman digne de ce nom. C'est alors que le travesti du sixième (elle habite juste au-dessus de ma tête, je l'entends enlever ses chaussures à talons, le soir, en rentrant du cabaret où elle chante en play-back) est venu sonner à ma porte pour me demander de l'aider à descendre sa commode, un horrible objet peint en rose et doré, qu'elle m'obligea à déménager jusqu'au rez-de-chaussée, parce qu'elle en avait fait cadeau à la gardienne portugaise. Sur quoi nous bûmes un verre ensemble chez le Petit Charles, qui n'était ouvert que pour les gens de l'immeuble. Ni elle ni moi n'aimions le café qui fait le coin de notre rue et de la rue Lepic, où les flippers sont trop bruyants. Sur quoi encore je me suis soudain souvenu que j'avais laissé ma porte ouverte, car elle ne ferme qu'avec la clé ; et le travesti, elle s'appelle Léonce, m'a fait remarquer qu'en cette saison où il y a tant de cambriolages, même que la veille un voleur était entré chez la vieille dame du second en passant par la fenêtre de la cour, ce n'était pas prudent. Je suis donc remonté quatre à quatre, mais apparemment personne n'était entré. Je dis bien : apparemment.

Le travail d'écrivain est une besogne solitaire, me suis-je dit en m'asseyant à ma table. C'est chez moi le signe du travail ; tant que je suis étendu je ne fais rien que rêvasser. Cette solitude, avec les années, je l'avais élargie, diffraction d'une onde noire autour de moi, à toute ma vie. Et ce devait être cette solitude de juillet qui me tournait la tête :

voilà qu'en relisant mes notes, les feuilles m'en échappèrent de stupéfaction, jonchant le tapis d'une neige de papier. J'avais retourné le paquet, je reconnaissais mon début, le texte se suivait jusqu'à un certain point ; un point où je m'étais mis à écrire, constatai-je en me frottant les yeux, un texte dont je n'avais gardé nulle souvenance. Mon écriture même s'était faite plus enfantine, encore plus (elle l'a toujours été). C'était pourtant bien la mienne, presque normale. Légèrement déformée, me paraissait-il. Aurais-je écrit sous hypnose, ou en dormant, somnambule du stylo ?

Les feuilles en question, une vingtaine, se trouvaient à la fin. En les manipulant, j'ai trouvé un indice. J'écris sur des feuilles à carreaux 18 sur 24. Et ces feuilles-ci, quoique à peu près du même format, portaient sur le côté une dentelure irrégulière, comme si elles avaient été arrachées à un cahier à spirale.

Le rapprochement me vint aussitôt. Le contenu du texte, il est vrai, l'imposait, puisqu'il racontait l'histoire d'une jeune fille débarquée du Berry. Un cahier de ce genre, j'en avais vu un entre les mains d'Ève lors de notre rencontre. Je repris la lecture du récit, que je n'avais que distraitement effleuré. Par quel mystère avais-je écrit sur du papier appartenant à ma nièce un texte sur elle que je ne me rappelais pas, une sorte de journal intérieur ? Je serais resté longtemps abasourdi par cette découverte, si Léonce n'avait de nouveau frappé à ma porte. C'était pour m'annoncer, l'air gourmand, qu'elle avait croisé devant l'immeuble une personne qui s'en allait et me ressemblait follement.

« Une parente, sans doute ? Elle a dit qu'elle était montée, qu'elle ne vous avait pas trouvé, qu'elle vous avait laissé un mot dans votre boîte aux lettres. »

Mais, pour le manuscrit, qui ne rentrait pas dans la boîte aux lettres, elle avait préféré le poser sur la table.

Tout devenait clair. Obsédé par la présence de mon

écriture, j'avais pris pour mienne la plume d'Ève. Outre nos corps, nos façons d'écrire aussi étaient similaires.

Une telle série de coïncidences — que j'eusse été absent quand elle venait me porter, suivant l'expression de sa lettre, sa « confession complète », que ma porte eût été ouverte, et qu'elle eût déposé son texte au sommet de mes propres notes sur mon unique table — n'avait au fond rien de très extraordinaire. Mon obsession à l'égard de mon « œuvre » en train de se faire expliquait le reste.

Un dernier point me chiffonnait : cette écriture aurait dû, d'après la loi du miroir, être semblable, non à la mienne, mais à son reflet dans la glace. Donc être penchée en sens inverse de la mienne. Je me suis alors souvenu de son étrange façon d'écrire, ce quart de tour opéré sur le papier, cette attitude qui lui tordait le poignet gauche, et j'ai fait l'expérience. Je me suis appliqué à tracer ainsi quelques lignes. L'orientation de la feuille redressait l'écriture. Inclinée à gauche si je maintenais le papier rectiligne, elle penchait à droite, comme la mienne, dès que je faisais pivoter la feuille sur elle-même.

Comme je l'ai déjà écrit, par moments ces similitudes excessives m'intriguaient, me pesaient plus qu'elles ne me séduisaient. Moi qui n'aime que vivre seul, qui ne supporte que très peu de contacts, cette similitude m'apparaissait parfois comme un danger, une méthode pour forcer ma porte. Par le mot qu'elle m'avait laissé dans la boîte aux lettres, Ève me proposait de l'accompagner au bal de la Bastille du 14 Juillet. Nous nous sommes retrouvés à la sortie du métro, et j'ai eu encore un coup au cœur, à la voir à la fois si désirable, si garçonnière et si proche de ma mémoire, penchée sur la rambarde de l'escalier du métro pour me chercher dans le flot de voyageurs. Comme je montais les marches, je scrutais ses longues jambes de poulain, sous la robe en nylon bleu bouffante et courte qu'elle avait revêtue en l'honneur de la fête nationale.

Nous avons dansé tard dans la nuit, et c'était incroyable parce que je n'avais pas dansé depuis des années, et bien rarement avec une fille ; et nos pas s'enchaînaient à la perfection ; je retrouvais des expériences du cours de danse, lors des exercices devant le miroir. Son corps devinait les mouvements du mien dans l'ombre tiède, sans erreur ni faux pas. Le musette, la bossa-nova langoureuse et frétillante de mon enfance, même le rock et le tango ne nous firent pas peur. Nos voisins me prenaient sans doute pour un grand frère très amoureux de sa petite sœur. Là-haut, le génie semblait battre des ailes au rythme de nos envolées ; les garçons dévoraient Ève du regard, ses bras nus, ses seins échauffés ; une goutte de sueur perlait à sa lèvre, qu'elle léchait sans arrêt, comme moi autrefois, tout en s'appliquant à suivre l'orchestre.

J'attendais qu'elle me dise pourquoi elle tenait tant à me voir ; je ne croyais guère à son histoire de papa. Si ce n'était pour m'emprunter de l'argent, ce devait être pour obtenir une recommandation auprès d'un éditeur, puisque la chère petite, elle aussi, écrivait. Du moins, elle attendait mon avis sur son petit factum. En fait, elle ne me demanda même pas si je l'avais lu.

Sur le coup de trois heures du matin, pour l'amuser (ai-je idée de ce qui peut amuser une fille qui n'a pas dix-sept ans ?), je l'ai emmenée au bal des folles, sous le pont de la Tournelle. Une pudeur mal placée m'avait, jusque-là, empêché de lui faire comprendre explicitement à qui elle avait affaire. J'avais l'impression qu'elle s'en doutait. Anne avait bien dû lui faire quelques confidences sur mes mœurs ; mais comme j'avais un peu l'impression, dans ce Paris en goguette, d'être un baby-sitter ou une gouvernante, la discrétion, sur ce point, me paraissait de rigueur.

Elle ne pouvait durer. Le laser allumait des traînées

vertes dans les arbres du quai, et le pont lui-même avait l'air de swinguer. En face, la pointe de l'île Saint-Louis était surchargée de lampions. J'avais déjà pas mal bu de bières tièdes en canettes, et je montrais à Ève comment on les tord en deux, une fois vidées ; j'avais ajouté deux ou trois cognacs aux cafés ouverts sur le trajet. Le bal des folles, à qui la préfecture de Police consentait le meilleur emplacement de la ville, était le plus couru ; et, au lieu de ce 14 Juillet populaire où les pompiers draguent les petites bonnes endimanchées qu'Ève attendait sans doute, ce fut la disco chicos, extravagante, des stylistes et des Tropéziens de Paris dans laquelle je la traînai. C'était aussi pour voir sa réaction ; elle m'énervait, à jouer les affranchies. Boy l'avait-il dépucelée ?

Au-dessus du quai, les organisateurs facétieux avaient clairement affiché, en lettres formées d'ampoules électriques, l'enseigne du bal sous la forme de deux initiales géantes : P. D. Des Arabes, des soldats perdus rôdaient timidement autour des danseurs pailletés : les hommes, du moins les Blancs, en jupette de tennis, qui était décidément la mode branchée de cet été-là, ou en combinaison de cuir rouge, les Noirs habillés de smokings blancs fantaisie aux rebords brillants de crooners, les (rares) femmes en salopette de garagiste ou en tenue d'éboueur soigneusement déchirée et maculée.

Et la disco, toute-puissante souveraine depuis tant d'années, étendait sur cette cour des miracles ses nappes fluo, le battement sourd et répétitif de son cœur électronique, saoulante, assourdissante. Parfois, un des militaires venus de la revue se lançait sur la piste de pavés disjoints, en se trémoussant un instant, tourné vers ses copains, pour parodier ces danseurs d'un autre monde qui se déhanchaient comme des êtres de caoutchouc.

Près de la tente du bar, où je m'étais arrêté pour soigner notre entrée, tout ce que j'avais connu dans le monde interlope de la pédale parisienne s'était donné rendez-vous. Juillet à Paris était devenu le must, et la bronzette à Deligny ou sur les quais remplaçait avantageusement les Canaries envahies de Hollandais. J'espérais que mes retentissants baisers sur les deux joues ne paraissaient pas trop ridicules à Ève, mais elle me dit que c'était aussi l'habitude en sa province. Loin d'être gênée, elle riait aux éclats des plaisanteries les plus stupides, ravie de la cohue, de l'acidité et de l'afféterie des propos, du champagne qu'on nous servait, et de l'effet que nous produisions. Je commençai à soupçonner que c'était cet effet, surtout, qu'elle avait cherché ce soir-là. On se retournait sur notre passage ; dans cette assemblée où tous se connaissaient plus ou moins, on aurait pu jurer qu'on ne m'avait pas vu au bras d'une fille depuis des siècles. Encore moins d'une petite sœur aussi étonnamment pareille à moi.

Et moi aussi, je me mis à fanfaronner ; une excitation me venait, de leur air renversé, et aussi de la transparence aux projos de la robe d'Ève, qui laissait libre, dans le rayon vert, son corps lisse et souple d'adolescente. Ces homosexuels dans leur quarantaine entretenue à force de Vitatop ne pourraient en montrer autant. Elle dansait en face de moi, et son odeur chaude et sucrée montait vers mes narines. Je ne la désirais pas, j'ai tant perdu l'habitude de désirer les femmes que cela ne me vient même pas, si je puis dire, à l'esprit. Mais, par jeu, pour les autres, pour Jean-Albert de passage à Paris, et accompagné de ses deux amants noirs, deux colibris géants du Guyana qui pépiaient, presque offusqués de me voir avec une fille, pour Patrice qui en discutait avec Daniel, le grand blond prof de maths qui se faisait attacher et fouetter par petites annonces, pour tous ceux qui commentaient notre couple, se récriant sur ma ressemblance avec cette nièce débarquée de sa province, je me crus obligé d'en faire un peu plus.

Léonce, en capeline de renard vert assortie au laser, était venue la regarder sous le nez :

« Mais c'est une vraie fille, ma parole ! » souffla-t-elle, sans comprendre combien sa remarque était désobligeante. Ce que les homosexuels haïssent, ce n'est pas la femme, mais le désir des hommes pour elle. À mimer ce désir, je faisais enrager cette petite cour de sophistications en ménopause, qui était « mes amis », de moins en moins amicaux.

Et alors, enflammé par mon propre rôle, par leur jalousie pointue, leur incompréhension, qui me rajeunissait, me faisait plus complice d'elle dans son rayonnement et son naturel, au moment où les arpèges exténués portés par le souffle haletant de la disco reprenaient haleine sur la Seine moirée de reflets verts, devant Notre-Dame illuminée, et sous les yeux de tous, par défi j'embrassai Ève sur les lèvres.

Et moi qui ai couché avec tant de brutes ivres mortes, dont le sexe a tant servi, qui ai connu toutes les expériences et le dégoût des expériences, ce chaste baiser me parut dans son instant interminable la plus infernale des débauches.

Au contact de ces lèvres fraîches, les miennes s'ouvrirent, à leur tour ; et nous restâmes ainsi, haleines mêlées, pendant que le battement du disque s'apaisait et se confondait avec celui de notre sang ; et j'ai senti son goût, acidulé et encore lacté, senti sa poitrine essoufflée qui montait et descendait contre mon torse, posé les mains sur ses fesses fermes et haut perchées. Et puis un autre disque est arrivé, rompant le charme. Nous nous sommes reculés l'un de l'autre, et je me suis repris.

Pour le coup, ce n'était pas embrasser son miroir, qui eût été froid et vieux. C'était embrasser sa jeunesse, l'adouber au désir, la baiser sur les lèvres tremblantes dont la crête duveteuse s'ouvre en fleur.

Le baiser sur la bouche est pour moi plus cinématographique que littéraire ; et elle embrassait, en effet, comme elle l'avait vu faire au cinoche, par les acteurs sur l'écran et par les amoureux dans la salle, en avançant la bouche, les yeux fermés.

Nous nous sommes remis à parler. Elle aussi était surprise d'avoir atteint si facilement son but. Nous nous sommes pris par la main. J'ai le goût de l'inachevé ; je songeais à lui échapper, je n'aime plus me coucher si tard. Et me revint qu'elle avait demandé à me parler en tête à tête ; un peu pour la coincer dans son propre mensonge — elle n'était venue que pour s'amouracher de tonton l'écrivain —, je lui posai brutalement la question, sous le pont où nous nous étions assis, les jambes pendantes vers l'eau noire, et la vibration caverneuse de la musique en écho sur la voûte de pierre au-dessus de nos têtes :

« Tu voulais me dire quoi, au fait ? Sur ton père, je ne sais rien...

— Oh, ça n'a plus d'importance. Ah, si, une seule chose, à propos de ton ami Boy...

— Mon ami ? J'ai pensé que c'était toi qui couchais avec lui... »

Ma réponse était mal formulée, et un rire silencieux secoua les épaules de ma jeune compagne.

Elle se tourna vers moi, dans l'ombre, et planta dans les miens ses yeux vairons, où se miraient le vert du laser et le gris de l'aube :

« Coucher avec Boy ? Ça jamais. Non, je voulais seulement te prévenir. Méfie-toi de Boy ; c'est un dealer. »

Adam, 3

IL MARCHE en compagnie d'un vieux du pays, au flanc du cirque formé par les collines couvertes d'oliviers noueux et gris, parmi les bâtiments d'Utopia qui forment un lacis de courbes savantes, à peine distinctes des terrasses de pierre sèche supportant les plantations ; et ce plan, qui épouse fidèlement les courbes de niveau, fait de la Cité idéale un enchevêtrement de patios et de cours, de chambres et de magasins où les couloirs, aujourd'hui en ruine, autrefois ombreux et teintés à la chaux additionnée de bleu de lessive, étaient les rues.

Mais les chants et les rires se sont tus dans les patios et les cours, et le ciel bleu d'acier écrase de son silence les puits et les norias asséchés, les théâtres de verdure où les buis qu'on ne taille plus ont pris les formes baroques de griffons et de chimères ébouriffées, la place de danse et les fontaines vides ; et le grand odéon, que couronnent des citations à la gloire de l'amour libre et contre la famille, fissuré et écroulé, a perdu son dôme. Des beaux alignements de fruitiers, aux métissages subtils, qui couvraient la vallée, des fêtes en uniformes bariolés, des repas de concours, qui voyaient s'affronter les produits des meilleurs ouvriers en fruits confits, des pyramides glacées et luisantes de citrons et de pastèques, il ne reste aujourd'hui au bord du torrent à sec que la mémoire égrenée des vieux du pays.

Il dit, le vieux, qu'ils ne croyaient à rien, ni à Dieu ni à diable, que son père à lui, et les autres paysans, les fuyaient, qu'ils couchaient tous ensemble dans de grands dortoirs aux fresques pâlies qu'il lui montre de loin. Ils avaient débarqué de toute l'Italie, jeunes disoccupati venus à pied, ou fils de bourgeois du Nord, avides d'expériences sociales, en cette terre aride et lumineuse des Pouilles et du golfe de Tarente, fidèle à l'ombre légère du pythagorisme, qui fut l'asile des faiseurs de rêves et des inventeurs de cités.

C'était à la fin du siècle précédent ; la guerre grondait en Europe. Mais des jeunes, des centaines, des milliers, nordiques vite hâlés par les travaux des champs ou anciens voleurs de Naples devenus cuisiniers et fresquistes, avaient élevé cette cathédrale à la confiance humaine, en ce coin de vallée déserte où le chemin de fer n'arrivait pas. Ils imprimaient leur monnaie pour rire, et leurs statuts, surmontés d'élégantes allégories coloriées, où la Paix et l'Harmonie chassaient la Duplicité et la Violence, la Propriété et le Vol.

Chez eux, rien n'était interdit que la brutalité. Ils vécurent heureux, prétendait le vieux, pendant cinq ans.

Était-ce cinq ans, ou dix ? Les orangers avaient grandi, le village était devenu ville, des bébés couraient entre les chambres qu'on ne fermait pas. La terre, cultivée avec soin pour tous, les nourrissait d'huiles douces et parfumées, et de tomates, et de blé. Le gouvernement, faute de pouvoir les atteindre, les ignorait. Car à cette distance nul carabinier ne s'aventurait, le soleil étant dévastateur.

Chaque année, ils inauguraient en grande pompe une nouvelle chambre d'amour, un nouveau plaisir de table, une nouvelle espèce arboricole. Ils célébraient le Soleil et l'Eau, la Concorde et la Fraternité, dans de grandes fêtes emplumées où ils couronnaient les plus jeunes, les plus beaux et les plus amoureux d'entre eux, ainsi que les plus dévoués à l'œuvre commune : la libération en l'humanité de son goût pour l'art, et la destruction des préjugés moraux.

Les hommes avaient les cheveux longs, et formaient parfois des couples entre eux sans que nul ne trouvât rien à redire, même quand ils s'excitaient ensemble dans la chambre d'orgie. Et les parfums de citron vert et de mandarine qu'ils fabriquaient en leurs ateliers, ils les exportaient jusqu'à Naples et en Amérique. Ils en inondaient les chevelures des amis.

Un soir, à l'heure où l'ombre violette des cyprès s'allonge, où l'eau coule au pied des arbres, en remplissant le cirque des collines d'une brume mordorée, un jeune étranger se présenta, tout poussiéreux, au conseil de la Cité. Il venait de Sicile, peut-être d'Afrique ; et il était si beau que chaque chambre d'amour, pour l'accueillir dignement, disputait l'honneur de sa première nuit. Alors les plus sages, les anciens, qui avaient bien trente ans et avaient conçu cette Cité, rendirent un jugement de Salomon. Ceux qui exécuteraient le chant le plus harmonieux au concours du Coucher (il y avait un concours du Coucher et un autre du Lever, avec des prix et distinctions) seraient les premiers hôtes du bel étranger.

Ainsi fut fait tous les soirs, et l'étranger se trouva, en moins d'un mois, avoir satisfait tous les Utopiens. Il devint ensuite troisième aide à la préparation des zestes confits, dont il se fit grand spécialiste, en sachant doser exactement l'amertume et le sucre, l'acidité et la fleur d'orange, car il raffolait lui-même de sucreries. Et la loi de la Cité, ainsi l'avaient voulu ses fondateurs, était que le travail de chacun devait être fondé sur son plaisir et son goût.

Et l'année d'après, continua le vieillard en s'appuyant sur sa canne et en me montrant du doigt, au fond du cirque, un triangle désolé aux murets dénudés que nulle plante grimpante et nul animal n'envahissait, l'année d'après, donc, il fallut fonder le cimetière. Les premiers morts, ils les ont enterrés sous les fleurs ; mais ils étaient étonnés et profondément atteints ; ils n'avaient pas pensé à la mort. Les suivants, quand ce devint une épidémie, ils les jetaient dans des fosses et refusaient d'en parler ; et la vie et les chants et les chambres d'amour continuèrent, jusqu'à ce que la maladie qui leur rongeait les entrailles eût fait son œuvre, et les eût détruits jusqu'au dernier.

Et les paysans, me dit le vieux pour conclure, de sa voix rauque, en me serrant le bras, ne s'égarent pas dans cette vallée sans faire un signe de croix, et s'éloigner aussitôt.

À ces mots du berger, je me suis éveillé, trempé jusqu'à l'os et frissonnant, un bras levé comme pour me signer moi-même. C'était la seconde fois, dans cette nuit, que je changeais les draps dégoulinants de sueur. Il fallait que je me décide à soigner ces fièvres, à voir un médecin ; mais quand je me dis cette phrase, je garde par-devant moi un bon bout de temps avant de passer à l'acte. Pendant l'été, de toute façon, mon médecin est en croisière dans les fjords suédois (et en hiver en Thaïlande, dois-je dire, ce qui ne me laisse que les demi-saisons pour être malade).

Je finis par attribuer cette poussée de fièvre à mes excès du 14 Juillet, l'avant-veille. J'avais raccompagné ma nièce avenue de Saxe, chez la dame qui l'hébergeait, que je n'avais pas voulu rencontrer, imaginant un dragon féministe des beaux quartiers et à moustaches. La « révélation » d'Ève touchant Boy m'avait laissé de marbre ; cette petite fille jouait les détectives, à présent. Je dois dire que cette manière de se mêler de ce qui ne la regardait pas, de dénoncer son camarade, m'avait déplu. Que Boy tirât l'essentiel de ses ressources de moyens cachés, sa brutale générosité, quand il avait de l'argent par liasses, ne permettait guère d'en douter. De là à en faire un dangereux trafiquant de drogue...

Si je ne cherche pas le sens de mes rêves, j'y trouve

parfois des indications précieuses. Mon rêve d'Utopie me ramenait à mon premier projet, qui était de visiter ma sœur Anne en ses terres, où je n'étais jamais allé. Cette communauté, où Ève avait été élevée, que régissait ma sœur, devait offrir un spectacle digne d'attention. Je repassais de la fille à la mère ; je ne croyais pas à la possibilité, chez un vieux célibataire recru de débauches masculines, comme moi, de mener beaucoup plus loin que ce baiser notre brève idylle. Qui sait, toutefois, si en écrivant à la mère pour m'inviter, ce que je fis le matin même, ce n'était pas le cadre où avait grandi la fille que je voulais connaître ?

La surprise d'Anne fut totale ; elle m'appela le lendemain ; sa voix, que je n'avais pas entendue depuis tant d'années, un peu éraillée, sans doute d'avoir crié après les poules et les chèvres, sentait presque le fumier et le foin. Comme elle utilisait le téléphone du village une ou deux fois par décennie, elle avait quelque peine à démêler le fil de l'écouteur, et celui de la conversation avec un frère auquel elle avait depuis longtemps renoncé.

« Je pensais ne jamais te revoir. Depuis que tu es célèbre... »

Apparaître deux fois à la télé, c'est être célèbre, vu du Berry. Je retrouvais son obstination, marquée par un pli sournois de son front, à émettre des jugements définitifs en brèves phrases. Et aussi son quant-à-soi ; de sa vie, ma sœur n'avait pas manifesté un regret, ou un remords. Tout attendrissement inutile lui paraissait une hypocrisie nappée de grands mots.

Je lui racontai ma soirée avec Ève. Elle soupirait. Mais elle ne me chargea d'aucun message pour elle, ni d'aucun devoir de garde. Ce que j'approuvai. Et lorsque j'annonçai mon arrivée pour la fin de la semaine, j'avais vraiment besoin de verdure et de repos, j'entendis distinctement le récepteur tomber à terre de surprise.

Avec fatuité, je mis cette surprise devant l'immédiateté

de ma visite sur le compte du ravissement. Le grand homme de la famille, qui avait tant de fois vaguement promis sa présence, daignait « descendre » (on descend toujours quand on vient de Paris, quelle que soit l'altitude du point d'arrivée).

À la gare d'Austerlitz, qui emmagasinait sous ses verrières une chaleur de plomb, les voyageurs avaient l'air d'autant de mouches endormies çà et là ; les noms des villes de province, avec leur poésie terre à terre, Vierzon, Montluçon, Saint-Sulpice-Laurière, Saint-Pierre-des-Corps, Aygurande, chantaient dans les haut-parleurs avec des accents inspirés.

À partir de Vierzon, le train abandonnait la traction électrique pour circuler sur une voie unique posée dans la campagne trop verte, verte à en faire mal aux yeux, d'un vert lumineux, exubérant. Des herbes folles, des graminées sauvages grimpaient sur le ballast ; la voie longeait des jardins où les haricots en rames montaient au ciel, et pénétrait dans des arrière-cours en dispersant des volailles caquetantes.

Apparut enfin, dans une courbe, au fond de la vallée du Cher, une station minuscule et facultative ; le train s'y arrêtait à la demande.

Et devant le petit bâtiment de briques rouges, une deux-chevaux (ma sœur lui était restée fidèle) qui avait dû être blanche, mais que la rouille avait couverte de taches de rousseur, m'attendait, moteur allumé. Anne n'était pas descendue m'accueillir ; j'ouvris la portière avant droite, qui faillit me laisser sa poignée dans la main. Ma sœur se pencha pour m'embrasser, sans un mot de bienvenue, comme si elle m'avait quitté la veille, ce qui est bien dans son caractère.

Je n'avais, je n'ai en général pas de bagages. La deuche grimpait asthmatiquement une petite route cahotante, dans l'abondance de la végétation. Anne avait moins changé que moi ; sa mèche sur l'œil, sa timidité maladive, qui l'obligeait à parler sur un ton en permanence à la limite de l'agressivité, la rajeunissaient. Des cheveux blancs étaient apparus dans sa mèche, et ses mains, posées sur le volant, étaient ridées et rouges comme après d'innombrables vaisselles et de fréquents désherbages. Elle avait renoncé aux jeans, et portait, en mon honneur sans doute, une robe de film français d'avant-guerre, bleu marine à pois blancs. Et ses jambes et ses bras hâlés en sortaient, couverts de ce même duvet blond qu'elle avait enfant.

J'eus une bouffée de joie, dans cette deux-chevaux hoquetante, à la voir si continue, si fidèle à elle-même. Elle n'était visiblement pas désireuse de parler, et ne lâchait que des monosyllabes en réponse à mes questions. Oui, ces grands bosquets à la chevelure aérienne, qui laissait passer un tamis de soleil, c'étaient bien des acacias. Ces arbres morts au corps torturé, dressés çà et là dans le paysage comme autant de décorations funèbres dans un parc anglais du XVIIIe siècle, c'étaient des ormes. Ils avaient eu, l'année précédente, une maladie assassine : le feu des ormes était une vraie peste.

Elle ne me posait aucune question sur ma vie, sur ma carrière, pourtant notoire. Elle n'avait pas renoncé à cette vieille haine pour Paris. Comme elle s'enfonçait dans son mutisme, charmant chez une enfant mais tant soit peu abusif pour une femme de trente-cinq ans, je m'absorbai dans le spectacle du pays.

La deux-chevaux, ayant gravi en ahanant la pente, avait débouché sur un vaste plateau, où la route, toute droite, filait à l'infini entre les tapis-brosses des champs de paille jaunie. De temps à autre, nous croisions de petits vieux au regard abruti, qui cheminaient lentement, empotés dans des capes bleues, au long du plateau ; c'étaient les fameux burdins, ces fous en liberté placés dans les fermes du pays, qui en constituent la principale attraction et sont. grâce à la Sécurité sociale, une ressource pour les paysans

Par les champs, j'admirais les vaches groupées artistiquement en tableaux sculpturaux, disposées par famille, et posant patiemment pour un peintre animalier qui ne viendrait pas. La deux-chevaux plongeait en oscillant dans de sombres combes, où de noirs étangs hantés de maléfices défiaient, sous l'épaisse couverture des chèvrefeuilles aux grappes blanches et des saules argentés, la lumière brillante du soleil qu'ils absorbaient complètement. Nous étions au cœur du Berry noir ; l'âme de la petite Fadette rôdait par ici, ainsi que les vielleux d'autrefois, dont le vent portait la ritournelle et le crincrin. Le Berry des noces de campagne et des sorciers de village, et des châteaux endormis sous le lierre. Comme ma sœur, ce paysage se taisait. Son mutisme, sa mauvaise volonté étaient devenus évidents. Les reflets lourds des étangs, qui donnaient l'impression qu'on avait déversé à leur surface l'huile de vidange des tracteurs, la chaleur, sous la toile de la capote qui claquait dans le vent, étaient sur le point de m'endormir comme par sortilège. Avant de sombrer, je demandai par acquit de conscience (j'aurais pu rouler ainsi indéfiniment, ballotté dans le siège trop mou) :

« C'est encore loin ? Quand est-ce qu'on arrive ? »

Nous rîmes tous les deux. C'était une phrase code, dont nos parents nous interdisaient autrefois, lors de nos voyages, de répéter l'exaspérante litanie. Je profitai de l'éclaircie pour tenter une approche :

« Tu as l'air furieuse de me revoir. Cela ne te fait pas plaisir ? »

J'avais pris un ton de frère aîné. J'ajoutai, malheureusement, en vrai parigot :

« C'est le bout du monde, “ the middle of nowhere ”, comme disent les Américains.

— Tu es vraiment un snob répugnant. Tu n'as même pas salué Judith ! Tu lui en veux encore ? »

J'eus un coup au foie. Venant de la banquette arrière,

une voix aiguë, à peine changée, une voix que je reconnaîtrais entre mille, qui me tourna le sang et me fit me préparer à sauter hors du véhicule au prochain tournant, claironnait derrière ma nuque :

« Mais non, Anne, Adam est seulement myope, il ne m'avait pas vue. Ces Parisiens sont si distraits... »

Le ton était faussement enjoué, hypocritement modeste, mais la voix ne m'était que trop connue. La « Tantine » dont parlait Ève, la personne « exceptionnelle », à ses dires, avec laquelle je savais que ma sœur vivait depuis des années, et qu'elle m'avait cachée, sachant notre querelle ancienne, c'était Judith, MA Judith. Elle m'avait rattrapé.

Elle dut sentir que je m'apprêtais à sauter dans le fossé, car son débit se fit précipité, tandis qu'Anne, le front plissé, écrasait force hérissons sur la route. Je redécouvrais sa manière judithienne de supplier et de menacer en même temps. Elle avait pris les devants :

« Calme-toi, c'est toi qui es hystérique. Je voulais justement te dire que je ne suis plus folle, que je suis devenue une personne normale et raisonnable. »

Mon angoisse monta d'un cran. La dernière fois qu'elle m'avait parlé ainsi, c'était bien des années plus tôt, en entamant une grève de la faim pour exiger que je lui fisse un enfant. Je la regardai par en dessous, dans le rétroviseur. Elle s'y attendait, évidemment.

« En plus, il y a longtemps que je ne suis plus amoureuse de toi. C'est toi qui fais toute une histoire et qui refuses de me voir. Si je voulais te rencontrer, c'était uniquement pour te dire que je ne cherchais plus à te fréquenter. Tu n'as plus rien à craindre de moi... »

Dans le rétroviseur, sa tête, entourée de torsades de cheveux roux (elle n'avait pas blanchi, l'hystérie conserve), me faisait l'effet du masque de la Gorgone ; son regard dur, petites perles noires trop luisantes, son long nez, sa bouche trop rouge me paralysaient comme autrefois.

Anne, inquiète de ma réaction, me jetait des regards de côté, en évitant les trous de l'allée forestière que nous suivions à présent.

La voiture arriva devant la maison avant que j'aie pu prendre une décision. Je reconstituai en cet instant l'espace, celui d'une génération, où Judith avait su jeter ses filets pour capturer, faute de ma personne, la plus proche dans ma famille. Anne avait-elle été assez naïve pour croire que c'était pour elle-même que cette grande bringue s'était jetée à son cou ? Je connaissais ma Judith. Sous des dehors exubérants et tapageurs, elle avait la ruse et la patience d'un vieux Sioux. Au début au moins, à travers ma sœur, c'était moi qu'elle avait visé ; avec dix-huit ans de retard, les événements lui donnaient raison. Elle aurait tout aussi bien épousé l'un de mes demi-frères, si cela l'avait rapprochée de moi.

Et puis il y avait Ève. Ce substitut d'Adam.

« Je ne savais pas que vous étiez intimes », articulai-je d'une voix enrouée, en évitant de m'adresser directement à Judith.

Après avoir franchi deux ou trois hameaux, dont les petites maisons extrayaient péniblement du sol boueux un seul rez-de-chaussée au toit tombant et aux volets fermés, la deux-chevaux avait passé un vieux portail en fer forgé, où deux griffons s'affrontaient, ligotés par le lierre ; les roues écrasaient maintenant du gravier, entre deux haies de lauriers, que broutaient des moutons à tête noire ; ils s'enfuirent à notre arrivée, et leurs postérieurs, comme des balles de laine atteintes de la danse de Saint-Guy, rebondissaient sur le chemin.

La maison apparut enfin, au tournant, que marquait un bouquet de peupliers frissonnant dans le vent. C'était une véritable maison de maître, un « domaine », comme disaient les gens du pays, pour les opposer aux

« fermes » : ça, c'est la ferme du père Ravaud, derrière, le domaine a été vendu, m'avait expliqué Anne. À chaque ferme son domaine, et réciproquement. Elle avait deux étages, ce qui constituait pour le pays un signe d'orgueil, et les briques de la façade dessinaient des étoiles et des losanges ; des linteaux en pierre blanche soulignaient portes et fenêtres. Il devait y avoir au moins une douzaine de pièces, dont les principales donnaient sur le parc, ou ce qu'on nommait tel, une bordure de terrain longeant la route, et plantée cinquante ans plus tôt d'espèces rares : tuyas gigantesques, magnolias aux feuilles vernissées, séquoias géants à la ramure vert nuit. La façade donnait côté nord, de façon à éviter le soleil, ennemi naturel du Berrichon.

Les pièces, tapissées de papiers peints verts ou violets, choisis au début du siècle par un amateur d'orientalisme, aux plafonds de chêne verni, encombrées d'un bric-a-brac de pesant mobilier, étaient si sombres qu'en plein après-midi d'été, les lampes y étaient allumées.

Nous entrâmes par la cuisine, qui servait à la fois, compris-je en y voyant réunies les hôtesses du lieu, de hall et de foyer. Je ne m'étais certes pas attendu à retrouver ma sœur dans ce décor victorien de feuilleton anglais. Judith, en sautant légèrement de la deux-chevaux, me fit admirer sa propre robe, que l'impératrice Eugénie aurait pu porter à la campagne. On voyait que George Sand et Virginia Woolf régnaient en maîtresses incontestées sur l'endroit.

Au fond, elles aussi avaient changé ; non pas de physique ou d'idées, comme leurs ex-amis parisiens ; mais elles s'étaient, à leur manière, embourgeoisées. Ce décor surchargé et ciré, la bonne odeur de ce qui mijotait dans une bassine de cuivre, sur la cuisinière aux pieds sculptés en pattes de lion, me décidèrent. Pour deux ou trois semaines, je pouvais prendre le risque d'une cohabitation avec une Judith qui avait renoncé à toute prétention sur moi. À condition de lui parler le moins possible. Et puis, après tout, n'y avait-il pas pour elle, au sein de mon futur roman, une petite place éventuelle ?

La table fut mise ; entre deux chemins de branches de framboisiers et de cassis, où les boules rouges et noires alternaient savamment sur la nappe damassée, des porte-couteaux figuraient des lièvres courant. Les présentations se firent vite ; il n'y avait en effet que des femmes, qui n'étaient capables que d'une seule phrase :

« Comme il ressemble à Ève ! »

C'était ce qui me faisait accepter : ma ressemblance à ma nièce. Quelque chose de féminin en rejaillissait sur moi.

La plus âgée, en tenue de chasseur, Pataugas et chaussettes à carreaux, fumait une pipe puante. Sa large face rougeaude, son cheveu court, sa tenue lui donnaient quelque chose de militaire. Elle en avait d'ailleurs le côté culotte de peau. Elle ne parlait pas, elle aboyait. J'appris qu'elle était vétérinaire, mais à la retraite, sauf pour les vêlages, sa spécialité. Ce qui expliquait sa poitrine et ses bras de fort des Halles. Blottie à côté d'elle, une toute petite vieille si ratatinée qu'on eût dit un pois chiche vidé par la dessiccation d'un siècle lançait d'une voix flûtée des allusions au temps passé que personne n'écoutait.

Et ces deux voix, de rogomme-tambour et de vieille bouilloire qui siffle, étaient, compris-je avec confusion, celles de deux amantes fidèles.

Il y avait aussi une fillette de douze ans, enfant des voisins, une institutrice de village à lunettes, et une propriétaire terrienne des environs, qui arriva vers dix heures dans une Mercedes diesel fumante pour une partie endiablée de canasta.

Judith et Anne avaient exactement un comportement de couple, elles faisaient asseoir les invitées et présidaient la table aux deux extrémités. Des armoires rustiques Louis XV, dont le très haut fronton était gravé d'instruments de musique, nous contemplaient bonassement. Le dîner, en plein été, consistait en une soupe au chou et en un de ces inévitables pâtés aux pommes de terre que je devais apprendre à fréquenter. Pas de viande, la société étant plutôt végétarienne. Mais du vin, Dieu merci, en quantité, du saint-pourçain qui réveillait à la vie cette collection de femmes seules. Enfin, sans hommes.

En faisant ce constat, qu'elles étaient, même en couple, comme Judith et Anne, ou la vétérinaire et son aïeule, des femmes « sans hommes », je me rendis compte que j'exagérais involontairement, par goût du contraste et de la provocation, mon humour machiste parisien. Ces femmes draguaient outrageusement la petite fille, dont j'appris qu'elle gardait les moutons, étant montée de la ferme voisine au domaine parce qu'elle avait une gentille frimousse, et qu'elles n'appelaient que de diminutifs masculins : « Mon petit chat, mon petit oiseau, mon petit lapin adoré... » Un tel bestiaire interdisait évidemment la viande à cette table. On ne pouvait pas dire à cette enfant : « Un peu plus de lapin, mon poulet ? »

Après une tarte aux mûres, nous gagnâmes le salon ; la mère de la petite et quelques autres femelles nous y rejoignirent. La mère était une belle femme dans la fleur de l'âge, servante d'auberge à ses heures, avec une abondante chevelure noire et un profil aquilin. Elle était mariée à un brave paysan poète, le seul homme parfois admis dans le cercle, lequel devinait bien le petit jeu qui entourait sa fille, et ne s'en choquait guère, du moment que son « canon » de rouge lui était offert régulièrement au domaine.

D'ailleurs, si la petite se plaisait avec ces dames... C'étaient des personnes instruites ; et Josyane (c'était le nom de la femme aux cheveux noirs) aimait bien la maison, dans laquelle sa mère avait été domestique, au temps où la grande bâtisse n'abritait qu'un couple de bourgeois héritiers directs de l'amateur d'art chinois passionné d'arboriculture.

Et pendant des heures, en sirotant des liqueurs de grand-mère aux saveurs poussiéreuses de citronnelle ou d'angélique, je continuai mon jeu en racontant Ève à Paris, sur fond de petits cris plaintifs poussés par Barbara dans l'électrophone, qui chantait le petit bois de Saint-Amand et autres émotions de puberté féminine. Anne riait parfois, rabattait sa mèche ; les autres, trop sérieuses, ne voyaient pas que je les faisais marcher, en assenant diverses horreurs sur la vie littéraire et le monde des journaux. Judith se taisait et brodait un napperon de coquelicots rouge criard, l'air désapprobateur sous sa chevelure ramenée en chignon à la Montijo.

Les jours suivants, la cohabitation avec elle se révéla plus facile que je ne l'aurais cru. Quand nous nous croisions dans les couloirs encombrés d'oiseaux empaillés, de porte-parapluies et de papillons sous verre, elle tentait bien de me retenir pour m'expliquer une fois de plus qu'elle n'avait plus rien à me dire. Une certaine lueur de démence, au fond de ses petits yeux noirs, n'avait pas disparu. Anne, elle, s'absorbait entièrement dans les travaux de la maison et du jardin ; le Larousse ménager, édition 1920, était sa bible, son credo, son manifeste. Elle trayait les brebis, installée dans un appentis, sur un tabouret à pied unique ; elle cueillait les haricots et les tomates qu'elle amassait dans son grand tablier bleu relevé aux coins ; et elle lâchait d'un coup, pêle-mêle, ainsi qu'au sortir d'une corne d'abondance, sa provision rouge et verte sur la table de fer, devant la maison, pour l'épluchage. Comme distraction, elle s'offrait la recherche des odorantes girolles orangées, dans le sous-bois, ou la pêche aux écrevisses, jupe relevée, pieds dans l'eau, dans le ruisseau fangeux qui courait au bout du pré, où l'on était martyrisé par des nuages de moucherons.

Anne les chassait en agitant son chapeau blanc à larges

bords, d'un geste machinal, comme les vaches remuent la queue pour se débarrasser d'un taon particulièrement insistant. Ultime plaisir, il y avait la foire du mercredi à Sancoins, une ville proche dont le nom imite à s'y méprendre, dit avec l'accent gras et lourd comme l'argile du pays, le couinement d'un canard étranglé, un de ces gros canards de barbarie aux joues de corail grumeleux, à l'œil de jais, qui sortaient la tête des paniers pour dévisager leurs acheteurs éventuels.

« Et c'est une vie qui te satisfait, ces conventions provinciales... Pas de regrets de cette superficialité, de la ville, de la drague, que sais-je... ? »

Je rougis en parlant ; je n'avais jusqu'ici pas soupçonné qu'une telle absence de sexualité mâle fût possible chez une femme jeune et sexy. Même du temps où elle couchait avec des cinéastes gauchistes, elle devait manifester la même plénitude indifférente.

Anne secouait la tête en souriant, sans cesser d'ouvrir, d'un coup d'ongle dont la précision faisait mon admiration, les cosses des petits pois, d'où les grains vert tendre s'échappaient pour rouler dans une jatte de faïence rose.

« Il y a les travaux d'hiver et les travaux d'été, la pompe du puits du jardin à réparer, les rossignols qui chantent toute la nuit jusqu'au 15 juin, nos six espèces de mésanges et nos trente sortes de russules, les pruniers à tailler, les lauriers à rabattre, le vieux chêne à débiter à la tronçonneuse, et puis les conserves à faire en automne, et encore les loirs à chasser du grenier où ils mènent la sarabande... As-tu déjà vu un lérot ? C'est minuscule, avec un masque noir et une queue en panache... »

Elle n'avait pas tant parlé depuis des mois ; elle s'interrompit, essoufflée.

« Tu aurais pu faire une belle carrière à Paris.

— Tu dis tout le temps que tu n'aimes pas Paris, et tu ne cesses d'en parler. Nous ne sommes pas faits pareil, Adam...

— Et puis tu as Ève. Enfin tu avais. »

Je pressentis qu'elle allait plutôt me parler de Judith, et je coupai court. Comme autrefois, je me sentais à la fois, avec elle, en état de complète intimité et d'absolue non-compréhension. Entre nous, ça ne passait pas par les paroles.

« Nous sommes à la fois si différents et si parallèles. Tu aimes les femmes, j'aime les hommes.

— Ce n'est pas moi, c'est Ève qui est le miroir de toi... »

Son mutisme et les petits pois reprirent le dessus. Je constatais avec terreur, à mesure des jours et des travaux, l'impossibilité d'exprimer dans mon roman cette quiétude informulée, cet abandon au détail. Le personnage d'Anne m'échappait en mille activités accomplies la tête vide, dans le bonheur du geste quotidien.

Seul homme dans ce couvent de femmes affairées, je renforçais la séduction cynique du mâle de la ville par une indifférence sexuelle totale. Elles hésitaient chaque soir, entre l'exaspération et la curiosité masochiste, en me demandant des détails sur mes nuits dans la capitale, que je fournissais malicieusement. Penser qu'Ève était dans ce capharnaüm...

Il existait chez ces femmes une sincérité, une croyance à la vie et à l'amour qui les réunissaient autour de la table, sous le rond chaud de la suspension de porcelaine, et que je respectais malgré mon ironie. Certes, leur naïveté passait parfois les bornes. Anne, sans télé, sans journaux, ne s'était pas rendu compte que le monde avait changé autour d'elle. Et ces femmes seules de province, des lesbiennes cachées des fermes et des champs, avaient pour l'ex-psychanalyste féministe qu'était Judith et l'ancienne madone des intellectuels contestataires qu'était Anne, une admiration sans bornes. Le ridicule même des tenues que portait Judith et qui rappelaient l'époque puces 1900 chère aux gauchistes des années soixante-dix, leur était resté inconnu. En vivant entre elles et loin de tout, les clichés des modes du passé leur suffisaient amplement ; et elles ne voyaient plus, à force de les voir tous les jours, les falbalas tachés et reprisés, les à-peu-près de coiffure et de toilette propres à la négligence de gens qui se connaissent trop.

Je logeais dans une adorable chambre de grand-mère, au premier étage, où le papier peint à rinceaux rouges montait jusqu'au plafond. Un bonheur-du-jour en bois de rose, auquel il manquait un pied, me servait de table de travail. Au bout de quelques semaines, mon texte n'avait guère avancé ; hormis des listes de noms de mauvaises herbes et de fleurs des champs, qu'Anne m'apprenait : prêles élégantes comme des arêtes de poisson vertes, qui autrefois, sous leur forme géante, formaient les forêts où erraient les brontosaures, pissenlits aux boules semant à tout vent, chardons bleus, etc.

Nous parlions parfois d'Ève ; ou plutôt je parlais d'Ève. Anne se contentait de lisser sa mèche, comme si elle eût été à peine la mère, en jetant :

« Elle fait ce qu'elle veut, ce n'est plus mon problème... »

Judith, je l'avais remarqué, à chaque fois que j'évoquais Ève, sursautait, fronçait le nez, et dans ses yeux durs en boutons de bottine passait un éclair d'inquiétude. Une inquiétude que je me figurais assez bien ; Judith, elle, attachait une immense importance à ce que Ève restât conforme au modèle qu'elle avait décidé pour elle : une fille libre, non pas du tout dans le sens de libertine, mais débarrassée de l'oppression mâle. « Seules les femmes ont de la sensibilité, seules elles engendrent » était le nec plus ultra de sa pensée. Et quand je félicitais la mère pour la beauté d'Ève, Judith atteignait à une véritable fureur retenue. Elle se prenait autant qu'Anne pour la génitrice ; je soupçonnais chez elle un brin de jalousie à l'égard de sa « nièce », qui, au lieu de fréquenter les colloques féminins et les cercles analytiques auxquels elle l'avait adressée, courait les bals avec son oncle débauché. Elle-même, la pauvre Judith, n'avait jamais dansé avec moi ; et si loin dans le passé que reculât son amour pour moi, je sentais bien que se réveillaient ces braises mal éteintes, quand je remuais le tisonnier nommé Ève.

Au mois d'août, ce furent les cueillettes de fruits. Un soir de septembre, à l'heure où le soleil perçait les épaisses ramures noires, traversait les vitres aux petits carreaux dont les lourds rideaux damassés montraient la corde, pour venir expirer, pâle rai où tournoyaient les poussières, sur la grande table de la cuisine, Anne sonna le rappel pour nous faire râper les coings. Une brouette de coings énormes, jaunes et velus, mûrs exceptionnellement tôt, qu'elle entendait transformer en pâtes et liqueurs.

La séance des coings devait durer trois jours. L'odeur de pomme sûre montait dans les étages, entêtant toute la demeure. Et les mains détrempées par la pulpe qui s'oxydait en roussissant dans de vastes paniers d'osier, en attendant de passer au petit pressoir conservé à la cave, les mains donc, parsemées d'innombrables petites griffures dues à la râpe, prenaient elles-mêmes la couleur et l'odeur âpre du fruit.

Tout le monde s'y était mis, à la chaîne, au long de la table, et l'on n'entendait dans la grande cuisine que le va-et-vient monotone des râpes, le bruit mou, humide, de la matière tombant dans les paniers, et les plaisanteries des râpeuses qui venaient de se couper ; un peu de sang dans le jus ne pouvait que l'améliorer, prétendait la vétérinaire, dont les gros bras rouges, hors sa chemise d'homme retroussée, malaxaient avec délices le pâton odorant. Il faudrait encore, après le pressage, filtrer le liquide avant de le mélanger au sucre et à l'alcool ; cela prendrait des semaines, pendant lesquelles les filtres de papier, posés en équilibre sur de grands bocaux vides rangés sur la cheminée, dégageraient goutte à goutte leur contenu enfin limpidifié, comme de grands papillons blancs immobiles fabriquant un miel liquide.

La patience de ces gestes indéfiniment recommencés, ces blagues usées, et sans doute rituelles, ces femmes qui rattachaient sur leur front en sueur leurs bandeaux défaits, tout suggérait le calme d'existences sans angoisses. Les choses elles-mêmes, les objets de ménage, en bois et en fer par respect pour la nature et haine de l'artificiel et du plastique, participaient de ce rétro ; comme les écologistes, ma sœur et Judith étaient convaincues que ce monde gouverné par l'homme, la concurrence et la fausseté ne pouvait que revenir à l'âge de la lampe à pétrole.

Le troisième jour des coings, prises dans leurs travaux, elles m'avaient pratiquement oublié ; même Judith, à laquelle je n'adressais depuis le début que des monosyllabes, et qui parlait à la cantonade quand elle voulait me signifier quelque chose, avait cessé de m'observer par en dessous. Et comme ces femmes entre elles jouissaient de la fatigue, de la chaleur, de la légère ivresse provoquée par la fermentation du fruit écrasé, comme je m'effaçais peu à peu de leur champ de conscience, moi l'homme, le faux bourdon, l'inutile beau parleur, la porte bâtarde qui donnait sur la cour s'ouvrit d'un coup. Auréolée de lumière, dans la vapeur humide des fruits, Ève était sur le seuil, un sac en bandoulière comme viatique, et tendait les bras à toute l'assemblée.

Ce ne fut qu'un cri : l'enfant prodigue était enfin de retour. Je compris à leur accueil délirant combien elle leur manquait, mascotte de leur régiment femelle. Je passe sur les mignotages, gougnotages, dont Anne, remarquai-je, s'abstenait à la manière des ex-gauchistes peu amis de la sentimentalité. C'en était même étonnant, pour une mère retrouvant son enfant après de pareilles épreuves.

Ève portait un short de scout en velours, qui dégageait ses jambes brunes, des sandales en plastique blanc, et une chemise militaire kaki largement échancrée. Elle se reposait un instant, dans l'embrasure de la fenêtre. Et avant que la meute l'eût recouverte comme des mouches une charogne, j'eus le temps de constater que ses cheveux avaient partiellement repoussé. Elle me découvrit enfin, assis sur mon tabouret, qui m'exerçais à pétrir la pulpe épaisse. Elle ne marqua aucune surprise. Je croyais, bien sûr, qu'elle était revenue pour me voir, Judith et Anne lui ayant annoncé ma présence. Je me trompais, comme on le verra.

Judith monopolisait l'arrivante, la bombardant de questions sur sa détention, et sur Paris, les deux sur le même plan, et la couvrant de mille baisers. L'amie âgée de la vétérinaire pleurait à petits hoquets convulsifs. Mais Ève, fixant son regard dissymétrique dans ma direction, cherchait le contact avec moi. Elle devait déjà étouffer, dans cette assemblée de femmes, dont elle avait perdu la pratique. Elle était leur pivot passionnel, leur assurance à toutes, la réalisation de leur ambition parthénogénétique. Et ce fut en effectuant ce constat que, pour la première fois, j'éprouvai du désir pour Ève.

Je n'ai éprouvé d'autre désir, avec les femmes, que celui, moqueur et parfois méchant, de les chatouiller moralement, de les persifler. L'importance que revêtait Ève en son milieu, le changement prodigieux, pour moi, entre l'Ève marginale perdue dans Paris et cette pure jeune déesse des blés d'or, saluée comme une reine, lui conféraient un charme souverain. Elle parlait même différemment, en évitant les gros mots, les affreux « look » et « génial » que je lui avais entendu employer, peut-être pour m'« épater » (si ce mot 1920 peut encore s'utiliser). Ce désir, c'était aussi, en miroir de ce que j'avais éprouvé au bal des folles, celui d'arracher à ce couvent son symbole, l'envie lovelacienne de priver cette innocente communauté de son illusion fondatrice · celle de pouvoir se souder entre elles en interdisant l'entrée à l'homme.

Je suis un solitaire, un chasseur vieilli. Mais lorsque l'enjeu de mon désir pour Ève me fut révélé, la jeunesse des séducteurs me revint au galop. Et puis il y avait le regard dur et noir de Judith, qui m'observait de derrière sa râpe, Judith à qui cela ferait tant de peine. Et la certitude qu'Ève, au fond, était de la même race que moi, celle, multiforme et unique, de l'individu solitaire.

Nous ressemblant à ce point par les traits, nos âmes aussi devaient s'apparier, comme ces mille gestes de moi, que je retrouvais chez elle, en témoignaient : langage tacite des mains, des paupières, de la jambe qu'on croise, du front ou du nez qu'on se frotte.

Le lendemain, la grosse vétérinaire nous proposa comme amusement d'aller voir tuer le cochon chez la mère Braillard, c'était le nom de la propriétaire à la Mercedes. Elle formula son invitation avec une note d'ironie à mon égard ; le sang, les couinements, pensait-elle, étaient probablement de trop pour une mauviette comme moi. Je me tournai vers Ève ; elle ne demandait pas mieux que d'y aller. Du coup son envie me gagna. Nous nous entassâmes dans la Mercedes, Judith et Anne suivaient en deuche.

La ferme Braillard était un quadrilatère de bâtiments gris, dans une lande désertique, où seul un bouquet de sapins noirs et tristes comme des sentinelles marquait un petit relief. Le père Braillard, effacé et petit, était entièrement soumis à sa femme, qui faisait derrière son dos des clins d'œil à ses copines, pour dire que le vieil imbécile, aussitôt congédié, ne comptait pour rien.

L'abattage du cochon étant bien entendu clandestin (la moitié du pays, d'alambics en abattage et braconnage, vivait au clandestin), la mère Braillard alla fermer les grandes portes de la cour, qui grinçaient sinistrement, en couvrant les cris du verrat, roi de la fête. Ce dernier était attaché par les quatre membres, la tête en bas, à une échelle dressée contre la grange. Il hurlait violemment, certes, si violemment que je n'aurais pas cru possible de hurler plus fort ou plus désespérément. Mais je n'avais encore rien entendu. Quand, après l'avoir à demi assommé d'un coup de maillet, la vétérinaire lui eut plongé le couteau dans la gorge, ce fut comme si les deux cents kilos de muscles devenaient un seul hurlement. Le monde entier semblait devoir être balayé par ces cris. Ce n'était plus un hurlement, ni une plainte, c'était le désespoir incarné, la vie en danger, qui s'exprimaient, tout bandés dans ce cri, tout entiers contenus en lui et cessant avec lui.

Le bruit se fit gargouillis, le gargouillis boudin, je veux dire sang qui giclait dans les cuvettes que tenaient les assistantes. L'odeur du cochon, que ces furies tachées de sang, exaltées d'avoir mis à mort cet énorme mâle, humaient en riant comme des bacchantes, envahit la cour. Ève, comme moi, détourna la tête. Tandis que la jeune gardienne de moutons remuait le sang en ajoutant du vinaigre pour l'empêcher de cailler, la mère Braillard et ma sœur, armées de petits chalumeaux, brûlaient les poils sur le corps affaissé, puis le lavaient à grand jet. La peau rose, nue, était prête pour l'éventrage ; d'un coup sec, la vétérinaire, apoplectique et suante, libéra les viscères de l'enveloppe de peau. Ce n'était plus une odeur, mais un nuage, une bouffée épaisse et fétide de puanteur, qui couvrit la campagne, en se dilatant et en noyant toute autre sensation.

Soudain, profitant de l'inattention générale, Ève me toucha le bras.

« Viens, il y en a encore pour des heures. Je vais te montrer le pigeonnier. »

Je compris à l'instant, comme dans les messages

d'enfant. Nous grimpâmes une échelle branlante ; la fiente couvrait le sol de la petite tour ronde, et les murs étaient ceints de nids tous pareils, d'où s'envolait, par moments, le froufroutement d'un oiseau.

« Il y a encore le découpage, le vidage des intestins, le lavage des tripes, le brossage, la préparation du boudin, la cuisson des andouillettes...

— Pourquoi es-tu revenue ? »

À mesure qu'elle récitait ce programme enthousiasmant, en comptant sur ses doigts, mes mains défaisaient les boutons. Quand on en vint à la préparation des salés, elle était sinon nue, du moins chemise ouverte et son jean glissait à ses genoux.

« Tu sais, je ne suis pas venue pour toi. Je ne te savais pas ici. Je suis en danger à Paris. »

Des colombes glissaient autour de nous, des roucoulements coulaient sous le vieux toit ; mes mains effleuraient ses hanches à présent nues, et elle continuait de sourire sans se défendre. Cette tentative d'amourette dans ce lieu avait la fraîcheur naïve de la bluette d'enfance ; c'était comme si on jouait à se montrer sa petite chose. Ses mains à elle commencèrent à s'éveiller à leur tour, en caressant le pli durci de mon pantalon. Je lui enlevai sa chemise ; ses seins durcis en forme de jeune pomme se dressaient à l'air libre. Le soleil entrait par la porte, en dorant ses cheveux, son pubis aux petites boucles naissantes ; et dans chacun de ses deux yeux, comme dans les miens sans doute, brûlait une petite flamme de gentillesse, de drôlerie et d'envie de le faire.

Je l'avoue : je n'osai pousser mes doigts plus loin, entre les deux cuisses serrées. Et tout à coup, Ève, les jambes toujours embarrassées dans son jean, se mit à genoux dans la fiente et ouvrit ma braguette.

Cette façon d'agir, si enfantine et naturelle, m'était plus familière. Je l'avais pratiquée moi-même, jeune homosexuel des quais, à New York ou à Paris, dans les coins sombres. Et puis le soleil, sur lequel passait par moments l'aile déployée et irisée d'un pigeon indigné par notre présence, éclairait à présent le dos et les fesses de ma nièce. Je me penchai sur elle, et, tous deux lovés en arc de cercle avec la grâce d'un groupe de Canova obscène, je commençai à caresser sa petite turbine à chocolat, son petit trou imberbe.

C'est d'elle-même encore qu'elle se retourna, non sans difficultés ni fous rires, en tâchant d'éviter le contact avec la fange des pigeons. Stupéfait de tant d'ingénuité perverse, qui me faisait souvenir de la mienne au même âge, souvenir qui redoublait mon excitation, je cherchai à toute force de la salive ; mais j'avais la bouche sèche. Dehors, on entendait le « han » de bûcheron des équarrisseuses ; l'odeur infecte du cochon, piquante comme de l'ammoniaque, lourde de merde et de brûlé, pénétrait maintenant jusqu'à nous, en recouvrant celle de paille et de poussière que produisait le pigeonnier. Ève, appuyée aux nids, se tendait et s'offrait, me passait sa salive. Je commençai, presque sans l'avoir décidé, à la pénétrer.

L'instant d'après, je crus que le cochon avait ressuscité. L'intensité du hurlement qui vrillait mes tympans était aussi forte. Toute érection brutalement retombée, je me retournai ; les jambes encore sur l'échelle, le buste engagé dans la porte du pigeonnier, hagarde, les mains et le tablier tachés de sang, Judith, les cheveux défaits, venait de nous découvrir en pleine action.

Elle tenait toujours à la main le maillet qui avait servi à exécuter le cochon. Et elle le balançait de façon menaçante en hurlant, sans tenir compte de la fragilité de son propre perchoir qui tremblait sous sa rage :

« Monstre ! Mais tu es inconscient ! Un vrai monstre ! »

Elle ne trouvait que ce mot à répéter, étranglée par sa fureur ; et, au même moment, tandis qu'Ève se rhabillait dans l'ombre, les épaules secouées par un rire muet, rire qui se communiqua immédiatement à moi, après que je l'eus pris quelques instants pour un accès de sanglots, je me rebraguettai et tentai une sortie.

« Et toi, tu es une traînée ! Et avec lui, tu n'as pas honte ! »

Elle s'adressait à Ève, et l'échelle craqua sous ce regain de colère. Elle oubliait, faillis-je lui dire, le temps où elle était effeuilleuse à quinze francs. Mais c'eût été prendre trop de risques. Le maillet sanglant n'avait pas quitté sa main. J'essayai de dédramatiser :

« Écoute, Judith, ça n'a rien de la tragédie que tu en fais. Souviens-toi de notre époque...

— Mais tu ne comprends donc rien ! Tu ne sais pas !

— Qu'est-ce que je ne sais pas ? »

C'était la première fois que je lui adressais la parole ; ça l'amadouait vraisemblablement. Elle posa son maillet. Elle avait fini par m'intriguer réellement. En réponse, elle montra Ève du doigt. Celle-ci, toute ouïe, s'était rapprochée. Avait-elle provoqué cette scène dans le seul but de cette révélation, que Judith ne pouvait plus retenir, qui faisait trembler son long corps d'Espagnole, ses lèvres d'Andalouse ?

Ce fut alors qu'on entendit, venant de la cour, une voix, celle d'Anne, qui criait :

« Tais-toi, Judith ! Tu n'as pas le droit, tu as promis... »

Je m'avançai ; elle était devant le pigeonnier, les poings sur les hanches. Je ne l'avais jamais vue en colère. À cet instant, elle l'était. Ève se jeta vers la porte en criant à son tour :

« Non, Maman ! Laisse Judith parler ! Moi aussi, je veux savoir... »

Mais l'intervention d'Ève tira Judith de son abattement catatonique. Elle redescendit comme une somnambule les échelons branlants, et nous suivîmes, un peu penauds, éblouis par le soleil. Comme nous atteignions le bas et que je me retournais pour tendre la main à Ève, un klaxon retentit avec insistance hors les murs. C'était le facteur ; il avait un télégramme pour nous, et, comme le pays connaissait nos déplacements, il s'était raccourci le chemin.

Pendant que je décachetais le petit bleu, Judith, dans son coin, sanglotait dans son tablier ensanglanté, ses longs cheveux pendant jusqu'à terre. J'eus presque pitié d'elle ; dix-huit ans d'amour chaste, avec ce seul souvenir de notre unique nuit, pour me découvrir en pleine action sur ma nièce ! J'avais eu raison de douter qu'elle se fût jamais résignée. Le fait que j'étais homosexuel aurait donné à ma conquête les couleurs d'une victoire sur ce monde d'hommes entre eux. Et c'était l'inverse qui s'était passé. C'était moi qui avais réussi ce qu'elle avait raté.

Je sautai du texte télégraphique à la signature. Jean-Pierre, mon docteur, était rentré de Suède et me demandait de lui téléphoner immédiatement.

Heureux de cette diversion inattendue, mais un peu inquiet de cette accumulation d'événements en une seule journée, je me fis accompagner à la cuisine, où pendait, entre un baromètre et un coucou italien en matière plastique, un téléphone mural ancien modèle. J'eus Jean-Pierre rapidement.

« Comment était Stockholm ? Tu t'es bien amusé ?

— Les garçons y sont charmants. Dis-moi, je t'appelle à propos de tes résultats. Je les ai enfin reçus... »

Mes analyses. Je les avais complètement oubliées. Et comme Jean-Pierre était en Suède... L'anxiété me submergea :

« Qu'est-ce qu'il y a ? Dis vite... »

La voix de Jean-Pierre se fit légère, optimiste :

« Ton test de syphilis est très bon, celui de l'hépatite aussi... »

Il se fit un silence.

« Il y a un problème avec ton test LAV.

— Avec mon quoi ? »

Je gagnais du temps, mais j'avais déjà compris.

« Ton test LAV. Oh, rien de très grave encore, mais il faut vérifier. On ne plaisante pas avec ce virus. Tu peux rentrer à Paris tout de suite ? Tes suées venaient certainement de là... »

Sa voix était redevenue froide, professionnelle. Mon regard se perdait dans la contemplation du baromètre, dont les deux personnages, monsieur Mauvais-Temps armé d'un parapluie, et madame Beau-Temps d'une ombrelle, qui auraient dû sortir alternativement d'une maisonnette en bois genre isba miniature, étaient restés coincés tous les deux dans leur porte. L'image devint floue ; je raccrochai lentement, me passai la main devant les yeux. Je n'arrivais pas à comprendre comment Judith avait pu savoir avant moi que j'étais atteint de la peste moderne ; que j'étais, en une seconde, devenu le lépreux, l'intouchable, celui à qui on ne fait plus l'amour. Et si j'avais déjà contaminé Ève ? Soudain, le monde redevint net, tandis que deux larmes coulaient sur mes joues.

SECOND TEMPS

Bob

C'ÉTAIT au jardin d'Éden, entre les deux fleuves qui coulaient le long des murailles de brique crue ; à leur pied le limon jaune se déposait depuis l'origine des temps, ce limon jaune dont fut fait, prétendent les Églises, notre corps d'homme.

Adam dormait dans l'ombre capricieusement mouchetée d'un figuier. L'air était chaud et immobile, et la certitude, non, la croyance immédiate d'être le seul homme au monde le faisait sourire dans son sommeil. Au-dessus de lui, dans le ciel uniformément bleu, qui s'étendait à l'infini sans oiseaux, trop rares encore, et sans fumées, un seul nuage était suspendu ; et dans la nuée grise, la face de celui qui se croyait son créateur se contemplait comme en un miroir dans l'image d'Adam ; elle exultait à l'idée qu'elle l'avait forgé à sa ressemblance. Et sa voix d'airain laissait tomber jusqu'à la terre grasse, ocre, en ébranlant l'air immobile et en criant aux pierrailles du désert, aux murailles et au fleuve :

« Il n'y a de Dieu que moi ! »

À cet instant, où le démiurge, le dieu fabricateur du ciel visible, de la terre sensible s'est ainsi dénoncé avec son ambition, la poitrine d'Adam endormi s'entrouvre, et en sort la partie spirituelle, prisonnière dans ce corps d'homme, cette « côte » d'Adam qui était antérieure à lui, cette étincelle qui était avant lui le meilleur de lui ; et c'était Ève.

Ève gnostique, Hawa des sorcières arabes, tu es la véritable mère du monde ; et la création tout entière n'est que l'histoire de ta chute ici-bas. Ève, Norea, Sophia, Achamoth : tes surnoms de la gnose égyptienne te voilent comme le tissu sacré les formes des déesses. Tu fus avant l'homme, au cercle imputrescible des éons, avant les siècles des siècles, dans la ronde d'entités doubles émanées de l'Abîme et du Silence. Tu fus Sophia, le trentième et dernier éon, qui s'est approché jusqu'au bord de la terrasse céleste et qui a vu. Par ton regard, quelque chose était apparu hors l'être absolu que vous formiez, toi et les autres éons. Quelque chose comme un miroir, une ombre, une nuée, qui était ta propre chute.

Tu es tombée vers ce bas qui n'existait pas encore, et que ta chute créait à mesure, ce monde matériel des malheureux sublunaires et leur ciel visible. Et parce que tu avais voulu comprendre l'Abîme, qui ne peut que comprendre et jamais être compris, tu chutas, tu fus seule et abandonnée, pleurant vers ton père depuis ton exil.

« Je suis le seul Dieu, créateur du monde ! »

Et dans ta douleur tu as engendré le Démiurge, qu'on nomme Samael, celui qui se prend pour le Créateur, le Prince des Archontes, et le Maître de ce monde ; et de ton orgueil héréditaire, devenu insensé, il tira, lui qui ignorait son origine, l'idée qu'il était au début de tout.

C'est toi, Ève, le début de tout, la première et la dernière, l'alpha et l'oméga, le dessus et le dessous, la droite et la gauche.

Et tu gisais cachée en Adam, attendant ton heure et la délivrance pour lui enseigner la Connaissance, que le grec appelle : Gnose.

Le serpent, la pomme, l'arbre de la Gnose, c'était encore toi, ondulant en tes divers avatars, pour ouvrir l'esprit de l'Homme, réveiller en lui l'Adam premier qui existe comme éon avant les dieux, avant Dieu le Démiurge, lequel n'est que son image adultérée, brouillée de boue.

Et alors le Démiurge, le dieu orgueilleux et vain de ce bas monde, prit peur, et vous chassa, car il voyait bien à présent que tu n'étais pas son image ; et c'est encore Ève, Norea, Sophia, hypostases présentes parmi les générations, éternellement jeune, témoin de ce qui coexistait à l'éternité avant toute création, qui engendra Abel et Caïn ; et elle qui cacha dans la descendance du troisième enfant, Seth, les étincelles de la Vie, le souvenir du plérome des éons.

C'est en elle que sont la Vérité et la Vie, la Connaissance et le souffle spirituel.

Sur les bords d'une oasis, posée sur les ondulations du désert à l'ombre des palmiers, l'arche de Noé est longtemps demeurée, pendant sa construction, comme un squelette de baleine fossile. Puis les lourdes membrures ont été liées par des roseaux, couvertes de bitume âcre et fumant. C'était l'ordre de celui que tous prennent pour le seul dieu.

Une nuit, les étoiles cloutaient le ciel de l'oasis, elle s'est approchée, cachée derrière les palmiers ; elle tenait à la main une torche, et son ombre démesurée courait sur le sable, rougeoyante et mobile. Et elle a jeté sa torche sur l'arche, détruisant l'espoir du dieu jaloux, et le vaisseau s'est transformé en architecture de feu, le vent du désert a dispersé les cendres. Dix foix Noé reconstruit l'arche, et elle la brûle, pour déraciner du cœur de l'homme l'espoir de sauver la Création. Au-delà du créateur et de ses créatures, elle ne veut que rejoindre son père l'Abîme ; elle qui fut par sa chute à l'origine de toute existence, elle n'aspire qu'à la destruction universelle

Au-dessus de la petite ville de Saint John, aux Caraïbes, un gros cumulus, invisible de par la nuit, courait sur le ciel déjà semé d'étoiles, les dévorant tout allumées comme un dragon avaleur de feu.

« Donc, reprit Bob, le serveur de la crêperie, en s'adressant à ses clients perdus dans la faible pénombre de la terrasse, qui regardaient dans la direction où le vieillard et sa fille avaient disparu, ces deux-là avaient débarqué, venus de Saint Kitts et Newitt.

« C'était l'an dernier. Ils sont arrivés dans le petit zinc de Charlie, qui est basé à Nassau et qui fait le taxi. » Il le faisait en luttant vaillamment dans les ouragans, pour finir par se poser en piqué sur les petits aérodromes des îles. Les deux passagers étaient sortis un peu verts. Sans vouloir nuire à la réputation d'autrui, fit remarquer Bob, le vieil appareil, un coucou à nacelle suspendue sous des ailes à haubans, tout en longueur, et où chacun des six passagers est rangé à la file, secouait pas mal.

« Je ne dis pas ça contre Charlie », ajouta-t-il par précaution. Dès posés sur l'aéroport, ils s'étaient montrés, ces visiteurs, des clients plutôt spéciaux. Rien de grave, mais ils étaient bizarres, ils n'avaient pas l'air de gens qui vivent ensemble depuis longtemps. Leur façon de discuter le montrait. Plus tard Bob les avait entendus parfois se disputer, et aussi roucouler, la fille nichée au creux de l'épaule de ce bel homme encore jeune, devant la mer, sur la terrasse de la crêperie qui servait de balcon au petit hôtel de bois peint, dont les balustres étaient entortillés de liserons géants aux corolles bleu profond et blanc crème. Oui, c'étaient des gens bizarres, qui ne parlaient à personne, ne prenaient pas de photos. Elle se baignait, lui la regardait, assis sur le sable. À l'époque, un an c'était toute une époque dans le rythme indolent de Bob, il n'était sûrement pas muet, le gars. Il était un peu faible par moments ; déjà il lui arrivait de s'appuyer sur elle. Mais surtout ils infusaient dans la joie, le bain d'un amour trop visible pour ne pas l'étonner, lui, Bob ; car il était ainsi, il n'aimait pas trop les grandes passions, instinctivement, comme la touriste se défiait des paysages trop sublimes ; il en avait peur.

Et ce couple avait un caractère étrange. « Oui, à l'époque, vous lui auriez donné une trentaine bien mûre, et encore », affirmait Bob. Il avait, cet homme, une voix nasillarde parfois faible, mais toujours très nette, autoritaire, de ces voix, pensait le serveur (dont toute l'existence était agie, n'ayant eu comme les orchidées qu'à pousser dans le soleil et l'humidité tiède, cotonneuse), qui sont celles de gens nés pour commander, voir clair, décider.

« C'est gravé ici, ajoutait Bob en causant posément, et en racontant sans y penser, gravé ici, je vous dis, leurs conversations à la table que vous occupez. »

C'était là la raison de la colère de l'infirme. Le rire, il s'en moquait. C'était sa place qu'il réclamait.

« Une fois, il était en train de lui dire, comme ça : " Est-ce que je suis égoïste comme un vieillard ? " Et elle l'embrassait en réponse. Pourquoi parlait-il de vieillard, cet homme encore jeune ? Vieux, je l'ai vu le devenir, messieurs dames ; et ce n'était pas gai à voir. On s'habitue pourtant, au fil des mois, aux rides nouvelles... »

Au début, ils lui étaient parus des gens un peu trop spéciaux. Ils étaient si pareils qu'on pouvait les prendre l'un pour l'autre. C'en était pas naturel. Plus tard, comme il vieillissait, pour ainsi dire, à l'accéléré, ils étaient devenus plus différents.

Dès l'aéroport, toute l'île les avait remarqués. Le type avait eu une façon de refermer sa valise, parce que William, le Custom Guard noir qui est là quand il passe par le coin, un bout de jungle complètement désert sauf les serpents, William donc voulait un peu l'embêter, pas méchamment. Il lui a donc fait ouvrir, mais il n'a pas insisté, quand il a vu le regard que l'autre lui lançait ; il avait un drôle de regard, un tantinet boiteux, avec les deux yeux pas de la même couleur. Et ce qui était encore plus étrange, c'était que Bob lui-même (mais cela il ne leur raconta pas), en dépit de son mètre quatre-vingts de muscles, n'osait pas les fixer en face ; elle surtout, dont il aurait bien fait son ordinaire de pauvre loup amoureux sans femelle, ni lui non plus, qui avait quelque chose qui malgré soi tournait les sangs.

Ils s'étaient installés au-dessus, dans la grande chambre, où les deux lits couverts de reps blanc lourd et poisseux se rapprochaient, il faut croire, tout seuls, puisqu'ils étaient séparés tous les matins par Nymphéa, la bonne antillaise ; celle qui était si superstitieuse qu'elle n'ouvrait jamais la porte du frigo qu'en se mettant derrière, en reculant sur le côté...

« Tiens donc ! Et pourquoi cela ? » demanda Jean-Loup.

Bob sourit d'un air entendu.

« Elle dit qu'elle a peur d'attraper un rhume. » Un mauvais esprit, oui, un vent malsain venu de la grosse machine glaciale, pensa son inconscient tout de même respectueux des djinns. D'ailleurs, pour ces deux-là, Bob ne lui donnait pas tort ; c'était de la magie de Blancs, leur ressemblance. Nymphéa était scandalisée, pas parce qu'un homme et une femme couchaient ensemble, ô doux Jésus non, mais elle avait cru lire sur le registre qu'ils étaient père et fille.

L'étaient-ils, l'étaient-ils pas ? Quand Bob leur avait demandé, pour les papiers, leur identité, il avait répondu sèchement :

« Mettez Adam Kadmon et sa nièce, Ève Kadmon. »

Elle portait donc le même nom que lui, quoique étant fille de sa sœur, prétendait-il. L'île se divisa en deux clans, qui disputaient mollement, à perte de vue, en sirotant des punchs mielleux et âpres au citron vert ; ceux qui pensaient que c'était sa fille, et ça s'appelle un inceste, ça, monsieur ; et ceux qui croyaient à leur innocence. Soit qu'ils n'aient pas couché ensemble, mais alors pourquoi rapprocher les lits ? Soit qu'ils l'aient fait en ayant le droit, car la nièce ce n'est plus de l'inceste.

« Moi qui vous parle, j'ai connu ma grand-mère qui était créole (mot qu'il prononçait comme les Noirs de son ascendance, car elle était quarteronne), elle couchait avec son neveu Joséphin. Personne n'a trouvé rien à redire... »

Épiés, ils restaient indifférents à ce qui habitait l'île, occupés d'eux deux seulement. En même temps ils avaient l'air de craindre tout le temps quelque chose qui viendrait de l'extérieur. La fille, surtout, qui était à ne pas croire plus gamine que maintenant, elle ne sortait pas de l'hôtel sans avoir demandé à Bob s'il y avait quelqu'un dehors à la terrasse, et qui. Elle lui dit un jour, au bout de quelque temps qu'ils étaient là :

« Monsieur, soyez gentil. »

Qui n'aurait fondu devant cette jeune fille ? Elle parlait comme ça, en enjôleuse ; et le cœur de Bob fondait, en effet, tandis qu'il essuyait ses verres humides de larmes de rosée.

« Monsieur, si vous voyez par hasard un gros homme, soyez gentil... »

Elle s'arrêta en se mordant la lèvre, un vrai bouton de rose, et en hésitant à poursuivre.

« Surtout, n'en parlez à personne, ce que je vous demande n'est pas grave. Un gros homme en costume voyant, américain, avec un sifflement dans la voix... »

Elle frissonna à ce mot, en maillot de bain deux-pièces qui n'était plus à la mode ; et un nuage passa dans ses yeux à deux teintes.

« Si vous le voyez, soyez gentil, vous me préviendrez ? »

La fille avait des cheveux d'or bruni, avec des reflets rouges. Bob caressait encore cette chevelure de l'œil et de la mémoire. La voix s'était faite suppliante, elle chuchotait ; elle avait posé un baiser sur sa joue, en se haussant par-dessus le niveau du bar, les pieds en l'air, à la force de ses bras. Il en avait rougi, sous son hâle uni, sauf sur le nez toujours pelé par le soleil.

« C'est un pari, une blague, vraiment rien de grave... »

Elle s'était complètement reprise. Bob l'avait senti : cette fille si jeune, on ne lui aurait pas donné quinze ans, était drôlement décidée ; cette histoire de blague à un ami, il ne l'avait pas crue une seconde. Elle était encore un peu maladroite à mentir.

« Évidemment qu'ils couchaient ensemble. Et le gros, ce doit être un agent de la brigade des mineurs, fit Jean-Loup.

— C'est interdit ces choses-là, c'est dégoûtant », renchérit sa femme, coupant à son tour Bob. Lui attendit leur retour au silence, et reprit d'une voix égale le cours de son récit. Bob n'avait jamais entendu dire, foi de pêcheur de requins, qu'on eût condamné quelqu'un dans les îles pour un délit de ce genre. Il ne fit pas l'objection, il ne tenait pas à passer pour un primitif. Ils étaient restés là des mois, la fille à guetter, l'homme à être malade un jour sur quatre ou cinq, enfermé dans sa chambre ce jour-là, au point que ça puait, il faut le dire, le vomi et la merde. Elle, elle le dorlotait, sans montrer sa répugnance, la pauvre ; « sauf que moi, Bob, je l'ai vue dégueuler une fois, elle venait de vider le pot de verre, une carafe comme celle-ci... ».

Sournoisement, il tendit la main vers la carafe d'eau des touristes. La demoiselle au Jean-Loup eut un rictus d'horreur en reposant précipitamment son verre, qu'elle s'apprêtait à porter à ses lèvres.

« J'espère que vous les lavez bien, je ne veux pas attraper de saleté...

— C'est sûrement une fièvre des tropiques, ce qu'il avait ; c'est malsain, par ici », fit Jean-Loup en se pinçant le téton droit (il était resté torse nu) pour en arracher un poil rebelle. Bob, là encore, ne releva pas.

C'était sûr, que le climat était secrètement malsain, sous sa splendeur tiède, pourri de fièvres, pullulant de virus et autres bestioles infectantes, dont Bob avait une telle frousse que c'était sa seule prière, le soir avant de s'endormir : pas de fièvres, Seigneur, par pitié pas de fièvres ! Il connaissait, il en avait eu, un début de palud...

« De quoi ? Comment écrivez-vous ça ?

— J'écris Paludes, mais les gens d'Europe disent paludisme », expliqua Bob patiemment. Donc, reprit-il, c'était une situation louche, ils réglaient avec des mandats de Paris ; plus tard, la fille s'était mise à payer sans le dire au type, ce qui ébahissait le jeune serveur, « un joli brin de fille comme ça, on l'aurait bien fait gratis, et même en payant ; le vieux ne savait pas sa chance ».

Et puis est arrivé à l'hôtel un couple de Boston, qui débarquait d'un bateau de croisière, dont les guirlandes formèrent un soir un triangle illuminé dans la baie. Il a vu la femme dès qu'elle a sauté du canot sur le quai ; une de ces Américaines à dents de cheval, très simple et très chic, qui rappellent Jackie Onassis, et la cinquantaine si bien tirée que de loin, on leur en donne dix de moins. Son mari suivait derrière, soufflant et peinant, car il était assez corpulent. Ils parlaient indifféremment espagnol, anglais, et c'était un mélange, on ne savait pas très bien quelle langue ils étaient en train d'utiliser, le type lui-même ne le savait plus. Le tout avec un accent qui mâchouillait tellement, chez l'homme, qu'il en était incompréhensible ; souriant, au reste, et large avec le personnel. Il était argentin, selon son passeport, et bel et bien marié, lui, l'ancien gigolo en costume sport feuille morte, à cette femme qui se mettait en robe longue chaque soir pour la cocktail hour.

Car ils buvaient. Ils ne buvaient pas, ils entonnaient. Ils possédaient une grande maison, genre sudiste, qu'ils appelaient leur « ferme », dans le Massachusetts, à l'intérieur du pays vallonné de la Nouvelle-Angleterre, entre des greens où circulent en break façon bois des chasseurs en chemise à carreaux. L'homme gardait sur lui les photos de la propriété, et il les exhibait volontiers. Il y avait une piscine. Très vite, Bob a compris que c'est elle qui a l'argent, d'un premier mari dessinateur humoristique archicélèbre. Qu'elle est d'origine juive, et appartient au beau monde de Boston. Elle parle pointu, pour une Américaine, mais très gentille au fond. Que lui vient de la province de Tucuman et vit aux States depuis vingt ans, et il essaiera de faire croire à Bob que c'est pourquoi ils sont devenus copains si vite, avec les Kadmon, Argentins exilés eux aussi. Ils étaient très gentils, quand ils avaient leur dose, du moins. Le type baladait partout une grande bouteille de jus de tomate pleine de vodka, avec des glaçons et une tonne de piment, ça arrachait la gueule même à Bob ; à midi, il sortait sa montre de son gousset, il portait des gilets feuille morte, malgré la chaleur, et à partir de là c'était le gin avec du Seven Up, des glaçons et du citron, et alors la bouteille était transparente ; le soir, scotch avec citron et sucre, whisky sour, quoi. Rien qu'à la couleur du flacon, on savait l'heure. Et puis ils fumaient. Pas seulement des cigarettes, si vous voyez ce que je veux dire. Bob n'appuya pas, étant lui-même grand fumeur de petits joints d'herbe, le matin avant le boulot. Ils marchaient environnés de leur nuage, trop habillés, sur le port...

Pour se droguer, ils se droguaient. La femme avait une manière de dodeliner de la tête, quand elle vous parlait ; et lui, abruti jusqu'à l'os, l'œil bordé de jambon, rougi d'alcool et de tous les excitants possibles. Et puis il y avait trop de seringues dans leur poubelle.

Bien sûr, les deux couples se sont rencontrés. Sans savoir pourquoi, Bob est persuadé qu'on lui a joué la comédie, ils faisaient comme s'ils ne se connaissaient pas avant, étaient tombés les uns sur les autres par pur hasard ; mais c'était un peu forcé. À l'avis de Bob, ces quatre-là avaient rendez-vous. Et le rendez-vous était chez lui.

Et il y a eu tout ce trafic de valises. La jeune fille, mademoiselle Ève, les attendait tous les jours. Elles avaient été perdues et retrouvées, soi-disant, et devaient arriver par le bateau, le petit caboteur tout rouillé qui apportait une fois par mois la nourriture de l'île. Chose bien naturelle, n'est-ce pas, avec les deux autres, ils étaient devenus amis, à se balader ensemble en voiture, à manger des z'habitants dans la montagne...

« Z'habitants ? Ques aco ? demanda Jean-Loup.

— Ça doit ressembler au crabe, fit madame Jean-Loup, qui en avait entendu parler.

— Ils sont bons, les crabes, par ici ? » demanda Jean-Loup à l'orateur.

Sans se démonter, ce dernier assura :

« Les crabes, on les trouve sous les cocotiers... »

Ils éclatèrent de rire. Bob écarquilla les yeux, mi-fâché mi-complice.

« Ce sont des crabes de terre, tu sais bien, le guide en parle, fit madame Jean-Loup.

— Parce qu'il y a des crabes de mer, chez vous ? »

Un second éclat de rire salua la réplique de Bob. Il était sincèrement persuadé qu'il n'existait qu'une seule espèce de crabes au monde, les petits crabes à coquille fragile dont on susurre qu'ils déterrent les cadavres pour les manger, et qui sont eux-mêmes exquis.

« Ces valises, figurez-vous qu'on les a retrouvées, plus tard. Vides, sur la plage. Mais dedans il y avait un paquet éventré, qui flottait encore ; et c'était de la schnouf. » Bob se pensait branché en employant le vieux mot.

« J'ai compris pourquoi mon premier couple avait cet air traqué à propos du dehors, qui ne les a plus quittés jusqu'à l'arrivée du dernier personnage. Vous avez vu le Dakota, dans le champ ? »

Personne ne connaissait cet animal-là.

« C'est l'avion, le petit, à deux moteurs, qui est repeint en rose... »

En effet, ils l'avaient vu, posé dans un coin d'herbe, en bordure de piste, ses petits moteurs dressés vers le ciel et sa queue posée par terre. Ils avaient cru que c'était une épave.

« Vous n'avez pas remarqué (lui vivait dans le bourdonnement des avions depuis son enfance, il remarquait tout), ils y ont enlevé les roues. Et pourquoi, messieurs dames, y ont-ils enlevé les roues ? »

Personne ne savait.

« Pour l'empêcher de repartir et de continuer son trafic, tiens. Vous avez entendu parler du scandale Johnson ? »

Ils n'avaient pas entendu parler de Johnson.

« C'était notre Président l'an dernier, il est tombé sur une question de trafic de drogue. »

Un silence respectueux accueillit la confidence. Les femmes se serrèrent près des hommes, dans le soir. C'était un peu effrayant, cette histoire. Et ces gens qui attendent leurs complices dans des îles perdues, comme les anciens pirates de l'île au trésor. Pour Bob, c'était plutôt le côté science-fiction, et leur ressemblance entre eux deux, comme dans une BD futuriste, qui étaient impressionnants. Il se pencha par-dessus le bar.

« Suivez-moi bien. La cocaïne, ça vous dit ? Elle vient de Colombie avec l'avion, via Cuba, qui touche sa part, et puis elle se pose sur n'importe quel aérodrome privé, y en a autant que d'îles et de piscines...

— Et une fois ici ? demanda ironiquement Jean-Loup, qui se vexait de ne pas tenir le premier rôle.

— M'est avis que les deux Américains étaient chargés de surveiller la livraison des valises aux deux Kadmon. Et il y a l'avion ; il s'est posé, devait repartir, ni vu ni connu. L'embrouillage était complet. »

Les auditeurs haussèrent les sourcils devant tant de logique.

« Ici, c'est territoire américain, termina fièrement Bob.

— Et alors ? fit Jean-Loup.

— Pas de douane avec les USA. Les valises, elles venaient de Cuba par avion, et les Kadmon les emmenaient avec eux à Miami ou New York, où ils devaient avoir rendez-vous avec le commanditaire. J'ai pensé plus tard que ce devait être le gros, le commanditaire, et quand il ne les a pas vus arriver, il a dû saisir qu'on le doublait... »

Et en effet, si, le lendemain, les deux Américains étaient repartis, les Kadmon, eux, avaient acheté deux nouvelles valises, après avoir fait à quatre un tour mystérieux dans la nuit, tous feux éteints.

« L'histoire du bateau, c'était du flanc. Je n'ai pas eu de peine à le savoir, mon cousin il est manutentionnaire au port. Il n'y a eu aucune valise de livrée ce mois-là.

— Et votre Président ?

— Le matin même, il y avait la photo de l'avion sur la porte du commissariat central. Et quand il a voulu repartir vers Cuba, ils y ont enlevé les roues pour l'empêcher, à cause du FBI. Eux, vous pensez, ils s'en foutent. C'est là que le pilote a avoué que Johnson, le Président, était le propriétaire de l'appareil. »

La nouvelle de la chute d'un Président pour trafic de drogue les intéressait énormément.

« Ce n'est pas chez nous qu'une pareille chose risquerait d'arriver, conclut philosophiquement Jean-Loup.

— Et mes clients, personne ne les a soupçonnés, parce qu'au lieu de se barrer tout de suite, pour aller faire leur livraison, ils sont restés planqués ici. Et ce n'est ni vous ni moi qui irons les dénoncer...

— Mais alors, les valises, elles sont encore ici ? demanda Jean-Loup d'une voix tremblante.

— Ah ça, je ne m'en mêle plus ; d'ailleurs ils sont

partis s'installer chez le métis de la pointe, ça ne me regarde plus... Et je vous conseille de ne pas vous en mêler. Le vieux ne plaisante pas... »

Jean-Loup ajouta, en post-scriptum :

« Et puis on s'en va demain. C'est pas tout, il faut aller mettre la viande dans le torchon. On se lève tôt. »

Il avait maintenant hâte de rompre. Bob acquiesça du menton, et éteignit la lampe du bar. Dehors, la nuit cloutée d'étoiles avait le brillant du cuir noir. Un rossignol lançait son long appel, monochrome et syncopé, suivi de roulades et de cinq ou six refrains qu'il reprenait en les emmêlant, créant ainsi une broderie sonore.

« Mais on ne leur a pas fait d'ennuis ? » demanda madame Jean-Loup qui voulait qu'il y ait un dénouement à l'histoire.

Des ennuis, devait confier, lors d'autres soirs où d'autres touristes l'écoutaient, un Bob de plus en plus disert, pour sûr ils en eurent.

« Juste après la fin de la saison des pluies, j'étais au bar, c'était peut-être un mois après l'affaire Johnson, vous ne savez pas l'affaire Johnson... »

Et il lui fallait tout reprendre, l'avion rose, et le Président trafiquant.

« D'abord, lui, il avait ses crises. Elles venaient tous les quatrièmes jours ; il ne pouvait plus parler, tant il souffrait. Les trois autres, il était un peu patraque, mais c'était tout. Je voyais bien qu'il maigrissait... »

Bob racontait maintenant l'histoire à des gens qui n'en avaient jamais vu les protagonistes, et qui bâillaient en essayant de repérer la Grande Ourse, le trouvant collant, tandis qu'il fermait sa terrasse d'une chaîne symbolique.

« Et puis le gros est arrivé. C'était très tôt le matin, et d'ailleurs je me demande comment il avait fait, l'avion est à midi, oui, je me le demande encore ; il avait dû rester caché, peut-être depuis des jours, depuis que les journaux de Miami avaient mis à la Une des articles sur l'affaire du Dakota rose. Moi, j'étais en train d'essuyer la glace qui est derrière le bar, et c'est assez long parce qu'il faut d'abord retirer toutes les bouteilles des étagères en verre. Donc c'était un dimanche matin, et comme j'écoutais la radio, les tubes de Miami, j'ai cru que c'étaient des parasites, ces sifflements. Cela faisait penser à un brouillage, des sifflements forts et continus. Je me suis retourné, et j'ai tout de suite reconnu le personnage dont mademoiselle Ève avait si peur. Et il y avait de quoi, je vous jure. Le type, je le revois comme s'il était photographié là (et il pointait l'index vers son front, laissant entendre que son cerveau était une sorte de grand fichier où les photos se rangeaient d'elles-mêmes par tiroir), et pourtant je ne l'ai vu que deux fois. Ce matin-là, il cachait le soleil levant, tant il était énorme, au moins deux cent cinquante livres ; je ne voyais, dans cette éclipse, que sa face de lune, toute blanche, avec des lunettes noires en miroir, et une petite bouche tordue, une tête de bébé tueur, si vous voyez... »

À l'heure où Bob entreprenait ses récits, on n'y voyait en général plus goutte. Mais tout le monde hochait la tête.

« Et puis il y avait ce sifflement, un truc comme le sifflet à vapeur d'une vieille loco, quand il était essoufflé, et qui lui sortait juste dessous la cravate ; et je restais fasciné à regarder la cravate qui se soulevait légèrement à chaque expiration. Il avait une trachéotomie ouverte, un trou, depuis l'âge de cinq ans ; c'est lui qui me l'a dit, parce qu'il lui fallait des Kleenex pour nettoyer le bout du tuyau en plastique qui sortait directement des poumons sous cette cravate postiche. Il portait, en arrière sur le crâne, un chapeau de feutre tout graisseux qui laissait voir ses cheveux blonds presque blancs tellement ils étaient blonds. Et il était sacrément agile, malgré ses deux cent cinquante livres ; il a donné un coup de poing sur le bar, et il a gueulé très fort, avec un accent de Queens à couper au couteau... »

Ses auditeurs, à Bob, croiront souvent que l'homme a un accent de reine.

« " Alors, qu'est-ce que vous avez à me zyeuter comme ça ? " qu'il a hurlé. Et comme moi je lui bafouillais une excuse en anglais, il a continué dans cette langue. Sa commande aussi, je l'ai gravée là. " Give me a decent whiskey ", qu'il m'a ordonné ; il buvait sec, comme tous les amerloques. Mais il était une éponge, il absorbait par sa masse.

« N'empêche qu'elle ne l'a pas sauvé, sa masse. Dès qu'il est sorti, je suis monté prévenir mademoiselle Ève. Elle dormait encore ; si vous l'aviez vue, à poil sur son drap, dans la chambre blanche, sous le grand ventilo aux pales lentes... Mais vous ne la verrez plus, des années qu'elle est partie. Et voilà, je n'ai pas osé la réveiller. Peut-être ça aurait tout changé. Encore que ces trois-là, c'était fait pour créer des problèmes, ça se voyait tout de suite.

« Ils sont sortis, monsieur Kadmon et elle, vers les midi, et ils ont emprunté, comme souvent, la Ford, pour aller aux chutes du Carbet. Le monsieur, qui avait l'air d'aller mieux, m'avait prévenu la veille, en ajoutant que ça lui ferait du bien, parce que c'était de l'eau thermale ; je ne les ai pas vus descendre l'escalier, j'étais occupé à mon ménage, et les clés de la Ford étaient dessus. Quand j'ai relevé la tête, à cause du pot d'échappement de la Ford, qui n'en a plus, ils étaient en train de prendre la route de la montagne. Et alors j'ai vu passer une des Jeeps que loue Falcon au port ; et cette Jeep suivait la Ford, j'en aurais juré, et le gars au volant, c'était le gros Américain à sifflement. Je ne l'ai pas revu vivant, celui-là.

« Pour sûr ils devaient se détester pour un sale coup que les autres lui avaient fait, comme de rester là au lieu de lui livrer la schnouf. Sûr aussi que j'avais raison d'être inquiet, puisque le bassin des chutes du Carbet, il a été empoisonné.

« Ça a commencé trois semaines après que les Kadmon ont quitté l'île définitivement. C'était une puanteur à faire fuir, l'eau toute croupie, pleine d'insectes et de larves, de bulles de pourriture... Ses intestins, qui lâchaient, dévorés sans doute par des bêtes, faisaient un long chapelet blanc dans l'eau puante. Bref, il a fallu faire quelque chose, rapport aux touristes. Ils ont dragué le fond, ce qui est très difficile parce que le bassin, sous la chute, il est creusé par l'eau jusqu'à des trente mètres, depuis le temps que ça tombe... Et ils l'ont ramené. C'était pas beau à voir, il était décomposé, un énorme morceau de bidoche avariée, blanche, verte et violette...

— Pourquoi disiez-vous qu'ils étaient fait pour se haïr, ces gens-là ? demanda un jour une touriste tchèque.

— Oh, fit Bob d'un ton pénétré, une fille aussi jolie, elle est avec un type plus vieux, arrive un troisième type si laid... C'étaient forcément des problèmes. »

Adam, 4

« FRÈRE, il faut mourir. »

C'est ainsi que se saluaient, du fond obscur de leur capuche, et d'une voix sépulcrale, les moines du Moyen Âge.

Mais je ne suis pas un moine ; je vais mourir, c'est abstrait. Je n'y crois qu'à moitié, cela ne me gêne au fond que pour les autres. Que feront-ils sans moi ? Que deviendra-t-elle ? On vit la maladie dans le regard d'autrui ; et j'ai souvent vu dans ses yeux bancals une tristesse fondre comme l'épervier, une angoisse se profiler dans leur eau marine, quand elle se croyait à l'abri de mon observation.

Les premiers temps, la grande peur, pour moi, ce fut celle de l'avoir contaminée. Il y a entre contaminé et condamné une rime mortuaire, comme le pas du bourreau annonce le choc du couperet, et sonne la certitude de la fin.

Nous sommes arrivés à Saint John, elle savait. Nous avions quitté ensemble le Berry, chassés par la horde furieuse des femmes ; contrairement à ce que j'avais imaginé, Judith n'avait pas la moindre idée du malheur qui m'arrivait, et de ce qui couvait en moi. Elle avait voulu parler d'autre chose, d'une révélation qui concernait Ève et moi. Cette révélation, je commençais à la subodorer.

Avant notre départ pour les Antilles, je profitai de mon passage à l'hôpital de jour, pour prélèvements et analyses, et j'interrogeai un médecin accoucheur. Il renforça mes soupçons. Certes, pendant ses règles, Judith n'était pas fécondable. Mais on avait vu plus bizarre. Une condamnée à mort, dans les années 1900, avait accouché d'un fils, alors que son dernier rapport sexuel remontait à vingt mois.

Je n'avais pas pensé Ève comme ma fille. Je n'avais pas non plus pensé que je risquais de lui transmettre, à elle et à sa descendance, ce mal terrible. Tout mon être en fut bouleversé. À elle, j'étais bien obligé de dire la vérité.

Sa réaction fut admirable de camaraderie délicate, et d'amour de la vie. Le soir même de cette déclaration, après m'avoir saoulé aux liqueurs, elle me fit l'amour, et la preuve d'inconscience et de haute complicité qu'elle me donnait là me fit pleurer dans la jouissance. Elle m'avait attiré à elle, sans un mot, et, ses yeux perdus dans les miens, nos deux visages accolés l'un à l'autre comme deux pages d'un livre qu'on referme, nous nous étreignîmes en un interminable baiser.

Si elle apprenait mon mal de ma bouche, elle avait sans doute deviné depuis longtemps qu'elle était ma fille. C'était moi qui avais été aveugle ; il fallut le regard des gens, les questions du contrôleur, dans le train, pour que j'en prisse conscience : on me prenait pour son papa, quand moi-même je l'ignorais encore.

Le lendemain de cette nuit digne de Sodome fut odieux ; j'avais un mal de crâne à me jeter par les fenêtres, et je me répétais cette phrase, comme pour en épuiser le jus amer : « Incestueux, il file la maladie à sa fille. »

Le plus dur, c'est qu'elle refusait les préservatifs. Elle avait mille prétextes. Au début, rien n'était sûr ; il fallait attendre, j'étais en phase d'observation. Sous ce mot indulgent se cache l'attente aux doigts crochus, qui vous arrache le cœur, vous persécute à tout instant. On m'avait tiré des litres de sang, et fait, comme dit le vocabulaire militaire des médecins, une batterie complète de tests, sans toutefois m'hospitaliser. Un jeune docteur, ou assistant, je ne sais, docte comme un sphinx, m'expliqua que ma sérologie, assurément, indiquait que j'avais été « en contact » avec le virus. Sans avoir été présenté, sans doute. Je payais pour ces années de sexe obscur. Il fallait maintenant trouver la bête elle-même, si petite, et si rare, qu'il n'y en avait qu'une par cent mille globules de sang, ce qui ne l'empêchait pas de conquérir le système entier. Il fallait attendre. Il n'y avait rien à faire en attendant ; prendre de l'aspirine les nuits de fièvre.

Je finis, agacé, par lui poser franchement la question ; il voulait sûrement m'y amener : à poser à haute voix la question qui brûlait les lèvres.

« Je l'ai, oui ou non, cette maladie ? »

Le nom du mal n'avait pas été une seule fois prononcé, et ne le sera pas. Je suis « LAV plus », mais ce plus est un moins, et on cherche. C'est tout. Pourtant, n'a-t-on pas de bonnes raisons de chercher ? Il me regarda en se frottant les mains, et murmura, d'un air énigmatique : « Et vous, qu'est-ce que vous en pensez ? Votre taux de plaquettes est à soixante-dix mille, vous manquez de globules blancs. Avez-vous des frères et sœurs ? »

Je confirmai l'existence de ma sœur. Il s'agissait de greffe de moelle ; cette substance gélatineuse qu'on écrase sur du pain avec du gros sel bien croquant.

« Vous comprenez, il faut être compatible.

— Qu'est-ce que ça fait, docteur, de s'occuper de malades qui vont tous mourir ? »

Il ne s'attendait pas à celle-là, mais fit face.

« Nous mourrons tous. Et puis j'ai découvert ici que la médecine ne doit pas chercher à rendre immortel... », bégaya-t-il en me raccompagnant dans le couloir.

Je me retrouvai libre, mais décidé à ne pas rester dans mon appartement. C'est Ève qui eut l'idée des Antilles.

« Là-bas il fait chaud, les cocotiers se balancent dans le vent », me chuchotait-elle à l'oreille.

Elle avait repris la fréquentation de Boy, qu'elle essayait de me cacher. Et elle ne cessait d'en dire du mal : c'était, à l'entendre, un monstre froid nappé de grands mots généreux. La lutte pour la survie, quand il était petit, et puis celle contre l'infirmité et la laideur (les passants, en croisant ce produit informe, se sentaient des âmes d'avorteur) lui avaient donné la force d'occuper son espace vital ; il était, disait-elle, fort comme un orang-outan, il écrasait ce qu'il embrassait. On avait retrouvé au pied de son immeuble le cadavre fracassé de son colocataire, avec lequel il s'était disputé sur le balcon, et qui était tombé, le verre à la main, en une pose de cocktail volant, comme en témoignaient les débris sur le trottoir. Et puis c'était un dealer.

Alors, pourquoi le fréquentait-elle ? Elle soupirait. C'était aussi pour le fuir, ce voyage. Il la « tenait » sans doute ; elle s'était mise à se maquiller, elle fumait trop.

Nous préparâmes le départ en quelques jours. Les médecins me laissaient six mois. Elle avait proposé cette balade incidemment, mais je sentais qu'elle y tenait énormément. Et elle me savait prêt à toutes les folies, n'ayant plus rien à perdre. Les bagages furent placés sous mon nom, et nous prîmes l'avion pour Miami ; mon éditeur m'y adresserait ma mensualité. Là, nous sommes montés dans un coucou perdu au fond de l'immense aéroport, du côté des canaux bleus où pétaradent les cabin-cruisers immaculés. Et nous atterrîmes à Saint John le 21 septembre, le jour où commençait la saison sèche.

Ce voyage, notre itinéraire, notre hâte, c'était Ève qui en décidait souverainement. Par le moyen de notre quasi-identité, elle me dominait de plus en plus nettement ; elle en arrivera, plus tard, au cours de nos pérégrinations, à me conduire par le bout du nez.

Cette domination, dans mon état, m'était très douce.

Elle transformait notre similitude en accord profond des volontés et en interpénétration des esprits. Nous avions été élevés, non seulement dans des milieux différents, mais en des temps différents, séparés par une génération pendant laquelle l'humanité avait plus changé qu'en les vingt siècles qui avaient précédé. Notre communauté de traits, physique et morale, témoignait à elle seule contre la croyance à l'action unique, dans la formation de l'individu, du milieu social. Nous étions une vivante démonstration de la puissance génétique. Et notre identité miraculeuse, inexplicable, n'était si parfaite que de n'avoir été affaiblie ou niée par aucune réaction de différenciation ; aucune protestation, aucun rejet d'une génération à l'égard d'une autre, aucun refus d'une trop envahissante similitude ne nous avaient séparés, comme il arrive entre frères et entre parents et enfants.

Nous tendions à nous isoler ensemble, prétextant de mon état, pour rattraper ces années de séparation. Le voyage favorisait cette tendance à l'isolement ; nous étions si parfaitement associés ! Qui n'aurait vu, dans cet accord spontané qui poussait sa main gauche à s'unir à ma droite, un jeu intentionnel de la nature ? Chaque geste et son miroir fermaient un peu plus notre couple sur lui-même. Et une personne étrangère, placée entre nous, subissait le feu croisé de nos réciprocités. Même lorsque nous croisions les bras, c'était en correspondance ; elle plaçait au-dessus le gauche, et moi le droit. Jusqu'à nos grains de beauté, qui se répondaient.

Avais-je encore une individualité ? J'avais jusqu'ici pensé l'amour sous les espèces de la culture et de l'individu. Je le découvrais comme fusion, qui annihile la personnalité séparée. Des phénomènes de télépathie nous advenaient ; lors de mes crises, Ève réagissait à distance, et subissait le contrecoup des chocs qui m'atteignaient. Ainsi prévenue, elle n'avait de cesse, où qu'elle fût, de courir à mon chevet.

Le jour où nous sommes allés aux chutes du Carbet, c'était en septembre l'année suivante, je vivais depuis un an le bonheur dans l'épreuve ; un bonheur sucré comme une mangue, fondant comme la petite banane plantain, et amer comme un poison.

La route serpentait sous les araucarias peuplés de perroquets, gravillonnait entre les fougères géantes et les mancenilliers au suc mortel, labyrinthe ocellé de taches de soleil. Des grappes de lianes, des masses de racines, des mousses pendaient au-dessus de nos têtes. La vieille Ford s'arrêta en butant sur le bord d'un étang sombre ; le ciel, découpé par les grands arbres, n'était pas plus gros qu'une pièce de monnaie, et aussi loin que la lune au fond d'un puits. Les racines noueuses trempaient dans l'eau obscure, et paraissaient des sauriens s'arrachant à la vase. L'air était lourd, visqueux, fourré d'insectes. On avançait à grand-peine, sur des ponts suspendus de planches, en écartant la caresse humide des feuilles. Le sol montait insensiblement, et l'air se fit plus léger ; des échappées, des clairières suspendues, des vides vertigineux, des trouées lumineuses perçaient le couvert.

En montant ainsi, nous sommes parvenus aux premières chutes. Elles étaient un peu décevantes, cachées par le rocher. Comme je traversais un bassin profond, étroit et glacé, qui était le seul passage vers la seconde chute, j'entendis son mugissement, répercuté et amplifié par les deux parois du passage.

Elle se précipitait d'un jet puissant et continu, du haut d'une muraille grise de basalte, sur près de cent mètres, bouillonnante et blanche d'écume, pour retomber en un arc mousseux dans le lavabo naturel creusé à son pied.

À peine au bord, malgré la brume qui s'élevait du petit lac, Ève plongea bruyamment. Je la suivis en frissonnant, cette fois je m'étais remis aux joies de la baignade. Au bout de quelques pas, je perdis pied. Les courants m'entraînaient vers la chute. Je levai la tête : elle était juste au-dessus de moi, les masses d'eau tombaient vers mon visage et me frappaient à la face. Des larmes s'y mêlèrent, je me souvenais comme c'était bon, de nager. Je sentis le bras d'Ève qui caressait mon sexe, sous l'eau. Elle m'entraînait à son tour, vers un point du rivage. J'avais la chair de poule ; mais là, dissimulée dans le creux d'un rocher, et s'épandant dans l'eau du lac qu'elle échauffait, une source brûlante transformait en étuve, délicieux bain chaud à l'odeur d'œuf pourri et de soufre, une baignoire naturelle de pierre.

Ce fut dans ce décor digne de Paul et Virginie que je la pénétrai, quand elle s'offrit. Mais à l'instant où je jouissais, j'entendis rouler une pierre. Ève aussi l'avait entendue, elle se leva d'un bond, et disparut comme une chatte effrayée derrière un roc. Et je vis apparaître, comme un astre qui se lève sur une montagne, la face sélénite de Boy, qui grimpait lourdement en roulant sa masse toujours plus haut. Parvenu à la crête, il sortit un objet de sa poche et se mit à vociférer, avec son accent monstrueux :

« Salope ! Putain ! On ne se moque pas de Boy ! »

Une petite fumée couronnait idiotement l'extrémité de l'objet. C'est en entendant la détonation que je compris que Boy, aveuglé de rage contre Ève, et me prenant, dans cette eau d'où ne sortait que mon visage, pour elle, était en train de me canarder.

Je plongeai à l'instant. Les balles, c'est connu, ricochent sur l'eau. Des vols d'oiseaux criards partirent vers le ciel. Et comme je refaisais surface, haletant, un peu plus loin, je vis derrière Boy une silhouette qui grandissait. C'était Ève ; elle portait une énorme pierre ; elle frappa sans mot dire, et Boy tomba, la face en avant, et roula sur lui-même jusqu'au lac, dont je m'extirpais en claquant des dents.

Nous ramenâmes les deux véhicules, bien qu'Ève n'eût évidemment pas son permis. En arrivant en ville, où nous laissâmes la Jeep dans un coin désert, je lui affirmai :

« Il va survivre. Il va flotter. Même s'il est mort, les gaz font flotter les cadavres. »

Elle eut un ricanement triste, et le culot d'ajouter, en montrant du doigt sa propre petite poitrine encore mouillée sous la serviette :

« Il coulera au fond. Il est déjà troué. »

Je restai sans voix. Je ne devais la retrouver que des semaines plus tard. J'étais devenu, pour de bon, aphasique.

Buenos Aires. Nous sommes partis hier de Saint John, après que Bob nous eut prévenus que deux autres Américains, encore, nous cherchaient partout. Il s'est écoulé quinze jours depuis l'affaire du Carbet, et personne ne s'est aperçu de rien. Ici, du moins. Ces deux Américains, ce ne pouvait être Julie et son mari : elle est, d'après Bob, en jupe de jean et chapeau texan ; tous deux énormes, ils ressemblent à Boy comme frère et sœur. Cela faisait une bonne raison de quitter l'île.

Si j'ai peu de temps à vivre, autant ne pas leur laisser le soin de la fin. J'ai l'impression que Bob en sait plus qu'il ne veut dire, il ne m'avait pas avoué qu'il connaissait Boy. Et les intrigues d'Ève sont bien dangereuses.

J'ai proposé, pour une fois prenant l'initiative, l'Argentine. Pèlerinage aux sources. Ève a acquiescé avec enthousiasme. Elle aussi cherche sa source.

C'est curieux, à quel point la maladie change le sujet. Cette année passée à Saint John était placée sous l'étoile dure, légère et plaisante, du fatalisme. Même le meurtre, même une aphasie (définitive ?) n'ont pas suffi à me faire abandonner ce fatalisme. Les disputes, les soucis, le besoin d'éternité ont disparu de ma tête. Tout cela durera bien autant que moi est ma seule philosophie : mon roman, mes amours, le goût exquis du fruit que je suce, Ève...

Avec ce qui m'arrive, je vérifie que j'avais un bon fond de résignation. Ce doit être mon sang égyptien. J'ai souhaité depuis mon enfance mourir jeune, comme ceux qu'aiment les dieux. Alors ? Alors, il faut apprendre à en jouer, de cette maladie.

Ève, précautionneuse, m'avait prié d'exiger par courrier de mon docteur à Paris un certificat de grand malade. Il nous a bien servi pour passer frontières et douanes, car il précise que l'attente m'est très pénible.

Au début de notre séjour antillais, j'en rajoutais un peu, sur la gaieté cynique ; je provoquais les questions d'Ève, je tragi-comédiais. J'étais heureux ainsi ; la maladie, cette maladie genre Attila, qui ne laisse aucune chance repousser derrière elle, me paraissait une solution assez propre. J'ai soigné mon testament, autre courrier pour l'Europe, expédié aux bons soins de Mme Petit, clerc de l'étude de maître Renard, et elle l'a fait enregistrer à Aix, où est le central français de toutes les dernières volontés en attente. J'ai fait d'Ève ma légataire universelle. Bref, je prenais un petit air faraud, on allait voir ce qu'on allait voir, le philosophe dans la crise.

Mais je n'avais pas compté avec la souffrance.

La souffrance. Le docteur, aimablement, m'avait assuré, à Paris, qu'en somme son but était de fournir les moyens de mener une vie à peu près normale jusqu'à...

Sa voix suspendait le mot « fin ». En attendant cette fin, j'ai souffert, dans les moments de crise, comme un damné : les jours de fièvre, quand le jusant brûlant envahissait mon corps, le rendait tout douloureux et courbaturé, et ceignait mon front d'un étau atroce, qui me donnait envie, n'eussent été ma faiblesse et Ève, de me précipiter la tête contre les murs, pour faire cesser ce lancinant martèlement ; et dans ces moments-là le fatalisme me quittait. Et puis il y a eu ces matins d'après fièvre, où je sortais des draps trempés, clair et dispos, humant la brise des Caraïbes, mais faible, faible à ne pas faire trois pas, faible à en pleurer, faible à en mourir.

Ève me rasait, m'habillait ; sa patience était sans bornes. Et mes exigences aussi. Dès que j'allais mieux, je lui faisais jouer de petits sketches de mon cru, des montages érotiques, où je la déguisais en soubrette ou en infirmière. Nous avions peu de distractions, dans l'île ; des amis d'Ève (comment les avait-elle connus ?), Julie et son mari argentin, vinrent la voir. C'était avant l'arrivée de Boy.

Nous sommes partis de Saint John le matin où Bob annonça à Ève (moi, on ne me dit rien) l'arrivée de la famille de Boy, venue à sa recherche. Par Miami, Rio, Asuncion, l'avion de la Paraguayan Airlines dessert Buenos Aires, avec une nuit d'escale à Rio. Nous avons débarqué en Argentine, à l'aéroport international, qui n'existait pas de mon temps. À travers les grandes baies, la merveilleuse végétation de la province de Buenos Aires, que j'avais oubliée, fleurissait dans le printemps austral.

Ce voyage était tout sauf désintéressé. Avant de mourir, et puisqu'il nous fallait fuir, sans que je pusse apprendre quelle secrète rupture de contrat avait jeté Boy à notre poursuite, je voulais revoir ma mère.

Mais je n'allais pas me jeter à son cou le premier jour. Nous nous installâmes au Plaza, qui déployait son faste un peu fatigué, très 1930, et avait traversé les révolutions et les dictatures sans rien perdre de sa morgue, mais que les Sheraton et autres Hilton rendaient à peine désuet.

L'épaisseur des moquettes où avait claudiqué ma grand-mère, la baignoire comme un lac bordé de marbre blanc, le service impeccable et hautain nous enchantèrent, surtout Ève, qui volait les savons et les peignoirs.

Au vingt-huitième étage, sommet de l'immeuble, qui

était une copie datée du premier péronisme de l'Empire State Building, il y avait un petit jardin suspendu qu'arrosaient des Indiens mélancoliques. Comme mon aphasie me rendait inapte à la vie sociale, j'y passais mes journées à lire et relire la presse argentine à sensation, *Noticias, Diario, Clarin, Nuevo Tiempo, 24 horas,* et autres feuilles qui noircissaient les doigts et les réputations.

Je parcourais même les revues d'avant-garde, qui me paraissaient délicieusement provinciales, en laissant parfois errer mes yeux sur le port, gigantesque et bruyant, dont les sirènes parvenaient jusqu'à moi à travers les cercles d'un air transparent, à cette hauteur où la brume tiède ne montait pas.

Ou bien je descendais sur la place San Martin, près de la statue du général, devant la Porte des Anglais, beffroi égaré dans le modern style des immeubles entourant le parc, pour m'asseoir sous l'umbu géant où ce Saint Louis des Amériques rendait sa justice. San Martin était mort en France. Moi je revenais mourir en Argentine, et une grande paix m'envahissait à cette idée consolante, moi qu'entouraient les soins attentifs du personnel du Plaza, dévoué à l'infirme et à sa fille interprète ; les prix, dois-je dire, grâce à la dévaluation du peso, étaient très raisonnables pour un tel luxe.

Je ne voulais reprendre contact avec ma mère qu'après m'être retrempé dans ce bain de souvenirs vieux de trente ans. Rien n'avait changé dans la ville : les avenues si larges et les immeubles si hauts, roses, verts, blanc sale, cubiques, faits de ce mauvais moderne en contre-plaqué de pierre qui s'écaille au bout de dix ans. Tout était plus grand qu'à Paris, et tout était à une échelle plus réduite que mon souvenir.

J'emmenais Ève dans les théâtres ; nous vîmes, entre autres, une zarzuela espagnole aux décors miteux ; mais la salle, où mon père le jésuite avait proclamé Président

Frondizi dans les années cinquante, avec ses lustres roses et ses velours râpés, était très argentine.

Et puis nous sommes allés dans les cinémas de Corrientes, où l'odeur de l'air conditionné couvre celle du sperme et du désinfectant ; j'y avais eu mes premiers émois sexuels, j'y avais étrenné, gamin, mes premiers pantalons longs, et j'y avais connu, bien avant l'âge autorisé, mes premières dragues pédophiles, aux toilettes, sous le panneau qui indiquait sèchement : « No parar », ne pas stationner, par ordre de la Préfecture.

Je courais après une ombre évanescente, mon enfance, celle d'un petit gandin habillé de costumes anglais ou de vestes blanches des meilleurs tailleurs pour enfants, cheveu gominé et boucles luisantes, qui regardait d'un air moqueur le monde autour de lui, si sûr de son charme qu'il en était insupportable. Et ce gamin-là n'était autre qu'Ève au masculin.

Je l'ai aussi emmenée voir les travestis du grand théâtre de revue, El Molino. Le spectacle était minable, une grosse folle cubaine exilée imitait en play-back une Marilyn graisseuse. Le programme annonçait : « Show présenté pendant deux ans à l'hôtel Holiday Inn de Key West. » Ici, on se vantait de peu.

Je retrouvais encore la jeunesse des rues encombrées, dont le ciel est noir de fils de téléphone pirates, qui courent d'un immeuble à l'autre ; les jeunes aux cheveux inlassablement, et contre toute mode, longs, frisottant dans le cou, en débardeur collant qui laissait les bras nus, nonchalants et grossiers, mais pas agressifs, comme des cow-boys de ville qui auraient perdu leur monture.

Ce fut dans ces jours que je reçus une lettre de Mouchka, qui m'invitait à passer la voir. Comment avait-elle su ma présence ? La communauté japonaise est la mieux informée de Buenos Aires, elle sait les rumeurs de coups d'État plusieurs jours avant leur réalisation.

Ma tante Mouchka, elle, n'est pas japonaise, mais elle

avait épousé un Japonais, mort depuis dix ans. Et elle s'était faite plus japonaise que lui.

Que répondre ? Mes crises de fièvre s'espaçaient ; l'aphasie, à laquelle je m'étais habitué (quelle tranquillité, de ne plus avoir à parler !) régressait. Je pouvais à nouveau articuler à peu près en espagnol, mais pas en français, qui demande une gueule plus fine. Les Argentins hurlent comme des gauchos à leurs vaches, ils sont proches de l'inarticulé ; et en criant comme eux, ma difficulté d'élocution passait inaperçue.

Je décidai d'y aller.

Ma tante avait deux filles, élevées dans le culte du taichi et de la méditation transcendantale, naturellement énigmatiques et souriantes. Quand nous arrivâmes à l'appartement clair et décoré de plantes vertes, dans un immeuble proche de l'endroit où l'avenida de Mayo aboutit à la Casa Rosada, elles perdirent un peu de leur flegme en découvrant Ève et notre étonnante similitude. Puis elles s'éclipsèrent avec elle pour lui montrer leur boulangerie, elles tenaient une boutique végétarienne en face du Retiro.

Mouchka, après m'avoir longuement serré dans ses petits bras, et accueilli Ève comme une nouvelle émanation de ce grand corps en croissance qu'était notre famille, ne manifesta, elle, aucune surprise de mauvais goût devant notre gémellité. Elle avait acquis au contact de son mari défunt un je ne sais quoi d'oriental. Elle me conduisit cérémonieusement, une tasse de thé à la main, dans le bureau vide de l'ancien samouraï. Arrivée devant le mur du fond, elle plongea en avant. Je crus à un accident ; mais non, la petite Mouchka, qui nous faisait des laits de poule quand nous étions gamins, s'était mise à prier.

Elle saluait ainsi un grand triptyque de photos, accroché au mur, qui groupait dans un paradis de carton découpé les grandes figures de notre tradition familiale.

Elle-même y était, au centre, comme si toute l'exubérance de cet arbre généalogique ne visait qu'à produire ce couple, car son mari était à ses côtés. Mon grand-père maternel, en borsalino, mon père, en tenue d'artiste montparno, feutre mou, lavallière et cape noire, ma mère, au volant de la Rolls blanche qu'on lui avait offerte pour ses quinze ans, son frère, Cicéron, qu'on appelait aussi Pois Chiche à cause de la verrue qui lui était poussée sur le nez, tous regardaient l'objectif d'un air enthousiaste. Tout en haut, ma grand-mère, le genou sur une chaise, faisait depuis des années le geste de lacer une bottine au nœud défait. Et puis il y avait ceux que je reconnaissais à peine. Celle-là, c'était Mescalita, l'autre sœur de ma mère, qu'on disait fort méchante, et qui habitait en face du Jardin Botanico, raison pour laquelle on l'imaginait griffue et dentée comme un fauve, ou hérissée de piquants comme un cactus. Non, Mouchka ne la voyait jamais, en tout cas depuis son accident. Retour d'un week-end en Uruguay, sa voiture s'était plantée dans un arbre ; elle conduisait comme un homme, et les pieds nus. Les chirurgiens de l'hôpital de Montevideo étaient en vacances, on la mit en attente. Atteinte à la base de la colonne vertébrale, elle ne devait plus marcher de sa vie. Mais Mouchka n'aimait pas à parler de Mescalita, dont l'ivrognerie (elle fit le geste d'un bras vidant un verre) était proverbiale. Pourtant, dans la querelle avec ma mère, Mescalita n'avait sans doute pas tous les torts...

Moi, je n'avais jamais entendu parler de cette querelle sororale. Quand j'évoquais Mescalita, qui fut notre tutrice pendant les quelques mois de notre premier exil, je la revoyais en robe de soie, portant les bijoux prêtés par ma mère, et nous obligeant à mettre des chapeaux pour aller sur la plage. J'avais su son accident, vingt ans auparavant. Je me reprochai mon égoïsme ; et quand Ève revint, je me jurai de rendre visite sans tarder à la paralysée. La pauvre infirme, qui, à ce qu'affirmait

Mouchka, avait tenté, depuis son lit de déchéance, de les assassiner, elle et ma mère, pour récupérer les droits sur l'immeuble d'*Epoca*, en droguant leur thé, grâce à la complicité de l'épicier, avec du curare.

Ses fenêtres donnaient en effet sur les cages des fauves ; et à travers la dentelle des feuilles et les bras noueux des baobabs, le parfum fort et musqué entrait dans la chambre, donnant l'impression d'émaner de ce gros corps massif et geignard qui était couché là depuis vingt ans.

Mescalita ne vivait pas seule ; Raul, un Indien dans la quarantaine, au visage inexpressif et en lame de couteau, allait et venait dans l'appartement.

Il offrit du maté à Ève, qui n'en avait jamais goûté, et fut surprise de son amertume ; il redressait les coussins de la vieille, et sortait des placards, sur son ordre, des objets hétéroclites qu'elle voulait nous montrer. Mescalita, le regard dur, ses cheveux gris en bataille, désignait les tableaux qu'elle peignit autrefois, entassés dans la penderie. Elle cherchait un portrait de moi enfant ; quand Raul l'eut trouvé, elle poussa un cri sauvage de satisfaction, et l'offrit d'un geste à Ève. C'était son portrait tout craché, en petit écolier à l'anglaise. Puis elle commença, à voix lente et étouffée, en se balançant dans son lit, à se plaindre de ma mère. C'était elle qui avait déclenché les hostilités. Mon père n'avait été qu'un imbécile transitoire. Si elle avait voulu, elle aurait pu en raconter de belles sur notre famille.

« Qui se croit fils de ses parents ne l'est pas forcément », finit-elle par soupirer en clignant ses petits yeux porcins. Ève, sautant sur ces quelques mots sentencieux que son espagnol élémentaire lui avait permis de saisir, lui prit les mains, en la suppliant, en français, d'être plus explicite. Sa quête d'identité remontait à présent à la génération précédente. La vieille infirme, secouant la tête, refusait de répondre.

« Il vous faudrait voir Frau Muller. Elle pourrait vous

renseigner. Si elle le veut. Moi, j'ai déjà eu assez d'ennuis comme ça dans ma vie... »

Elle s'arrangea tout de même, en échange de l'adresse de Frau Muller, pour me soutirer trois mille pesos afin de régler son loyer. Raul empocha les billets et descendit aussitôt racheter du maté.

Mme Muller. Le nom me disait vaguement quelque chose. Un M. Muller participait aux bridges de mes parents, autrefois. Sa femme, une « madame poussière », comme disait ma mère pour se moquer de son fichu à deux cornes et de ses continuels besoins de ménage, était « morte » au jeu, la plupart du temps. Le mari avait été capitaine de l'armée allemande à Paris, où mes parents l'avaient connu, coincés eux-mêmes par l'interruption des communications avec l'Amérique du Sud.

Mme Muller habitait à présent un immeuble bourgeois, cossu même. Une bonniche en tablier de dentelle nous ouvrit la porte sur une odeur de parfum éventé et de fleurs séchées. Mme Muller surgit du fond de son salon obscur, trottant, les bras en avant, dans son tailleur strict sur lequel brillait un collier d'émeraudes, frère de celui que je connaissais à ma mère, à moins que ce ne fût le même.

Elle avait les dents longues et en avant, comme une jument ; elle parlait en mâchant ses mots, à l'anglaise, avec application, et m'embrassa, ainsi qu'Ève, avec tant de spontanéité que nous n'osâmes pas nous dérober. Elle nous causait comme si nous nous étions quittés la veille ; l'existence d'Ève, nos traits communs étaient inscrits dans les astres. Elle était férue de divination et de spiritisme, quoique appartenant à l'Église réformée.

Elle nous offrit du thé à la bergamote sur un guéridon Louis XV, et parla sans détour de son mari, le capitaine, qu'elle appelait, avec un gloussement chaque fois réprimé, « le Préfet ». Il avait été, nous apprit-elle, fait préfet d'un organisme chargé d'un grand projet, deux ans avant la débâcle, et cela avait nui plus tard à son avancement au point de provoquer son suicide de protestation à Casablanca. Elle disait « Occupation » pour la présence américaine au Maroc, et « Libération » pour le bref retour offensif des Allemands. Elle continua à s'égosiller, en mouillant son thé de vieux Chivas, et Ève me poussait du coude pour quitter l'étouffante bonbonnière et retrouver le soleil et les grands umbus des avenues, quand quelques mots me frappèrent.

« C'est fou ce que vous lui ressemblez peu… »

La vieille dame ratiocinait à propos de mon père. Je l'obligeai à préciser.

« Mais était-ce bien mon père ? »

Elle rougit, pour autant que ce vieux cuir fariné pût encore rougir. J'avais parlé sans réfléchir, elle répondit instinctivement :

« Comment, elle ne vous a pas dit ? »

Elle, c'était ma mère. Qu'aurait-elle dû me dire ? La vieille chamelle s'embarrassait dans ses dénégations. Elle nous avait crus déjà au courant. Elle se mit, sans doute pour détourner notre attention, à retracer le « grand projet » de Herr Muller. Il s'agissait, sous le nom de « Lebensborn », de substituer la fécondation artificielle à la reproduction naturelle, et de repeupler ainsi la terre en moins d'un siècle.

« C'est la SS et les jeunesses féminines hitlériennes qui ont été choisies comme cobayes. Ils fournissaient les embryons. C'était un complément à l'élevage dans des maisons spéciales d'enfants sélectionnés, et un contrepoint à la stérilisation des anormaux et des métis… " Lebensborn ", n'est-ce pas, veut dire quelque chose comme " printemps de la vie ", on dirait un titre de lied… Mon mari, qui dépendait directement de Himmler et du Bureau pour la Race et la Recolonisation, recrutait des chercheurs pour la partie scientifique…

— Mais en quoi cela a-t-il un rapport avec nous ? »

Heureusement pour Frau Muller, Gertrude, sa bonne, fit diversion en laissant tomber le plateau de laque où la cathédrale de Cologne déchiquetait un ciel de lapis-lazuli très peu vraisemblable. Frau Muller, les dents agitées d'un besoin irrésistible de mordre ou de rire, nous poussait déjà vers la porte :

« Faites mes amitiés à votre mère. On ne se voit plus, en vérité... »

Il était temps d'aller interroger Maman. Ève, qui lui devait son prénom, était convaincue que le mystère concernait sa propre naissance. Je ne voyais pas comment ; je croyais plus simplement à un adultère, peut-être avec le fameux Muller, dont j'aurais pu naître.

Ma mère ne manifesta guère d'émotion, au téléphone, et me donna rendez-vous devant l'Edificio, comme s'il n'y avait qu'un seul édifice à Buenos Aires ; c'était, bien sûr, l'immeuble d'*Epoca*. Il se trouve que la loi argentine, dans ce pays de fous, exige de chaque citoyen qui rentre au pays, fût-ce pour vingt-quatre heures, de déposer son passeport et de s'en faire établir un nouveau. J'avais négligé cette formalité. J'en pris prétexte pour demander l'aide de ma mère. Pour obtenir ce nouveau passeport, il fallait justifier d'avoir voté aux dernières élections. Car dans ce pays, où elles ne signifient rien, les élections sont obligatoires. Et je n'avais pas voté, étant en France, depuis ma majorité. Expliquer tout cela à un flic indien, entre une fille battue qu'il réconforte d'un billet de cent pesos, et un avocat véreux qui cherche une mauvaise cause, m'avait montré l'utilité des recommandations. Ma mère avait toutes les recommandations du monde.

Dès qu'elle l'aperçut, ma mère dévora Ève des yeux, mais ne fit aucun commentaire. Du QG d'*Epoca*, devenu celui de la police, nous fûmes tous trois renvoyés vers le Sénat, grande bâtisse poussiéreuse, avec des mantelets de bois entre les colonnes, où elle avait ses entrées (l'un de ses cousins était gouverneur d'une province du Sud).

Une fois rentrés chez elle, Calle Libertad, elle nous offrit de l'orangeade et de la confiture de lait. Elle habitait au quinzième étage, et comme les pièces étaient trop petites pour les meubles énormes, en ébène et bois rouge, qui lui étaient restés de l'hacienda après la faillite, elles paraissaient minuscules. Je retrouvai la pendule savoyarde de l'office, les lits bateau et le secrétaire Napoléon.

Sans rien en manifester, ma mère était complètement dérangée. Nous ne mîmes pas longtemps à nous en assurer.

Elle ne parlait que de son procès, ses procès, plutôt, contre ses sœurs, son frère, l'État, la Commandanture, le secrétariat à la Police. Son argent, sa retraite y passaient Une nuée d'avocats, dont deux frères secrétaires généraux des partis socialiste et communiste, y étaient employés. Elle multiplia les allusions incompréhensibles, en plissant les yeux, qu'elle avait fort beaux, quoique tous deux du même bleu dur. Puis elle me prenait les mains, caressait les cheveux d'Ève. J'eus soudain un sentiment d'irritation.

« Pas la peine de jouer les mamans attentionnées, après tout ce temps... », maugréai-je sans grâce. Mes repas d'enfance à la cuisine, pendant qu'elle sortait au restaurant ou au club, m'étaient restés en travers de la gorge, et je dus réprimer ma nervosité.

Elle s'était levée, et achevait, penchée sur la glace de sa coiffeuse, la toilette d'une sortie à l'Opéra Colon, programmée pour le soir même. Mon arrivée ne changeait rien à ses plans. Elle arrangeait ses cheveux blanc-violet coupés en casque, et se mit à essayer des clips de différentes teintes.

« Maman, soyez un peu sérieuse. J'ai vu Frau Muller »

Sa main s'égara, elle s'était piquée. Ève se mit à genoux pour l'aider

« Madame, comprenez-nous. Nous voulons seulement savoir... »

Elle se lança dans une histoire qu'elle inventait à mesure, de dispense nécessaire pour un mariage éventuel entre nous. Il fallait connaître notre degré exact de consanguinité. Au mot de mariage, ma mère laissa tomber ses clips et partit d'un grand éclat de rire. J'étais, je dois dire, aussi stupéfait qu'elle par cette idée.

« Ainsi, vous couchez ensemble ! C'est du joli. Qu'est-ce que vous voulez savoir ? Toi, Adam, tu ne ressembles ni à ton père ni à moi ; mais ça n'empêche pas qu'Ève est ta proche parente... »

Elle corrigea un pli, admirant l'effet produit.

« Enfant, tu ressemblais à celui que nous désirions... »

Elle posa délicatement un petit flacon à parfum derrière ses lobes d'oreilles, et je reconnus la senteur épaisse et musquée du Carven qu'elle utilisait autrefois, et qui imbibait ses cabinets de toilette.

« Maman ! Je n'y comprends rien. Donc vous m'avez adopté ?

— Quel mal y aurait-il ? Mais non, je ne t'ai pas adopté... »

Mais comment pouvais-je « ressembler à celui qu'elle avait désiré » ?

« Nous t'avons choisi, mon cher, sur tes caractéristiques. On ne pouvait pas se tromper... sauf pour les yeux. Cela, c'est le hasard. Ou Dieu.

— Que faisait le capitaine Muller à cette époque ? interrogea ingénument Ève.

— Il dirigeait le Lebensborn Projekt.

— Vous avez participé à ça ! m'écriai-je, au bord du sanglot.

— Sans *ça*, tu n'existerais pas, fit-elle froidement remarquer, en fixant l'épingle de sa voilette. Mais toi-même, est-ce que tu vas bien ? Tu n'es pas malade, tu n'as pas l'air en forme... ? »

Insidieuse police des mères. Comment savait-elle que je n'étais pas dans mon état normal, elle qui ne m'avait pas vu depuis tant d'années ?

Ève toussa, et se releva en félicitant ma mère pour la coupe de sa robe. Elle avait déjà la main sur la poignée de la porte.

« Il faudra revenir me voir, mi corazon, dit-elle en flattant Ève de l'autre main, comme un chat, on tâchera de faire à dîner... »

Même si elle devait se serrer la ceinture, ma mère prenait sa pauvreté relative avec discrétion ; elle lui offrait un champ infini de légers sacrifices. Comme celui de ne pas inviter son fils.

« Je ne crois pas que nous pourrons, nous allons passer deux semaines dans la Banda Oriental... »

J'avais employé le vieux mot des livres d'école nationalistes, pour désigner cet Uruguay que mon manuel colorait du même bleu que l'Argentine, et qui avait été fondé par quatre courageux dissidents barbus, qu'une gravure représentait en train de franchir le fleuve, de nuit, pour échapper aux Argentins.

« Si vous passez par Punta del Este, saluez les loups de mer, fit ma mère, qui mondanisait même les bêtes. Ils vivent juste en face, dans l'Isla de los Lobos, et se nourrissent des restes des touristes... »

En fait, l'idée de l'Uruguay, où nous avions passé comme des vacances notre premier exil, venait de la vue du tablier de Gertrude. Il m'avait rappelé ceux des nurses du Carrasco, du temps de notre splendeur. Elles étaient trois, une Anglaise rousse, une Française blonde, et une Espagnole noire comme l'enfer. Et toutes trois, en tablier court, émoustillaient mon père, au bord de la congestion.

« Vous passerez bien par le Carrasco, fit ma mère, lisant dans mes pensées. Je n'y suis jamais retournée... »

Elle se défendait comme si la décadence du célèbre palace pouvait lui être imputée. Nous attendions l'ascenseur, bras ballants, en gens qui n'ont plus rien à se dire ; et il est arrivé en brinquebalant.

La rue sentait le mauvais gas-oil argentin. Nous avons filé faire nos bagages au Plaza, et ensuite à l'Aeroparque, ce grand gazon sale où les secrétaires viennent prendre des bains de soleil entre les roues des avions, sur le bord du fleuve rouge, puant, empoisonné de chimie et de sang de vache. L'avion était rempli, comme un bus de collège, par des lycéens d'une équipe de tennis, bavards et chics. Je retrouvai l'accent traînant, un peu geignard, de mon quartier. Ils représentaient l'Argentine dans un tournoi qui se tenait, justement, au Carrasco, où le secret de ma naissance était peut-être enfoui.

Seth

Ce n'était encore qu'une petite silhouette noire sur l'argent brillant de la plage, à l'heure où le soleil levant glace de rose le miroir des eaux, où les nuages hésitent à voiler la lumière du matin, où l'air instable s'ébroue et s'éclaircit à chaque seconde ; mais on pouvait, même de loin, percevoir le bourdonnement des mouches, et le bruit de leurs vols avides, qui s'encourageaient à sucer et pomper le cadavre.

Une autre silhouette, vivante, celle-là, grandit sur l'horizon. Seth, qui n'arrivait pas à s'accoutumer à son propre nom, avançait dans le matin frais, en essayant de mettre son pied exactement dans l'empreinte d'un pas qui l'avait précédé ; il ne s'apercevait pas qu'il suivait en réalité l'empreinte de deux personnes, tant le moulage des pieds nus était confondu.

Il n'aperçut la bête qu'à l'instant de buter dedans. Il eut un peu peur, et jura en portugais, en relevant le canotier sur son front, ce canotier jaune serin qui était avec son maillot bleu et blanc son seul costume. Mais Seth, il se demandait comment prononcer le *th*, devait se montrer digne de son nouveau nom, un Seth avait vaincu le dragon en Égypte. Il se ressaisit.

Sur l'écran allongé de l'eau rouge, l'énorme corps de la bête faisait une tache sombre, à contre-jour. Seth fit le tour du monstre ; cette chose était impure, surtout pour un nouveau baptisé. Mais sa curiosité était trop forte ; laissant l'eau couleur caramel lui lécher les pieds, il s'avança jusqu'au grand fauve qui était venu mourir là, ballotté par le courant ; il reconnut un loup adulte, de cent cinquante kilos au moins. Son rude poil noir était hérissé, et ses puissantes nageoires enfoncées dans le sable, comme s'il s'accrochait au fond, en ce bord d'océan où les eaux douces du Rio et les eaux amères se croisent sans se mélanger, et qu'il avait élu pour tombeau. On en voyait souvent, qui choisissaient ce mode de suicide par échouage. Cyprien, pardon, Abel Seth Mille Sept Cent Quatre-Vingt-Neuf, comme l'avait baptisé le prêtre depuis hier, siffla en examinant la pyramide de chair. Il n'avait pas rêvé : le monstre de la mer, encore tout sali d'écume et de lichen, n'avait plus de tête. Il murmura une prière pour conjurer le sort. Le cou fort et court était tranché net, et les mouches grouillaient sur la blessure noire de sang. On l'avait proprement décapité ; ce ne pouvait être qu'un acte de sorcellerie, de macumba. Ou alors le crime d'un étranger volant un crâne pour le dessus de sa cheminée.

Seth se mit à trembler, son teint sombre vira au gris. Il tomba à genoux sur le sable. Pourtant il s'était levé du bon pied, ce matin, bien que la cérémonie, à l'église de Saint-Just et Marie Curie, une secte rationaliste et spirite originaire des colonies françaises, par laquelle il avait été initié et baptisé la veille, se fût prolongée fort tard dans la nuit autour de la bonbonne de mezcal.

Abel, Seth, 1789 : les deux premiers représentaient les testicules de l'Être Suprême, le dernier la force de la Raison triomphante. Au-dessus de l'autel, tandis que Seth, nu, présentait la poitrine au tatoueur, une locomotive à vapeur patinait dans le vide, un ballon dirigeable tournait lentement, une petite tour Eiffel de plastique doré s'allumait faiblement. Les mots « Progrès, Démocratie, Âme » étaient gravés sur les citrouilles vides qui pendaient du plafond, faisant office de lustres apotropaïques : ils effrayaient les esprits des morts.

Washington La Fayette troisième, tel était le nom de l'archiprêtre qui représentait l'église mère de Curicutiba. Il lui imposa les mains. Abel et Seth étaient frères ; en lui il y avait deux natures, une blanche et une noire. Mais il n'y avait plus place pour la rouge, celle de Caïn.

« C'est l'œuvre d'un fou, d'un assoiffé de richesses », murmura-t-il en s'écartant du monstre mutilé.

Le soleil tapait déjà fort. Soudain il s'aperçut que la trace qu'il suivait s'arrêtait là, comme absorbée par le sable micaté. Il tourna en rond, désorienté, remonta vers les dunes que couronnait une rare et maigre ligne de filaos roses. Les mouches, lassées de leur première proie, le suivirent quelque temps.

Seth (depuis la veille, il ne s'appelait donc plus Cyprien) parvint à la crête au moment où le moteur d'une voiture, un de ces modèles japonais que louent les compagnies de Montevideo, se mettait en marche ; des chemins de sable, fréquentés surtout par les amoureux et les nudistes, rejoignaient, à partir du flanc des dunes, la grand-route, rectiligne ruban argenté, qui conduisait de la capitale à la frontière brésilienne, parallèlement au rivage. Seth, hâtant le pas, faisait voler le sable ; et il se débattait, pour aller plus vite, contre la chaleur, le sable mou et collant. La voiture avait embrayé, reculait ; il arriva à temps au sommet pour distinguer, derrière le pare-brise teinté éclatant de soleil, les deux occupants ; c'étaient un homme et une femme, elle était au volant. On aurait dit deux sacs de son, d'énormes coussins de chair, abrutis par la chaleur montante, et suintant en débordant de leurs trop petits fauteuils.

L'homme ouvrit la portière, regarda Seth d'un air hostile, avant de faire le tour du véhicule, avec une souplesse étonnante pour une telle masse. Ses cheveux blonds, fins, presque blancs, se plaquaient sur son front.

Sa compagne, sans doute sa sœur, d'après sa morphologie, accéléra brusquement, dégageant le véhicule ; après un dernier regard pour Seth, l'homme retourna en grognant à sa place, et ils disparurent en cahotant vers la grand-route.

Seth n'avait aucun doute ; c'étaient les coupables de la mutilation imposée au démon de la mer. Animé par l'idée d'une vengeance, ou d'une punition à exercer, il se mit à suivre les traces du véhicule.

C'était le plein midi quand il parvint au parador de la Coronilla, près de la forteresse Santa Teresa. Costumés ainsi, la femme avec son baudrier de cuir et sa jupe de toile bleue, ils ne pouvaient être que gringos, yankees, américains. Mais la voiture qu'il s'attendait à y retrouver avait fait demi-tour, après être demeurée un certain temps derrière un arbre, comme le montrait l'entrelacs des traces de pneus, plus profondes à cet endroit ; depuis son enfance, Cyprien Seth savait lire les traces de roues, c'était un véritable don. Les étrangers avaient observé longuement le parking du parador, avant de se dissimuler, sans doute tout près d'ici, dans le bois de bananiers aux longues feuilles lisses.

Seth releva la tête, inquiet, se sentant lui-même observé. Et il découvrit l'autre couple. Ils étaient juste au pied des remparts de granit violet de l'ancienne forteresse, et ils dormaient enlacés sous le soleil, nus ou presque. En voyant leurs visages si proches et si semblables, dorés de reflets comme sur une icône, Seth se signa trois fois au nom de l'Hygiène, du Savoir et de la Vérité, comme on lui avait appris la veille dans sa secte, qui avait été fondée par un médecin français, élève de Claude Bernard. Ces deux-là se ressemblaient trop pour que ce ne fût pas divin. Quand le dormeur s'éveilla doucement, dans le soleil, face à lui une grande silhouette noire, debout, le fixait.

« Il ne faut pas rester là. Ils vous cherchent... »

Depuis un moment, du bois, un grondement de moteur montait dans l'air limpide ; l'oreille exercée de Seth avait reconnu le petit moulin automatique de la japonaise. L'autre couple, les Américains coupeurs de têtes de loup, zigzaguait dans le chemin ; la femme, à moitié sortie du véhicule, déchiffrait elle aussi les traces. Adam, sans répondre, posa un baiser sur le front d'Ève, puis poussa un petit cri pour l'éveiller. Elle ouvrit les yeux, vit Cyprien Abel Seth, et dit en riant :

« Oh, un nègre ! »

Ils devinrent aussitôt inséparables. La veille au soir, quand Adam avait arrêté la voiture sous les murs de la forteresse, il était d'humeur exécrable. Au parador, une vaste construction à l'espagnole crépie de blanc, dont tous les angles étaient inclinés, on les avait refusés.

« Il fallait réserver...

— Mais vous n'avez pas le téléphone ! Et il y a des chambres libres ! »

C'était Ève qui s'indignait en vain. Ici, on ne parlait qu'espagnol. Pour mettre le comble à leur rage, les bonnes, en ouvrant les portes pour le ménage, laissaient voir les intérieurs meublés de commodes aux colonnettes torsadées, un vrai petit Escurial colonial.

« Nous n'avons pas assez de pain pour votre petit déjeuner, demain. »

Impossible de les en faire démordre. La bêtise repliée sur elle-même de l'Indienne, et la susceptibilité de l'Espagnole : la patronne combinait tous les avantages. Sur le balcon de bois ajouré qui faisait le tour des chambres, des clients attirés par le bruit sortaient la tête ; l'affaire tournait au scandale.

Le soir tombait terriblement vite. Ils reprirent le chemin sableux. Là-haut, sur les balcons, dans le crépuscule, des mères claquaient les persiennes et rentraient les couches-culottes mises à sécher sur ce support improvisé Le ciel, noir d'encre, n'eut tout d'un coup plus une étoile.

« Et le ciel deviendra noir comme un sac de crin », murmura Adam. Il se fit un grand silence ; les cocotiers, soudain immobiles, semblaient eux-mêmes s'être arrêtés de balancer pour mieux écouter ce qui venait. Les feuilles de bananiers retombaient comme des drapeaux mouillés.

Ce fut d'abord un sifflement léger, qui réveilla les panaches des grands cocotiers arc-boutés ; puis un halètement noir, celui d'une grosse bête tapie entre les nuages.

Et sans transition ce fut l'enfer. La langueur tropicale volait en éclats, l'attente était comblée. Comme pris de folie, les cocotiers s'entrechoquaient, poussés par mille mains invisibles. Leurs cimes, dangereusement déchiquetées, devenaient les chevelures folles de sorcières ivres. La voix profonde du vent s'engouffrait partout; Adam remonta les fenêtres ; s'il pénétrait à l'intérieur, ils étaient perdus ; le petit véhicule de plastique se renverserait.

Et ce fut la délivrance. Avec le floc pesant de crapauds tombés du ciel, de grosses gouttes de pluie s'écrasèrent autour d'eux. Comme un abcès trop plein ou un fruit trop mûr, la tornade crevait au-dessus d'eux.

À l'instigation d'Ève, ils sortirent de la Toyota. Devant eux les murailles violettes se découpaient sur le ciel en furie, dominant la mer d'où des rouleaux phosphorescents s'abattaient avec fracas sur la plage. Ils coururent vers un abri : le porche de la forteresse Santa Teresa, qu'un éclair vint frapper, zébrant la date de construction, 1595, gravée à la clé de voûte.

Adam, à l'abri, se mit à lécher l'eau sur le visage d'Ève , il sentait sur sa propre peau les grosses gouttes tièdes qui s'écoulaient. Puis ils déchiffrèrent, à la lueur des éclairs, le texte que le gouverneur du musée avait affiché à l'entrée. La forteresse, bâtie par les Portugais pour surveiller ces confins du Brésil, érigée sur un monticule qui dominait la grasse plaine uruguayenne, laquelle s'étendait jusqu'au bord du monde connu, avait été l'objet de luttes incessantes entre les deux couronnes. Quand les Espagnols, figurés là-haut par des mannequins à casques en forme d'oignon, à pantalons rayés jaune et bleu, l'emportèrent définitivement, ils organisèrent un système de relève qui ne permettait pas aux soldats, régiments et officiers, de passer plus d'un an à Santa Teresa. C'était pour éviter les liaisons avec les femmes du pays, qui campaient dans un village de toile et de voiles, au pied des murs. Des femmes noires comme la suie.

Elles descendaient sans doute des premiers esclaves apportés en cet endroit quelques dizaines d'années plus tôt. Mais on croyait qu'il y avait toujours eu des Noirs en Uruguay, de beaux Noirs à peau épaisse, qui avaient la chair de poule en permanence, leur épiderme gonflé de petits monticules de chair frissonnante. Ils se prétendaient indigènes, au sens fort, et n'avaient que mépris pour les caboclos, les métis de Noirs et d'Indiens (ne parlons pas des indios). Dans les temps modernes, pourchassés par la dictature, repoussés loin des villes, ils avaient presque tous émigré. La tribu de Cyprien-Seth venait en réalité du Sénégal, c'était une sous-branche des Diolas, dans le sud de la Casamance. Ce nom faisait songer à des tropiques portugais. Et le rêve secret de Cyprien avait été, depuis tout petit, de rendre visite à ses cousins de la jungle africaine. Combien d'Indiens peuvent donner le lieu où le Grand Esprit a conçu leur ancêtre ?

La nuit était tombée sur le tonnerre qui applaudissait le concert du vent. Ève et Adam s'étaient endormis sur place, enlacés. Le lendemain, ayant découvert Seth, ils se baignèrent avec lui, puis déjeunèrent au parador. Le soir, ils s'assirent autour d'un feu pour se réchauffer ; il n'y avait encore pas de place dans la peu accueillante auberge, qui avait attendu jusqu'au dîner pour les en prévenir. Ève mit sa tête sur les genoux de Seth, qui transpirait d'émotion.

Leur ressemblance magique le perturbait. Il sortit de sa poche une boîte de corned beef, et l'écrasa sous son pied, puis offrit la bouillie coupante à Ève.

Il tremblait de désir contenu. Elle fit comme si elle ne s'en rendait pas compte, et appuya la main sur son maillot, en prenant appui pour se redresser. Il bandait ferme.

Dans l'obscurité qui tombait, ses grands yeux roulaient de l'un à l'autre, en quêtant un encouragement.

« Tu as quel âge ? »

Il s'était adressé en portugais (il habitait le village frontière du Brésil, longue rue poussiéreuse dont l'un des côtés n'était que boutiques d'objets de contrebande) à l'homme, et ajouta : « Hombre ! » pour scander le propos. Adam répondit lentement en espagnol :

« Trente-neuf ans. Mais je suis malade... »

C'était la vague excuse, souvent répétée, pour ne pas prendre part à leur jeu. Il préférait regarder les deux corps enduits de rosée, luisants sous la lune ; alternativement, l'astre d'un corps clair et l'éclipse d'un autre, noir comme l'ébène.

« Toi, tu fais plus jeune. On dirait ton père. Ou ton grand frère », acheva Seth s'adressant à Ève.

Adam éclata de rire. Il n'avait pas ri depuis longtemps.

« C'est vrai, tu rajeunis. C'est parce que tu maigris. Tu vas maigrir jusqu'à redevenir enfant...

— Ou bien jusqu'à la mort », répliqua-t-il à Ève. Il n'en parlait jamais, mais la douceur de l'air le détendait au point qu'il ne pouvait réprimer ses propres paroles.

« Alors, c'est ta fille ? »

Seth eut l'air, en désignant d'un geste fier la nudité d'Ève, que devaient prendre les chefs emplumés ou les généraux dorés de Toussaint Louverture, lors du partage des concubines.

« Je ne sais pas. »

La franchise de sa réponse désarçonna Seth. Cette proie n'avait ni maître ni protecteur. Il étendit un bras aux muscles sculpturaux, mais Ève se détourna en riant. Elle prit dans la voiture sa trousse de toilette, et en sortit une enveloppe.

« On se roule une cigarette, avant. Tu en veux, Adam ? »

Il avait depuis longtemps soupçonné qu'elle fumait de l'herbe. Ce soir-là, dont l'indifférence chaude, sucrée le gagnait progressivement à son tour, comme un bain tiède où les décisions se dissolvaient, il acquiesça.

« Et toi, Seth ? »

Rassuré, celui-ci sortait de sa ceinture plusieurs morceaux ronds comme des boutons d'une substance inconnue. Cela ressemblait à une réglisse fibreuse.

« Goûte plutôt ceci. C'est la porte de la vie. N'avale surtout pas, tu vomirais. Suce seulement. Tudo bem, tout va bien... »

Adam en mâchouilla un bouton. C'était très amer.

« Notre père Peyotl qui avez donné le langage à l'homme... »

Seth récitait en caressant les seins d'Ève. Adam s'assit. Autrefois, il aurait aimé participer. Seth avait la même dégaine que ses anciens amants. La torpeur le prenait ; ces étoiles qui se décrochaient et laissaient aux cieux une trace de fusée, étaient-elles encore en haut ou tombées jusqu'en bas ?

Devant la forteresse, tandis que la drogue venue des hauts plateaux du Mexique, le fatal peyotl, les emporte en des Indes constellées, la prairie, le ciel et la mer se répondent en un ballet d'illuminations. Aux étoiles scintillantes, aux luminaires mobiles que sont les planètes, s'ajoutent les clignements innombrables des lucioles ; champ électrique où une lampe s'allumait dès qu'une autre s'éteignait, l'herbe était bordée de la luminescence plus pâle, couleur d'opale, de la mer, bondée d'animalcules phosphorescents.

Adam s'amusait à suivre le vol nuptial des lucioles ; parfois l'insecte au phare s'éteignait et se rallumait pour piéger une compagne, ou une proie. D'autres phares lui répondaient, s'approchaient ou se reculaient ; tout variait : la période des signaux, leur intensité, bavardage lumineux, marivaudage en morse d'insectes amoureux. Il se souvint qu'en grec, l'insecte ailé, le papillon, se dit, comme l'âme, psyché.

Et Psyché avait eu une histoire d'amour avec Éros en personne. Il articula pâteusement :

« Ève, tu es bien ? »

Seuls des grognements de plaisir lui répondirent. Alors, il se laissa aller.

Depuis des mois, il refusait de rêver. Il avait si peur de rêver à lui-même, de rêver à sa mort, et de rêver à elle seule, après lui, qui continuerait de rire et de faire l'amour. Il entendait un bruissement, celui de milliers d'élytres, et une mélopée lente et grave. Là-bas, sur le sable ridé, une théorie d'hommes noirs, encapuchonnés, portait une longue boîte, et ondulait au rythme d'un petit orchestre bahianais, dont les tambours étaient faits de tonneaux de métal sciés en largeur. Le cortège s'était arrêté à la patte d'oie qui séparait le chemin de la mer de celui de la Coronilla. Le roulement des tambours s'interrompit. Seth lui touchait le bras.

« Viens, c'est pour ta guérison... »

Il l'obligeait à se lever. C'était lui qui avait convoqué cette pompe funèbre. Sa guérison ; Adam ne lui accordait plus, en bon gnostique, qu'une valeur symbolique. Guérison de tout, passage et illumination finale. Ils se levèrent tous les deux et descendirent le talus, allant à la rencontre des processionnaires.

Une femme, avec des bijoux cliquetant à ses chevilles, tournait à présent sur elle-même au centre du cercle des hommes. Elle tenait d'une main un sabre, de l'autre une volaille piaillante, une touffe de plumes blanches dans la nuit.

La drogue battait dans le sang d'Adam. Dans le cercle enchanté, la femme, d'un geste emprunté aux officiers de cavalerie, sabra comme champagne la bête, puis elle la balança à bout de bras, aspergeant de sang les assistants. Et comme son voile avait bougé, Adam vit que la sorcière portait une barbe rouge.

Seth se rapprocha de lui ; pesant des deux mains sur ses épaules, il l'obligea à s'agenouiller. L'odeur poivrée de son pubis étourdit Adam. Par habitude, recherchant la source de vie comme l'enfant tète dans le vide, il se mit à lui lécher le sexe.

La sorcière travestie incisait maintenant le cou d'un bélier, que les bras des assistants retenaient à grand-peine ; et l'on plaçait Adam sous cette pomme de douche sanglante, un Adam nu comme le premier homme ; Seth, après l'avoir rincé à l'eau de mer, le tourna doucement, et commença de lui faire l'amour.

Adam eut un bref gémissement ; il aurait voulu le prévenir, certain que lui aurait les réticences qu'Ève n'avait pas manifestées. Mais ses muscles, sa gorge étaient liquéfiés par la drogue. Et comme Seth jouissait bruyamment en lui, il sombra dans le sommeil, sous la lune malicieuse.

Quand Adam se crut à nouveau éveillé, il sentit tout de suite l'odeur du bois frais. Un bois taillé pour la cérémonie. Un bois lourd, gorgé d'eau, poisseux, qui rendait un son mat, plein.

À force de se tortiller, ce qui lui prouvait qu'il était vivant, et à mesure qu'il grattait et fouissait des dents et des ongles, un coin mal cloué finit par céder. Un peu de terre, de l'argile rouge mélangée de sable, coula par l'orifice. Voilà pourquoi le bois résonnait mat ; il était enterré.

Adam se détendit pour réfléchir. Où étaient Seth et Ève ? Un malencontreux retour d'aphasie, certainement dû à la drogue, l'avait empêché de crier à l'aide. Et cela devenait presque irrespirable, dans cette tombe. Il entendit au-dessus de lui des pas lourds, comme une danse sur sa tête, qui faisait vibrer le sol ; et les coups de pelle commencèrent.

Ce ne fut d'abord qu'un mince rai de lumière, puis l'odeur de la jungle mouillée, et la merveilleuse cacophonie des bruits, crapauds-buffles, oiseaux de l'aube, venus du dehors ; la résurrection et la vie entraient maintenant à flots, avec le crépuscule du matin. Adam, dont les larmes coulaient sur ses joues, se sentit soulevé, emporté ; il n'était plus mort, mais, comme après les fièvres, très vide et très heureux, lavé de toute angoisse.

Il était rigide à la suite de son séjour dans la caisse ; il fut porté jusqu'à l'intérieur de la forteresse, dont Seth avait déniché la clé. Il voyait défiler, à droite et à gauche, à hauteur de ses yeux, les faces patibulaires des braves mannequins, armés de leurs pertuisanes et de leurs mousquets. Dans la cour intérieure, son bras droit se détendit. Comme ils passaient devant la petite chapelle blanche, son autre bras revint à la vie.

On le déposa sur un tertre de gazon. Puis un personnage costumé en grand prêtre franc-maçon, redingote et haut-de-forme gris, lui imposa les mains.

« Désormais, tu as passé les portes de la mort. Tu seras l'esclave du premier venu... »

Adam avait entendu parler aux Antilles de ces hommes enlevés, drogués, enterrés puis déterrés par des prêtres sans scrupules, qui, ayant ainsi annihilé leur volonté, utilisaient leurs victimes, convaincues d'être mortes, pour cultiver leurs immenses plantations.

« La première personne, c'est moi. »

C'était la voix d'Ève. Elle lui tendit le bras. Ses deux jambes lui revinrent.

Santa Teresa avait toujours été un rendez-vous pour les sectes. Ils étaient à présent seuls tous les trois, et ils découvraient à la lueur d'un briquet les pièces fermées de la forteresse. Dans le réfectoire, qui servait aussi de tribunal, les oriflammes des différents régiments, envoyés dans cette Inde occidentale pour le temps d'une relève, pendaient du plafond à caissons, formant une forêt rouge et jaune. Dans l'église, où les mannequins, manie du conservateur, étaient endormis par le sermon, un franciscain de cire aux pieds nus, en robe de bure, dardait sur les pécheurs un œil inquisiteur... Enfin, ils s'approchèrent d'un trou, un vrai cratère dans le gazon. Seth, déchiffrant une pancarte, voulut s'enfuir.

« C'est la poudrière », fit Ève en souriant.

Une explosion l'avait détruite en 1676.

Le tableau des rations alimentaires pendait dans la cuisine au-dessus des marmites que touillait sans mouvement un capitaine des vivres rougeaud et moustachu. Ils s'étonnèrent des menus. Par semaine, six kilos de pain, une mesure de sel, un quartier de vin. Du lard deux fois. Et du hareng saur à volonté. À côté de la cuisine, une planche scellée dans la muraille était percée de trous ronds. Les matières tombaient directement au bas des remparts ; une chute vertigineuse. En bas, les cochons à longs poils des indigènes avaient fouillé les déjections d'un groin enthousiaste.

Le soleil se leva brusquement, en embrasant le granit devenu rose ; le portail grinçait sur ses gonds. Le gardien était arrivé. Adam, Seth et Ève montèrent sur la muraille pour humer l'air du matin ; ils se crurent unis pour la vie.

L'hôtel Carrasco dressait sa grande architecture (verrières et dômes, minarets turcs et coupoles dignes de Sainte-Sophie ou de la gare d'Orsay) à quelques mètres du rivage. Et comme le vent repoussait chaque année la dune, le grand vaisseau orné de caryatides s'ensablait peu à peu. Il avait fallu fermer les fenêtres pour éviter la poudre impalpable qui se glissait partout. Chaque année, un étage perdait le jour et la lumière, ou presque.

Ç'avait été le premier hôtel pour Anglais, le premier à posséder un tub chaud, la première ampoule électrique de la côte ; et puis, entre la pointe du Brésil et Montevideo, s'était édifiée la nouvelle station de Punta del Este. Les golfeurs, les pongistes avaient déserté le grand hall étouffant du Carrasco pour les immeubles brutaux et climatisés de ce Chicago enfoncé dans la mer comme une épine. Et le Carrasco avait irrémédiablement décliné.

Le grand hall, dont Adam revoyait les groupes sculptés, l'enlèvement d'Europe et le rapt de Ganymède, en bronze luisant de caresses, et dignes tous deux d'une Exposition universelle parisienne, était à présent divisé, assassiné par une cloison de séparation. On lui réclama sa carte de crédit à l'entrée, une faute qu'on n'eût pas commise du temps de ses parents, quand ils débarquaient à dix, avec nurses et valets. Sa ressemblance avec Ève, et son désir de partager avec elle un lit matrimonial furent par contre acceptés sans sourciller.

Ils allèrent de découvertes en déconvenues. La villa normande où il avait vécu, en face, était entourée à présent d'une haie impénétrable de cyprès. Le grand restaurant de l'hôtel, lieu d'émerveillement de son enfance, avec son parquet ciré en point de Hongrie et sa coupole multicolore, ses girandoles contournées et son grand buffet de marbre, ne servait plus qu'à quelques vieux couples en voyage nostalgique ; des pâtés douteux de porc rebaptisés foie gras, et des consommés madri lènes en sachet leur furent servis par des maîtres d'hôtel sur la face desquels se lisait le désespoir. L'orchestre était encore là, vieilli mais ingambe, et les vieux couples, s'émouvant eux-mêmes, en smoking hors de saison et cravate rose pour les hommes, se lançaient sur la piste pour des milongas enflammées.

Tous les airs suggéraient à Adam des paroles. Ève trempait les lèvres dans le San Mateo tiède et trop sucré, en apprenant les nuances du bandonéon. Du petit salon provenait le vacarme du loto ; tout Montevideo, en jeans et espadrilles, arpentait nerveusement la salle, en recomptant des chiffres sur des cartons. La fiche était à cinq centavos, mais la fièvre aussi forte qu'à Monte-Carlo.

Au milieu du repas, Ève se leva sans avertissement. Adam, un peu étourdi (il ne buvait plus, mais ce soir, se sentant mieux après la cérémonie à laquelle il avait participé, il s'était relâché), regarda Seth d'un air interrogateur. Celui-ci était resté pétrifié, gris de terreur. Dans le couloir, juste derrière Adam, les deux gros Américains entraient dans le restaurant, non sans faire le tour de la salle du regard.

Adam disparut sous la nappe, en quête d'une serviette perdue ; Ève était sans doute partie chercher la voiture ; il fallait rejoindre la rotonde vitrée, du côté de la plage. Mais pour y entraîner Seth, il fallait sortir de la salle à manger.

Il se frappa le front et gémit sous la table. Son manuscrit était resté dans sa chambre.

Les deux intrus, faisant demi-tour, se postèrent à l'entrée du salon. Seth fila chercher le précieux cahier ; la déesse grecque à la torchère d'argent qui faisait pomme au creux de la rampe lui parut une arme adéquate, et, dès que redescendu, il entreprit de la dévisser, tant qu'il était hors d'atteinte des deux pingouins.

En bas Adam reculait lentement, les bras en l'air, vers le bow-window.

« Ne bougez plus, vous deux. On vous tient ! »

À qui d'autre que lui s'adressaient-ils ? La femme cracha son chewing-gum et tourna d'un geste sec le cran de son flingue. Adam, surprenant son propre reflet dans la vitre, à sa gauche, eut une illumination ; trompé par la lumière, le couple maudit croyait voir Ève à ses côtés, ou du moins sa tête.

Au même moment, la musique de l'orchestre s'interrompit, et l'on entendit distinctement le bruit d'un moteur patinant dans le sable. Le faisceau des phares parut tourner vers la mer ; puis il remonta vers l'hôtel, franchissant le bow-window et projetant sur les murs des ombres fantastiques. La détonation fit éclater la grande vitre une seconde avant que le capot de la voiture ne s'y engouffre. La femme avait tiré sur le reflet d'Adam. Un second choc, celui-là mou, suivit l'arrivée de la voiture sur le tapis, au milieu du verre brisé. Seth venait de lâcher l'objet d'art contondant sur la nuque de l'homme. La bonne femme, stupéfaite, reculait précipitamment, sans songer à son revolver.

En une fraction de seconde, Seth et Adam bondirent, par les portières qu'Ève maintenait ouvertes, à l'intérieur du véhicule. Seth serrait le précieux cahier. Le moteur hurla, et la voiture se retira par la large blessure qu'elle avait faite au flanc du Carrasco, comme un iceberg au flanc du *Titanic.*

Ce ne fut qu'au moment où ils roulaient vers l'aéroport qu'Adam posa tout haut la question que chacun retournait dans sa tête :

« Mais comment ont-ils pu savoir qu'on était au Carrasco ? »

Ève, qui conduisait à cent trente à l'heure, eut un petit ricanement.

« À vrai dire, je ne vois qu'une seule personne qui ait pu nous donner. Madame ta mère. »

Adam, 5

EH BIEN, le « traitement » de Seth m'a fait du bien, si peu vraisemblable que cela soit. Les fièvres, l'aphasie, et aussi les polynévrites obsédantes qui me tenaillaient les pieds et les genoux ont brutalement régressé. Je n'ai presque plus d'herpès ni de candidose dans la bouche : une vraie résurrection.

Ma mère avait quitté Buenos Aires pour Mar del Plata ; impossible d'avoir une explication avec elle, à propos de son « indiscrétion », ou de cette trahison, puisque je l'avais prévenue qu'il ne fallait pas donner notre adresse. Quant au secret de mes origines, il s'enfonce en un passé muet ; et à mesure que j'en sais plus, j'en sais moins.

L'avion, à nouveau ; le grand goéland d'argent de l'Aerolineas argentinas nous a menés d'un coup d'aile de Montevideo à Dakar. Une idée de Seth, ce voyage africain. Mon certificat médical a encore fait merveille à la douane, où on nous a quasiment rendu les honneurs militaires. En Afrique, c'était l'idée, les deux Américains qui nous pistent seraient plus perdus, et plus repérables à distance ; si du moins les deux exécuteurs testamentaires de Boy ne renonçaient pas à leur gibier.

C'est Seth qui a traîné les valises trop lourdes d'Ève. Et c'est lui qui nous a proposé d'aller nous cacher quelque temps au creux de la jungle, dans cette Casamance, terre de ses ancêtres, qu'il rêvait depuis toujours de connaître.

Nous avons pris un charmant petit vapeur, avec des cabines qui donnaient sur un pont orné de colonnettes de fonte en style colonial. En trois jours, il nous amena, en remontant le fleuve Casamance, jusqu'à Ziguinchor, que les indigènes nomment Bamiléké. Ce ne sont que trois ou quatre blocs entre les baobabs, d'où pendent, comme des fruits bruyants, les nids des oiseaux-tisserands. L'hôtel Aubert, tenu par un Français grognon, proposait imperturbablement son bœuf (d'antilope) aux carottes (d'igname), avec du Vichy authentique.

Que fuyions-nous ainsi de continent en continent ? Nos poursuivants, la maladie, le pourquoi de notre origine ? La 4 L Renault louée à prix d'or prit la piste de latérite rouge ; des arbres à pain, des palmiers-éventails, des fromagers coulant comme des camemberts la serraient à l'étouffer ; çà et là, un fétiche abandonné pourrissait lentement au coin d'un champ de goyaves, débris informe entouré d'un sac de toile et accroché à une branche, dérisoire protection que personne ne renouvelait. Les grandes cases rondes, en terre rouge, étaient abandonnées elles aussi. Les toits en feuilles de bananiers, incendiés, laissaient à découvert les greniers où s'entassait autrefois le riz fumé ; des grains avaient germé, et repoussaient déjà entre les poutres, verte moisson aérienne. Nous buvions du vin de palme, qu'un adolescent, monté en crabe au sommet des arbres, récoltait pour nous dans une calebasse ou une demi-noix de coco, à l'endroit où, la veille, il avait incisé d'un coup de machette la base d'un régime de fruits.

L'enfant nous raconta par gestes la guerre qui venait de ravager le pays. Les tribus de la Guinée portugaise, jalouses de la prospérité millénaire du beau peuple diola, avaient lancé contre les grands et pacifiques Casamançais les hordes en uniforme olive d'un prétendu Front de Libération de la Casamance. L'armée régulière en avait profité pour piller à son tour. Les rois de la jungle, vieillards impuissants, avaient en vain exhumé du creux des arbres à sortilèges les masques antiques et les pagnes de cérémonie. Les hommes, juste vêtus d'un os dans les cheveux et de pompons rouges aux chevilles et à la taille, s'étaient fait écraser à la mitraillette est-allemande. Et tous les villages, tous les cousins de Seth avaient péri ou émigré. Il n'y avait plus rien à manger, plus d'eau ; les Guinéens, en se retirant, avaient fait sauter les puits. Les réfugiés s'étaient entassés sur le bord de la mer, en espérant un secours qui viendrait d'au-delà des eaux. Leurs tentes en peau de zébu s'étendaient sous les cocotiers du rivage, au cap Skirring, du moins dans la partie que n'occupaient pas les planches à voile et les transats d'un Club Méditerranée, assez orgueilleusement installé en ce bout du monde.

Ce club était entièrement cerné de cactus épais, où des enfants au gros ventre venaient s'empaler chaque nuit, parce qu'ils voulaient atteindre la décharge des cuisines. Plus une goutte d'eau ; nous fûmes bien obligés d'en passer par leurs fourches caudines, ici représentées par un porche en bois façon western, fortement gardé, où une inscription au fer à souder proclamait devant l'océan et les réfugiés : « Interdit aux indigènes. »

Notre similitude nous servit une fois de plus : on nous donna un bungalow familial, où un sublime cabinet de douche délivrait des tonnes d'eau à peine saumâtre. Et ma fièvre, excitée par le climat, et par cette haine bonasse, muette, qui entourait le camp, reprit de la vigueur. Les femmes, accroupies dans la poussière, branlaient machinalement des pilons inutiles, les petits commerçants ruinés en djellaba souillée pleuraient devant leurs étals misérables faits de bidons soudés, et à présent vides de toute nourriture ; même les « guides » improvisés n'avaient plus rien à faire visiter.

Ma fièvre monta. Ève m'épongeait le front. Seth préparait des infusions. Dehors, au loin, les enfants suppliaient. Au centre du club, une pétarade et une fanfare déchiraient l'air de midi. Sur un buffet haut comme une cathédrale, des jambons en gelée dégoulinante, des homards nageant dans la mayonnaise, des quenelles qui ressemblaient à des étrons blancs, des tartes dont les flancs craquaient sous la poussée de la crème, des asperges blettes et des montagnes de choucroute suaient au soleil. Le Club célébrait un déjeuner alsacien.

Les animateurs, en sabots et blouse régionale, les animatrices, en tablier noir avec des nœuds de satin noir dans les cheveux, dansaient des bourrées autour des tables. La choucroute fumante, le vin d'Alsace, les chapelets de saucisses empuantissaient la poussière jusqu'au bidonville. Et de grands haut-parleurs portaient cette insolente gaieté jusqu'au sommet des palmiers, faisant fuir des régiments de singes attirés par l'odeur.

Pas d'eau pour les Noirs, mais de la choucroute à volonté pour les Blancs. Nous emplîmes nos assiettes, non sans avoir dû justifier la présence de Seth, qui vomit son repas dès que nous fûmes à l'abri.

Dans le ciel lourd, chargé de cumulus, un chuintement annonça l'arrivée d'un avion. Délaissant le buffet coulant, les touristes se précipitèrent vers le petit aéroport situé à l'intérieur du quadrilatère sacré formé par le club. Le courrier de Dakar était leur seule distraction, en ce lieu où tout était fait pour les distraire.

Bien que n'attendant rien ni personne, nous suivîmes le mouvement. Et bien nous en prit. Qui débarquait lourdement, ébranlant la frêle passerelle ? Nos deux amis du Carrasco, affublés de lunettes noires, lui avec un pansement et elle portant un étui genre contrebasse qui cliquetait dangereusement.

J'attrapai Ève et Seth par la main, et les forçai à s'éloigner de la piste. La 4 L brûlante et pleine de mouches nous attendait patiemment. Il fallait reprendre notre vie d'errance.

Et je fonçai dans le mur vert de la jungle, sur la piste noyée de poussière rouge, tandis que derrière nous le chœur endiablé des vacanciers reprenait à pleins poumons :

« En passant par la Lorraine, avec mes sabots... »

Les fiches d'hôtel, les contrats de location, les billets d'avion, tout nous dénonçait, faute de faux papiers ; il fallait dormir à la belle étoile, marcher à pied. Notre simple présence, ce couple quasi jumeau et leur serviteur noir, déclenchait une curiosité sympathique, mais risquée pour notre anonymat ; notre trace était trop facile à retrouver. C'est Ève qui parla la première de rentrer en France ; les journaux faisaient état de nouveaux médicaments. Seth voulait connaître Paris. Il était temps de faire demi-tour.

L'été perpétuel, l'année aux Antilles, puis la belle saison australe, puis la saison sèche au Sénégal avaient aussi une fin. En France, les marronniers lâcheraient bientôt leurs bogues hérissées, et les enfants qui courbent sous un cartable trop lourd prenaient tout pensifs le chemin de l'école.

Comment rentrer ? Nous aurions pu nous séparer pour brouiller la piste, mais cette solution nous répugnait. Ce fut Seth qui nous sauva ; il avait un de ses cousins à la deux centième génération, dont ses parents parlaient souvent comme d'un homme très important, car il était gardien du musée de l'Esclavage de l'îlot de Gorée, face au port de Dakar. Cyprien-Seth lui avait écrit tous les ans pour la Noël, il ne doutait pas de son accueil.

L'îlot, hors le musée, n'avait rien d'autre à visiter que les magasins socialistes, qui débitaient des portraits du Président comme produit de première nécessité. En recevant son jeune cousin, qu'il salua à grands coups de claques dans le dos, le cousin de Seth, un vieux nommé

Nabucco, manifesta un plaisir exubérant. Nous logerions dans les anciennes cellules des esclaves, entassés là dans l'attente des bateaux négriers. On pouvait encore sentir leur odeur, aux murs et sur les chaînes soigneusement conservées. Mais ma gêne n'était partagée par aucun de mes deux compagnons.

Ce lieu de misère, où avaient pleuré, crié, supplié et souffert tant de victimes de la cupidité blanche, ne leur suggérait, que de la fierté chez Seth, et de l'amusement chez Ève.

Elle se leva aux aurores, le lendemain, et disparut toute la journée. À son retour, tandis que Nabucco culpabilisait un régiment d'Américains venus d'une croisière, elle nous entraîna à part et chuchota, très excitée :

« J'ai trouvé la solution. Nous allons rentrer en bateau... à voile. »

Je regrettai de lui avoir, à Saint John, raconté mes expériences de régates.

« Soit. Mais nous n'avons pas de bateau, et je suis le seul à m'y connaître un peu...

— Seth sait naviguer en barque. Un voilier, c'est une grosse barque Pas de douane, pas d'immigration, pas de déclaration. »

Seth était complètement séduit. Mais quel bateau ?

« Il y a un joli ketch, au port, un douze mètres en métal. Je l'ai repéré. »

Je connaissais la façon dont Ève « repérait ». Elle s'appropriait mentalement l'objet de son désir, le tirait vers son propre espace. Le bateau s'appelait *Amaryllis,* et appartenait à un riche dentiste français de Dakar, qui l'avait stationné là. Il ne s'en servait pas, nous dit Nabucco. Mais il était entretenu à la perfection, les voiles de nylon roulées à l'avant, les cuivres des winches et les poulies brillantes et polies, les cordages enroulés comme des rouleaux de réglisse, et les cartes punaisées sur la table du capitaine, à côté du sonar et du poste radio. Des conserves, un réchaud à balancier, dont il fallait actionner la poignée à plusieurs reprises pour en gazéifier le kerdane, complétaient l'équipement.

Nous attaquâmes notre proie dès la nuit tombée. Le gardien du port, voyant des Blancs à bord, ne manifesta aucune suspicion. Seth, d'un coup d'épaule, ouvrit la porte de la cabine. Le moteur partit à sa première sollicitation, barbotant dans l'eau noire de Gorée. Une amarre à dénouer, et cap au nord-ouest, près du vent.

J'avais appris autrefois à faire le point avec un radiogoniomètre comme celui dont nous étions équipés. On repère trois stations-phares, dans trois directions différentes ; une fois soustraite la déclinaison, l'intersection des trois droites donne la position du bateau. Seth s'occupait du moteur ; à moitié nu dans l'huile de vidange, il serrait les écrous avec la joie d'un mécanicien-né.

Comme nous marchions très près du vent, un fort clapot, au début, faisait tressauter et taper le nez de notre embarcation. Ève ouvrait des boîtes, ou descendait lire à la cale, où elle avait placé ses précieuses valises, ce long réduit situé sous le plancher étant l'endroit le plus stable du bateau. Elle remontait néanmoins le teint vert, vu le manque d'air frais.

On apprend vite, sur mer. Certes, nous ne savions pas la différence entre élingues, écoutes et autres bouts de câbles ; mais nous progressions tous les jours. Nous raclâmes consciencieusement le banc d'Arguin, non loin du cap où les ancêtres de Seth, profitant des échouages, tentaient d'échapper à la nage à leurs négriers. Enfin, passé les pointes de diamant des îles du Cap-Vert, avec notre unique foc, car nous n'avions pas réussi à hisser la grand-voile, les drisses s'étant emmêlées dès le premier jour, et l'aide du moteur, nous avons mis le cap sur l'Europe.

L'Europe : une autre raison, que je ne confiais à

personne, m'y ramenait. De nouvelles douleurs, des brûlures dans la tête, m'inquiétaient au plus haut point. Une tumeur au cerveau, ou une méningite virale me menaçaient probablement. Je savais que c'étaient les signes de l'étape finale. Il me fallait organiser la survie d'Ève, lui trouver un emploi, un domicile. Ce qui était admissible pour moi, la mort au coin d'une rue ou d'un quai, je ne pouvais le lui imposer à elle.

Cap sur l'Europe... C'était du moins ce que nous croyions. Il nous fallut près d'une semaine, et l'arrivée devant le pic de Ténériffe, merveilleuse pointe enneigée dans l'azur transparent, pour comprendre notre erreur. La goniométrie est un art difficile sur un bateau en métal. Un navigateur anglais, croisé devant Las Palmas, rectifia mes idées. Il fallait être patient, tourner plus lentement le bouton de repérage, et le bâton métallique qui composait, avec le casque d'écoute, le matériel. Et surtout il fallait toujours prendre les mesures au même endroit du bateau, et calculer la correction magnétique due à la masse métallique...

Nous n'osâmes pas relâcher aux Canaries, et d'ailleurs il nous restait un peu de fuel pour les futures manœuvres portuaires. La météo continuait de nous être favorable. Les alizés, qui nous poussaient à l'ouest, nous rapprochaient tout de même de la pointe de l'Espagne, à condition de ne pas la manquer, et de naviguer vent de travers.

Les premiers jours, Seth pêchait à l'arrière, et les maquereaux brillants, les bars splendides jaillissaient hors de l'eau à son appel. Parfois, un dauphin, en se jouant, happait au passage notre déjeuner. Je barrais avec un seau en plastique accroché sous mon cou, car mes crises se traduisaient par d'épouvantables contractions d'estomac, qui me faisaient rejeter une bile amère.

La radio annonçait une « mer belle », c'est-à-dire agitée, dans la zone SOL, le golfe de Gascogne. Je proposai de tirer une ligne d'un cap Finisterre (Espagne) à l'autre (Bretagne), en échappant ainsi au « pot au noir » qui s'accumulait dans la baie. Notre coque étant à bouchains, c'est-à-dire à angles, vifs, elle fendait l'eau, appuyée sur son propre flanc, comme un ski trace dans la poudreuse.

Le septième matin, alors que je guettais les signaux radio, je notai un changement dans la couleur de l'eau. Elle était devenue verte, avec de grandes taches d'écume blanche qui dérivaient. Et l'avant se remit à cogner. Seth, à genoux sur le pont, priait sans discontinuer la Vierge Yemanja, déesse de la mer, qu'adorent les Brésiliens en allumant des bougies sur les plages, et qui n'est autre que Marie mère du Christ ; il sentait venir le grain.

Et ce fut la neuvième nuit. Nous n'avancions presque plus, et nous balancions lentement sous la lune. La lueur verte émanée du compas, boule de verre hémisphérique où l'on croyait voir, comme dans les souvenirs pour touristes, tomber la neige sur quelque arc de triomphe, baignait le visage de Seth, blotti près de moi. Son odeur épicée embaumait la nuit. La mer, se soulevant et s'abaissant comme le sein d'une déesse endormie, nous portait paresseusement ; tout ce calme épandu sous les étoiles n'aurait pas trompé un vrai marin. Le foc faseyait doucement, et la grand-voile, que nous avions fini par hisser à demi, et hors du mât, s'affaissait en masquant la moitié du ciel noir. Un petit bruit, comme celui de dominos qui s'entrechoquent, soulignait la quiétude du moment ; c'étaient les dents de Seth, atteint d'un tremblement irrépressible. Il se jeta soudain à mes genoux.

« Ne m'abandonnez pas sur un rocher pour satisfaire Yemanja ! »

C'était le sort des nègres que les équipages débarquaient avec « un couteau, un quart d'eau et une livre de biscuits », comme le rapportent les anciens récits. J'eus le tort de rire ; Seth était on ne peut plus sérieux. Puis je m'inquiétai, car son front était bouillant. J'appelai Ève, mais Seth ne voulait pas aller se coucher. L'odieuse pensée de la contamination me poursuivait ; et cet innocent enfant d'Uruguay avait bien pu choper mon mal. Alors que je ruminais ces tristes pensées, une douleur épouvantable me ravagea les intestins. Je me tâtai le ventre ; la nausée s'amplifia. Le mouvement de la mer lui-même me faisait imaginer de monstrueuses délivrances ensanglantées. Je suais à mon tour, à grosses gouttes ; j'avais l'impression d'être enceint d'un bébé baleine. Et comme deux malheurs n'arrivent jamais seuls, au moment où les contractions devenaient épouvantables, j'entendis Ève pousser un cri d'étonnement douloureux. Elle aussi éprouvait des souffrances dans la région du ventre. Ce n'était pas un empoisonnement ; ses fringales, ses vertiges avaient une autre origine.

Ce fut le moment que la tempête choisit pour s'abattre sur notre petit vaisseau, dont tout l'équipage gisait sur le flanc, gémissant et brisé. Le vent se mit à hurler dans les haubans, la coque s'inclina au point que le fanal vert de tribord plongeait dans l'eau ; et je crus voir, derrière le mascaret qui nous courait après sans nous rattraper, puisqu'il nous poussait en avant, les monstres de la mer assemblés, nous guettant de leurs grands yeux vagues et globuleux : méduses en corolles, qui se riaient des embruns, seiches debout sur leur os, hippocampes en cavalcade, congres géants parcourus d'étincelles électriques, pieuvres patientes aux ventouses suceuses...

Dans l'eau froide de l'Atlantique, un nageur ne peut vivre plus d'une heure. Je me répétais cette règle lue dans les manuels d'instructions. Chaque fois que je tournais la tête, je pensais voir s'écrouler sur nous la vague écumeuse, mur d'eau à présent gris et noir, qui allait à chaque instant, mais chaque instant à son tour se défilait vers le suivant, déclencher une catastrophe incessamment repoussée. Des éclairs zébraient notre coque métallique.

Le bateau était solide, et peinait courageusement ; le clapot, à l'avant, le soumettait à rude épreuve. Je secouai mon équipage bien mal en point pour prendre des ris, et abattre le foc. Il fallait éviter que le vent ne s'engouffre dans les toiles détendues, et arrêter le mouvement de pendule de la bôme. Nous étions à présent vent arrière, et pouvions empanner à chaque seconde. L'hésitation du bateau se sentait à la barre ; il bondissait en se rapprochant du vent, puis se relâchait comme un sphincter, en crachant l'eau qui avait pénétré par ses sabords.

À un moment, Seth dut m'arracher la barre ; j'avais laissé notre embarcation prendre trop de gîte, en remontant au vent. Le bateau faillit verser, il tournait sur lui-même comme une toupie. De Seth, je ne distinguais plus que les dents blanches et la bouche ouverte qui hurlait dans la nuit. Nous avions endossé les gilets, attachés par un filin d'acier sur lequel coulissaient des manilles qui nous donnaient du champ. Je connaissais la manœuvre, et l'effectuais par réflexe : quand la vague soulevait la coque, le navire abattait, et je tirais la barre vers moi comme un forcené pour remonter au vent dès que je sentais l'hésitation de la proue, pour prendre de biais la masse liquide, mais aussi éviter de lui présenter le flanc. Les cris de Seth, les sifflements du vent, le cafouillage de la radio sur laquelle Ève tentait un SOS engendraient une panique indescriptible.

Pour pouvoir replier correctement les voiles, j'attachai la barre ; le pilote automatique, un système raffiné de poids et de contrepoids, ne servait plus à rien dans la tempête. Il n'y avait plus qu'à attendre. Nous avions tous trois, devant l'imminence du danger, oublié nos maux respectifs. Ils revinrent aussitôt à la charge. La mer démontée, par moments, paraissait devoir se fatiguer. C'était une ruse méchante ; à peine le coin de calme passé, elle reprenait avec furie, en frappant rageusement le métal, en faisant grincer les soudures, en épuisant l'espoir ; le jour entier passa sans que nous en ayons eu conscience.

Salés et trempés jusqu'à l'os, nous ne pouvions plus que nous coucher et prier, tous les trois malades comme des chiens. La pluie s'était arrêtée, mais le mouvement de la mer, provoqué par le gigantesque battement, à des milliers de milles, de l'ouragan, se renforçait d'heure en heure.

La seule cabine à peu près sèche était celle de l'arrière, si l'on peut appeler cabine un rectangle de deux mètres sur deux, coincé sous le pont, auquel on accédait directement par un trou d'homme. Elle était entièrement tapissée de mousse rose, une idée libidineuse des propriétaires. À peine y étions-nous étendus que je posai ma main sur le ventre d'Ève, gonflé de douleur ; ses contractions se calmèrent. À droite, le corps de Seth vibrait dans l'obscurité ; dans la paume de mon autre main, reposait son sexe. Les chocs de l'étrave, les remue-ménage de notre course folle, le tangage nous jetaient l'un sur l'autre. Quand le navire se cabrait, je sentais Seth se cabrer aussi ; emmêlés comme pour mourir là, enlacés comme des poulpes par nos douze membres, nous nous apprêtions à couler ensemble, accolés en plein amour, jusqu'aux plaines silencieuses de la verte forêt marine.

Et par le trou dans le pont, dont le plastique brisé colorait de rose un ciel qui se dégageait, je vis passer, impérial, lent, blanc, l'œil fouailleur, notre premier goéland.

« Terre ! »

Cet oiseau apportait avec lui la terre.

Si Seth n'avait pas goûté au fruit défendu, je n'aurais pas pensé à descendre à la cale. Mais quand je le vis remonter, le nez blanchi de poudre, riant à perdre haleine, escaladant en chancelant la petite échelle de bois verni, son mal, ainsi que les longues absences d'Ève en ce trou malodorant me furent clairement expliqués.

Ève, pour l'instant, était restée couchée, en se tenant le ventre, parcourue de spasmes. Moi-même j'avais une fringale, qu'accompagnaient des bouffées de chaleur, que je n'avais pas connues dans ma maladie. On aurait dit que je partageais avec Ève sa pénible attente.

Je descendis à mon tour ; Seth me suivait d'un air craintif et me montra la grande valise de cuir qu'Ève avait achetée à Saint John. Le couvercle n'avait pas résisté aux chocs ; des centaines de sachets en plastique transparent, pleins d'une sorte de sucre glace, jonchaient la cale, arrachés au double fond du bagage truqué. Seth mit un doigt, qu'il avait humecté de salive, dans le produit, et me le tendit à goûter. C'était amer, si amer que ça emportait la gueule, tout en glaçant les papilles, en les anesthésiant. Cela remontait dans les dents de devant, insensibilisant au passage le haut du palais ; et ça donnait une immense envie de rire.

Mais moi je riais jaune. Ainsi, pendant tout ce voyage, Ève m'avait fait trimbaler de la drogue. Et à présent, elle comptait sur moi pour la faire parvenir en France. C'était moins l'immoralité qui me choquait (encore que les drogues dures m'eussent de longue date terrifié) que cette façon cynique de m'utiliser, sans me le dire ; elle savait que j'étais prêt à tout, mais n'avait pas confiance, ou ne voulait pas partager.

Je n'avais été, moi et ma maladie, qu'un passeur de drogue. Ève était inexcusable ; en cas d'incident, elle aurait tout rejeté sur moi. Le paradis de notre complicité devenait l'enfer de la complicité criminelle. Quelle vraisemblance, face à un juge, auraient eu mes dénégations ? Moi qui avais si peu à vivre, ne me serais-je pas sacrifié ?

Je remontai, absolument furieux. Ève s'était endormie ; il était très rare que nos rythmes de sommeil ne coïncidassent pas. D'ordinaire, quand je bâillais ou fermais les yeux, elle s'endormait. Je saisis la jeune épaule nue, bronzée, et la secouai :

« J'ai tout vu, je sais pourquoi ce pauvre Boy est mort... »

Elle ne m'avait pas entendu, elle s'éveillait péniblement, en cherchant ses idées. Quand elle vit mon visage bouleversé, elle s'écria :

« Tu as enfin compris ! Je ne voulais pas te le dire... »

Je pris cette réponse pour une ruse de dernière minute.

« Perverse ! Ne pas me le dire ! Me le cacher soigneusement, oui... »

Les gros yeux de Seth couraient de l'un à l'autre, cherchant sur nos lèvres contractées, si exactement pareilles, le secret de la dispute. Ève reprit d'un ton innocent :

« Pourquoi es-tu furieux ? Tu ne m'as jamais demandé si je prenais la pilule. Pour toi, ça allait de soi... »

Interloqué, je sentis la conversation devenir surréaliste..

Ève reprit les rênes :

« Cela ne te fait pas plaisir, d'être bientôt père ? À moins que tu aies découvert autre chose... »

Elle avait l'air très satisfaite, et se caressait le ventre. L'illumination nous frappa tous deux en même temps ; la vérité souvent naît d'un double malentendu. Devant cette nouvelle bêtise (je savais, moi, que les personnes contaminées risquaient gros à accoucher), la drogue et la façon dont elle avait usé de moi passèrent au second plan.

« Tu es folle à lier ! Tu sais le virus que je porte ? Ne dis pas que...

— Mais si. Je suis enceinte depuis quinze semaines. »

DERNIER TEMPS

La Pitié, 1

Il est à Paris un nom que même les chauffeurs de taxi n'entendent pas sans un léger malaise, un triste et beau nom qui geint comme une plainte. Ce nom, c'est : « la Pitié ».

Adossé au boulevard, cerné par le métro aérien, d'un côté, Saint-Marcel, de l'autre, Chevaleret, borné de terrains vagues où croupissent, parmi les herbes folles et les flaques boueuses, les chantiers d'un interminable agrandissement, non loin du fleuve, où autrefois de longues barges plates, pilotées par les Charon de la Seine, faisaient passer les corps du bureau hospitalier des Décès à la morgue, juste en face ; repoussé du bord de la rivière, plus tard, par la clameur des locomotives de la gare d'Austerlitz, l'hôpital de la Pitié-Salpêtrière est une ville à soi tout seul.

Ces vieux murs décrépis, ces statues de professeurs, de vaccinateurs émérites, de chirurgiens célèbres, aux orbites vides, ces porches déserts aux croix effacées, ces terre-pleins plantés de cannas rouges comme des lèvres de femme fatale sont enduits, nourris, abreuvés du sang, des sueurs, des fièvres des pauvres malades qui ont vécu là leurs derniers instants.

La Pitié. Ce nom résonne comme un gong, un glas, glace le cœur et fait pleurer les familles. La Salpêtrière, cet autre nom du malheur crépite comme une exécution de déserteur. La Pitié-Salpêtrière, c'est aussi la paix des fusillés. Le salpêtre n'est-il pas un des constituants de la poudre à canon ?

Depuis longtemps, le docteur Samael ne prêtait plus attention à ces noms pourtant évocateurs. Il accéléra la courbe savante de sa puissante machine, une moto Honda 1200 à silencieux, en passant devant la chapelle de l'hôpital. Cette chapelle était une cathédrale ; l'énorme édifice baroque aux cinq nefs, tendues comme cinq doigts écartés pour saisir tous les alités du double hôpital, était déjà ouvert. Un très vieux prêtre, à l'accent du Midi, y disait la messe dans un coin moins glacial et délabré, à l'usage d'une douzaine d'infirmières martiniquaises et de leurs malades, qui amenaient là la foi des perfusés, la confiance des transfusés, retenus à cette terre par le seul cordon ombilical de plastique qui pendait d'une bouteille suspendue à leur siège roulant.

Samael prit le dernier tournant en rasant les ormes du Mail, fierté des Salpêtriens. Devant l'autre sortie, comme si tout l'hôpital s'était ligué contre lui et eût presque réussi à l'expulser comme corps étranger, le pavillon des Maladies tropicales dressait son architecture moderniste aux innombrables baies de verre.

Le pavillon Lavedan, on l'appelle ainsi du nom de son fondateur, décédé d'un pian contracté en Côte-d'Ivoire, ce conservatoire naturel des bactéries, le pavillon donc commençait à s'éveiller.

Il était six heures trente, et les chants des oiseaux vrillaient l'air froid de ce matin d'automne. Les infirmières retournaient les lits, les aides soignants raclaient le sol de leur balai-éponge, et l'odeur âpre de la Javel, accompagnée par celle, plus douce, des désinfectants corporels, descendit de l'ascenseur à la rencontre de Samael.

L'une des deux odeurs était plutôt Salpé, comme disaient les externes pour faire affranchis, et l'autre Pitié.

Ce désinfectant à la douceâtre coloration rose donnait à toutes les mains la même netteté aseptisée. Mais, sous l'apparence de l'hygiène, Samael ne le savait que trop, que d'approximations ! Certains murs de toilettes étaient couverts d'excréments séchés et durcis ; les thermomètres n'étaient pas souvent changés... Samael chassa ces idées noires de son esprit ; une rude journée débutait.

Pourtant, la Salpêtrière était maniaque de la Javel. On en mettait jusque dans l'alimentation des malades. On en vaporisait dans les climatiseurs. Par esprit d'indépendance, la Pitié manifestait la tendance contraire. Encore un effet de cette concurrence tenace, cette querelle qui rappelait les reproches aigres que s'adressent les vieilles hospitalisées, d'un banc du jardin à l'autre. Des pancartes disposées aux entrées de ce Berlin sanitaire que Samael fréquentait depuis vingt ans, terrorisaient les patients et les passants. « Attention, vous entrez dans le secteur Pitié », avertissaient-elles sévèrement (ou l'inverse, dans le secteur Salpêtrière, suivant le sens).

« Lasciate ogni speranza, voi ch'entrate ! » À peine si la Pitié ne faisait pas tirer sur les fuyards qui la quittaient pour la Salpêtrière.

La double monarchie, à l'austro-hongroise, entre-deux administratif, permettait l'éclosion de mille mesquineries, d'un service des admissions à l'autre. On parlait d'une ambulance de la Pitié qui avait jeté son client parce qu'il allait à la Salpé, d'une nurse de la Salpêtrière qui avait refusé de transmettre un bébé moribond au service compétent de la Pitié. Tout cela était absurde. À l'hôpital, on vit, on meurt, on aime et on hait. On y commence la vie, on l'y clôt. Plus personne ne meurt ni ne naît chez soi. De tels rituels devraient élever les esprits, mais le petit personnel, qui espionnait la guerre des chefs entre services, étages, professeurs et docteurs, apprenait peu à peu l'indifférence et le laisser-aller. Après tout, eux aussi avaient leur petite vie dans l'hôpital.

Il ouvrit la porte de son bureau avec sa carte d'identité magnétique. On n'avait pas assez d'argent pour de nouveaux cathéters, moins douloureux, mais on en avait pour ce gadget. Encore une idée de Paolini, le chef de service. Il se prenait pour Dieu, un dieu électronique.

Professeur : sans se l'avouer (quelle diminution, quel racornissement de ses ambitions premières de Prométhée des bacilles !), Samael souffrait de ne pas être, comme Paolini, professeur. Ces hommes, dévoués des années durant à la plus belle des causes, qui côtoient la déréliction, la mort, et le désespoir, qui trouvent toujours un mot de soutien pour le malade au front fiévreux, en robe de chambre, croisé dans un couloir, sacrifieraient bien des vertus pour un hochet dérisoire, et qu'ils savent dérisoire, un bicorne d'académicien, un titre ronflant, une décoration. Heureuse compensation à l'excès même de leur puissance, eux dont les mains soignées et les stylos d'écaille distribuent quotidiennement la vie et la mort ! Au moins, revenus de tout, endurcis ou congelés par leur bain de souffrances, croient-ils sans y croire à ces témoignages obscènes de reconnaissance, en marquant par cette faiblesse humaine la limite de leur tout-pouvoir. Paolini, et cela suffira à le décrire, laissait tomber ses clés devant Samael pour l'obliger à les ramasser devant tout le service.

Paolini était professeur gros comme le bras, et membre de plusieurs cénacles savants. Les académiciens lui envoyaient leurs ouvrages dédicacés, lentes digestions d'humanisme et de sens du devoir. On n'envoyait pas de livres à Samael, sauf, de-ci de-là, un malade reconnaissant. Samael avait pour lui les infirmières, qui l'adoraient, ses malades, ce troupeau obéissant qu'il gouvernait comme un pacha, entre deux rires et deux tapes dans le dos, et qui lui manifestait une confiance, un abandon absolus.

Il faut dire qu'en choisissant ce pavillon, et cette

spécialité virale, née il y avait cinq ans, le jeune docteur ambitieux avait jeté très loin le bouchon.

Il se demandait parfois avec anxiété si ses forces tiendraient jusqu'au but assigné, la première guérison. Elle avait tellement reculé, cette première guérison, dans son esprit, jusqu'à devenir un quasi-mirage... Un malade, se souvint-il, avait une fois demandé à l'un de ses assistants quel effet cela faisait de s'occuper de patients tous voués à mourir très vite. Sûr que ça faisait un effet, se dit-il en s'essuyant les mains, après s'être lavé au fameux désinfectant.

Samael était l'homme de toutes les expériences. Rien à perdre, tout à gagner à essayer ; il n'avait peur d'aucune audace, sauf celle qui aurait fait souffrir pour rien un malade. Il avait une réputation de fonceur ; c'est ce que Paolini, éternel temporisateur, lui reprochait au fond ; de faire sortir et rentrer les malades trop vite. Un vrai tournis. Et puis, dans ce bâtiment voués aux tropiques, il aurait bien aimé se mettre de temps à autre un bon vieux paludisme sous la dent, au lieu de ces virus modernistes et mutants aux infections multiples qui entouraient comme une garde invisible le docteur Samael.

Ce dernier ouvrit le dossier placé sur son bureau. Il était venu plus tôt pour en assimiler la substance ; lui qui avait de la peine à se lever, il arrivait maintenant avant l'heure des consultations ; il maigrissait sur les radios, annotait les prises de sang, fouillait dans les revues médicales. La passion qu'il éprouvait pour son travail lui réchauffa le cœur. Au moins, il ne se sentait pas inutile. La vie, l'amour, la mort : sa carrière tout entière tenait entre ces trois termes. Il avait commencé par la vie, au pavillon d'obstétrique, à deux ruelles de là. Et puis un obscur scandale, jamais bien élucidé (la seule gaffe de mon parcours, se dit-il amèrement), l'avait chassé de l'éden des poupons et des mères. Il avait, chose rare, réussi à changer de spécialité. L'obstétrique, pour se débarrasser de lui, l'avait envoyé soigner une jeune mère atteinte de septicémies multiples, à Claude-Bernard. Une jeune mère africaine. Il était ainsi passé de la fièvre puerpérale aux fièvres des marais du Congo. Et sa nouvelle affectation le mit en position, en 1981, de faire partie de l'équipe qui identifia le nouveau virus du LAV.

Mais le professorat restait désespérément lointain. Allait-il payer toute son existence une folie de jeunesse, un tube détourné ? Il n'y avait pas eu de dégâts. Le bébé était venu au monde normalement. Pas l'enfant de l'Africaine, celui du tube...

Une blague idiote d'étudiants. Il se remémora la visite de l'enfant, l'année précédente, ses questions indiscrètes ; il secoua ses longs cheveux bouclés et blond pâle, qu'il conservait par coquetterie, et se remit au travail. C'était le trop rare moment de paix qui précédait le coup de feu de sept heures, les sonnettes en folie, la cohue des prélèvements dans les chambres. Le service était notoirement trop petit pour le nombre de malades : cent quatorze, à ce jour, et le chiffre des nouveaux arrivants (une bonne douzaine par mois) doublait tous les six mois. On avait beau hospitaliser le moins possible, le seuil de rupture était proche. Paolini le savait, l'Assistance publique le savait, le ministère de la Santé le savait, l'Académie de médecine le savait, tout le monde le savait et personne ne bougeait.

Samael disposait de dix chambres, dont deux réservées aux urgences ; le cahier des charges de son service n'obligeait d'ailleurs en rien Paolini à faire de l'hospitalisation. Il était là pour analyser, chercher, conseiller les dirigeants africains en matière de politique de prévention, pas pour soigner. Alors, on trichait sur tout ; avec la complicité de la surveillante, Mme Gelin, et de l'infirmière de l'hôpital de jour, Mlle Le Behic, on dissimulait la misère aux patients, qui repartaient rassurés après avoir reçu leurs soins entre deux portes ; on les expédiait, presque en fraude, dans d'autres services ; on déménageait l'après-midi le malade entré le matin ; dans les couloirs ripolinés, qu'astiquaient paresseusement les employés de l'Assistance publique en blouse verte, la foule surpeuplait jusqu'au moindre recoin. Il aurait fallu au moins déplacer les vaccinations ; cette fonction, à laquelle Paolini tenait comme à la prunelle de ses yeux, drainait en ce lieu un cortège de jeunes femmes élégantes, de familles criardes, d'hommes d'affaires pressés, qui traversaient hautainement le hall, en instance de départ, et trichaient pour passer plus vite ; ils ne se rendaient pas compte des regards haineux, douloureux d'indignation, dont les mal-portants accompagnaient ces privilégiés exigeants.

Il avait ouvert le dossier 47711. Il le connaissait déjà, bien que n'ayant pas encore rencontré le patient. Il fallait parfois plusieurs mois pour parvenir à ce premier rendez-vous. Le système hospitalier, cette gigantesque machine à dossiers, à examens, à transferts, le voulait ainsi.

Cette première entrevue, il ne la voyait jamais venir sans angoisse ; le dossier, ça se contrôlait, se jaugeait, se jugeait. L'homme, ou la femme, la femme surtout, le déroutaient. Terrorisé à l'idée d'en trop dire, il était malgré lui méfiant, au début, froid, presque sec, pour éviter d'aller trop vite dans l'inévitable liaison affective du médecin et de son malade.

Ce dossier, par exemple, le 47711, il ne l'avait pas encore totalement lu. Ah, ces dossiers ! Bien des feuilles à scandale auraient aimé en connaître le contenu ; une star du comique, deux journalistes, plusieurs danseurs et même une religieuse carmélite y figuraient ; pour cette dernière, il avait fallu obtenir de ses supérieurs l'autorisation de rompre le silence, le jeûne et la claustration dans le cloître.

Les dossiers étaient conservés dans les anciennes cabines de déshabillage, réformées faute de place. Les malades se dénudaient directement devant les médecins. Paolini, dont on ne pouvait nier l'humanisme (il avait adopté vingt enfants de couleur, mosaïque qui ornait les pelouses de son château en Dordogne), avait fait don des siennes, de cabines. Quant aux noms des malades, ils se hurlaient à tue-tête, d'un étage à l'autre.

M. Manuel Artigas, avait écrit, en gros caractères bâtons, la main de l'employé du service des admissions. Il était argentin. C'était comme les Américains ; ils étaient encore assez nombreux dans le service, reste d'une vague de patients arrivés là sur la rumeur d'un médicament miracle, et progressivement devenus, en dépit de leur état, demi-faces bleues de Kaposi, maigreurs squelettiques, herpès à répétition, ganglions boursouflés, ou peut-être à cause de cet état, les mascottes de la maison.

Il y avait un petit problème avec la Sécurité sociale, qui connaissait le numéro de M. Artigas, mais pas sous ce nom. Quelle importance, d'ailleurs ? Comme la maladie était prise en charge à cent pour cent, les noms pouvaient valser ; certains d'entre eux étaient des pseudonymes.

À l'étage du dessus, les couloirs et les bureaux des labos étaient tapissés de photos très agrandies de l'ennemi : parasites africains aux pinces de homard, bactéries atypiques aux formes indécises, virus hérissés, vers blancs qu'un Noir tirait gravement de ses plaies, comme un spaghetti, en l'enroulant autour d'un bâtonnet, ainsi qu'on enroule le couvercle d'une boîte de sardines. Samael entendit le remue-ménage des chaises, le tintement des coupelles. On réglait les microscopes, on vidait les vieux tubes à essai. Et l'interphone sonna brutalement, en cassant la paix qu'il avait cru trouver.

Mettant de côté pour un instant ses hiéroglyphes, Samael leva la tête, quand il entendit la voix mielleuse de Paolini :

« Docteur, vous êtes là ? »

Il réfléchit rapidement que l'autre avait dû voir sa

moto, en bas. Sur un ton d'enfant gâté qui fait un caprice, Paolini insistait :

« Docteur, vous pouvez monter me voir ? »

On « montait » voir Paolini, ça ne se refusait pas. Samael était convaincu que cette histoire de moelle était venue aux oreilles du patron.

Il imaginait fort bien pourquoi Paolini tenait à la voir : cette affaire de donneur anonyme. M. Artigas du 47711, si secret, avait une parente qui avait consenti au prélèvement peut-être salvateur pour ledit Artigas, à condition que son anonymat à elle fût strictement préservé. C'était un tel problème, ces transferts de moelle, les donneurs étant fort rares, et les compatibilités encore plus, qu'on y avait consenti. Elle était venue et repartie le soir même, malgré la douleur. Il voyait d'ici le rictus de Paolini.

« C'est illégal, mon cher, complètement illégal... »

Oh, bien sûr, il « enterrerait ». Mais il continuerait une guérilla qui les opposait sur le moindre détail : la bouteille de vin laissée aux malades sous prétexte de convivialité, les permissions de sortie, auxquelles Paolini s'opposait en foudroyant le patient :

« Vous n'êtes pas bien, ici ? Vous vous reposez... »

Au fait, où était-elle, cette moelle ? Manquerait plus que les infirmières l'aient égarée. Il retourna le dossier, pas la moindre trace des photos ; on l'avait peut-être déjà congelée. Depuis son erreur en obstétrique, il détestait les congélateurs. Décidément, tout se perdait, à l'hôpital. Enfin un cliché d'un fragment agrandi au microscope tomba d'entre deux chemises.

En comparant le cliché avec celui de la moelle du malade, puis en lisant les analyses des spécialistes, Samael eut le plus beau choc de sa carrière. Il n'avait jamais vu le malade, absent depuis un an. Mais sa moelle était tout à fait remarquable. Ou plutôt les deux moelles mises ensemble. Non seulement elles étaient compatibles, ce qui le soulagea d'une anxiété ; mais elles étaient, ajoutait l'analyste, à tel point identiques qu'il se demandait si on ne lui avait pas, lors d'une erreur de manipulation, donné deux morceaux du même patient à examiner.

Ève avait installé Seth chez sa duègne féministe, avenue de Saxe, sous les regards mi-horrifiés, mi-alléchés des habitantes. Elle n'avait pas tout dit, on s'en doute, à son amant. En particulier, elle n'avait pas voulu quitter Buenos Aires sans un nouvel entretien avec la vieille dame, comme elle nommait la mère d'Adam. Celle-ci serait sans doute plus détendue en tête à tête ; il est des secrets qui ne se confient bien qu'entre femmes, quand le palais est englué de confiture de lait, et le corps alangui dans un canapé pur cuir.

Rentrée à Paris, se faire suivre, pour une grossesse à risques, à la Salpêtrière, ne fut pas difficile. Elle séduisit l'interne, et se trouva admise.

En tournant la tête, depuis l'endroit où on la convoquait pour les examens, au cinquième étage, elle pouvait distinguer le pavillon des Maladies tropicales. Mais elle ne s'y rendit qu'une fois, pour un prélèvement de moelle. Leur ressemblance aurait attiré l'attention, et elle ne voulait pas avorter, ce qui aurait été inévitable si on la suspectait de contamination, ni revoir Samael.

Toute la sienne, d'attention, était maintenant dirigée vers le petit être qui gonflait en elle, de semaine en semaine.

Après bien des hésitations, elle avait écrit à Anne et à Judith. Cet enfant-là n'aurait pas trop de deux grand-mères. Elles étaient accourues, tricotaient des layettes toute la journée dans la chambre où Ève se languissait, avenue de Saxe. Elles ne doutaient pas que leur enfant, abreuvée de féminisme, accouchât d'une fille. Par superstition, Ève refusait l'échographie, et les amniocentèses qui eussent révélé, outre le sexe de l'enfant, s'il était contaminé. Elle écrivit à Adam, qui lui répondit, son aphasie régressive n'étant heureusement pas devenue une agraphie. Mais le secret dont sa mère l'avait faite dépositaire, elle sentait qu'elle ne pouvait le lui confier, il ne lui appartenait pas. S'il la concernait, elle, Ève, il était propriété de la vieille dame, et celle-ci n'avait aucune raison de le tympaniser. Elle avait même toutes les raisons de le dissimuler ; et il avait fallu à Ève la diplomatie d'un vieux cardinal, d'un grand médecin, ou d'un avocat finassier, bref, d'une robe virile, pour l'arracher au silence.

Les secrets de famille sont de vigoureux bébés ; leur naissance, leur prime enfance les endurcissent pour la vie. Frau Muller, chez qui trente ans de bridge avec la mère d'Adam avaient accumulé des rancœurs inconscientes, avait lâché le morceau la première, en offrant à Ève un Apflestrudel carbonisé par Gertrude.

« Cette pauvre chérie, Mme Kadmon je veux dire, aimerait certainement mieux effacer ce temps-là. C'était cependant le bon temps... »

Frau Muller hennit un rire de gorge nostalgique. Dans ses yeux bleus délavés et myopes, passaient des reflets de bottes cambrées, de champagne et d'huîtres en compagnie d'officiers.

« Mon mari a rencontré votre grand-mère en Europe. C'était avant l'armistice. Il avait d'abord été chargé de récupérer les œuvres d'art françaises dignes du nid d'aigle que le Führer se faisait construire. C'est ainsi qu'il se fit des relations parmi les artistes et les écrivains. Quand il partit pour cette promenade dans l'Atlas d'où il n'est pas revenu... »

Un flot de larmes arrosa le gâteau. Ève se tamponna les yeux, pour montrer sa solidarité de femme. Le capitaine Muller avait disparu après la guerre, ayant passé sans encombre l'épuration, et ayant expédié son épouse à

Buenos Aires, aux bons soins de l'amicale nazie qui s'était formée là-bas.

« Herr Muller m'a laissé un petit carnet... Voyons, où ai-je pu le mettre ? »

Elle trottinait dans l'appartement sombre, ouvrait des tiroirs.

« Tenez, le voilà, lisez vous-même.

— Je pensais qu'Adam avait été adopté juste à la fin de la guerre, n'est-ce pas ce que sa mère disait ?

— Adopté... si l'on peut dire. Mais écoutez donc. »

C'était en allemand, et de surcroît en gothique sinistre et pointu, et décoré de swastikas noirs. Frau Muller chaussa ses lunettes et traduisit à livre ouvert.

« En résumé, il s'agit d'un carnet aide-mémoire pour les inscriptions de volontaires dans le projet Lebensborn. Vous savez bien, il y a eu tant de littérature à ce sujet ces dernières années ! »

Ève n'était pas, comme la vieille Allemande, capable de considérer Hitler comme un jeune homme doué qui avait mal tourné. Elle n'était pas contemporaine du Troisième Reich. Exilée depuis trente ans, Frau Muller faisait comme si Nuremberg n'existait pas.

« C'est ainsi que j'ai obtenu Gertrude, par Lebensborn. Mais c'est une autre histoire... Mon mari ne s'occupait pas directement du recrutement, on le consultait à titre d'expert esthétique, pour le choix des donneurs... Écoutez ce qu'il dit à propos de votre grand-mère, c'est tout à fait flatteur. " Ne saurait être donneuse, mais excellente reproductrice, flancs larges et solides, etc. " Il s'agissait de repeupler l'Europe, et le monde, ma chère petite, avec des individus sélectionnés parmi la race caucasienne...

— Et on a sélectionné Adam ainsi ?

— En effet, vous y êtes. Votre grand-mère, vous le savez, avait peu d'admiration pour votre grand-père le jésuite. Elle désirait depuis longtemps un enfant rien que pour elle, qu'elle aurait pu choisir comme elle choisissait ses bijoux ou ses robes, assortis à ses voitures. Et elle m'avait demandé d'user de mon influence auprès de mon mari. À voir Adam, je dois dire que je ne le regrette pas... »

Elle eut un autre rire de jument lubrique.

« Votre mère eut à sa disposition les catalogues des banques d'ovules de Lebensborn, rangés d'après les caractéristiques des géniteurs et grands-parents. Ah oui, j'ai oublié de vous le préciser, il s'agissait d'ovules fécondés et congelés, des ovules humains... »

Ève manqua tomber de sa chaise dans l'épais tapis de Boukhara. La nouvelle l'avait littéralement renversée.

« Voulez-vous dire qu'Adam est né d'une implantation artificielle, si j'ai bien compris ?

— Eh quoi, ma chérie, n'était-ce pas plus correct pour tout le monde ? Votre grand-mère reçut son ovule par le bateau frigorifique, le jour même où le général Perón, Dieu ait son âme, déclarait la guerre à l'Allemagne, c'est-à-dire au lendemain de la défaite du Reich. Et votre oncle est né en 46. Tout concorde ! Le service que lui avait rendu mon mari, car il le fit en secret de ses chefs, je dois dire qu'elle me le rendit au centuple ici. Si vous désirez une preuve, regardez ce carnet, à cette page. Il y a un numéro d'identification, celui du minuscule Adam, encore à l'état de germe, et un nom : Kadmon.

— Mais c'est du détournement d'ovule ! De la contrebande sur la naissance ! Quand Adam apprendra ça...

— Eh bien, ma petite, que fera-t-il ? Avez-vous bien réfléchi, avant de le désorienter ? Qu'a-t-il besoin de savoir ? Il vous aime, mon enfant, ça se voit tout de suite. Qu'avez-vous besoin de plus ? Ce qui m'échappe, je l'avoue, c'est le pourquoi de votre ressemblance. La main de Dieu, sans doute... »

Ève, si abasourdie qu'elle fût, donna raison à la vieille duègne. C'est bien plus tard, à l'hôpital, qu'elle prendra conscience de l'importance de cette révélation et la fera partager à Adam.

« Une dernière chose m'étonne. Comment les services de ce Lebensborn ont-ils pris ce vol d'ovule ? »

L'allemand d'Ève, appris avec Judith, lui faisait prononcer le mot « Lebensborn » de manière comique. Frau Muller eut un sourire indulgent.

« Cela, mon enfant, je l'ignore. Peut-être mon mari avait-il trouvé un moyen de le remplacer, de le dédoubler, alors qu'il voyageait déjà vers Buenos Aires. En le remplaçant par un autre, sans doute. D'après mon mari, on congelait les ovules fécondés de vache dès l'avant-guerre. Je veux parler de la vraie guerre, celle de 14. Et l'Argentine était très connue pour ses élevages. Peut-être l'ovule fut-il expédié comme embryon de vache .. De toute façon Adam est, à ma connaissance, l'un des très rares enfants nés du projet Lebensborn...

— Très rare, mais pas unique ?

— Nous sommes tous d'abord nés de Dieu, ma chérie », répondit la Muller en refermant son dentier, pour signifier que l'entretien était clos.

Ce jour-là, décidément, tout allait de travers, comme le faisait remarquer l'interne à madame la Surveillante, en se réconfortant d'un café tiède dans le petit bureau vitré de celle-ci. Les numérations avaient du retard, on se demande ce qu'ils fichaient, au quatrième. Les plaintes à propos de ce « service de fous » affluaient ici ; et beaucoup d'employés, à la Salpé comme à la Pitié, considéraient avec condescendance ces tapés de chez Paolini-Samael. Voilà-t-il pas que le patron lui-même descendait dans le service, pour la première fois depuis deux ans. Le professeur Grosminet, qui, avec ses moustaches grises et ses manières de velours, ressemblait tout à fait à un gros matou, était à un congrès en Malaisie à propos d'un virus local, une très jolie découverte d'ailleurs. C'était d'ordinaire lui ou le professeur Lelièvre, un grand duduche myope et timide, qui faisait la visite. Mais Lelièvre s'était fait porter malade.

La visite : cette cérémonie, qu'un jour la médecine, suivant la voie temporelle et désacralisante indiquée par la transformation du prêtre en psychiatre, finira par abandonner, ce rite quotidien toujours en retard (les assistants y avaient le ventre qui ronflait à force d'être vide, le martèlement des couverts de la cantine les rendait incapables d'émettre la moindre remarque) était pour Paolini une véritable jouissance. Il évoquait ses maîtres, la bonne vieille médecine d'autrefois, quand l'amicale des internes avait fait reculer la direction en refusant énergiquement l'obligation de se laver les mains entre les dissections et les accouchements ; cette mesure vexatoire avait mis dix ans à s'imposer.

« Et on n'en mourait guère plus, messieurs ! » s'écriait Paolini en appuyant, en manière de démonstration, l'index sur l'épigastre du patient. Tout cela ne l'empêchait nullement d'être un fanatique de la Javel.

« Alors, comment nous sentons-nous ce matin ? »

Le « nous » fit grimacer Adam. Si les médecins devaient subir une fois les souffrances que certains examens font subir aux malades, ils s'abstiendraient de les prescrire aussi aisément. La colonoscopie de la veille, si répugnante qu'il ne pouvait même trouver la force d'en évoquer le souvenir, fût-ce pour le combattre, l'avait repoussé dans un nouveau moment d'aphasie. Sa langue épaissie, sa glotte comme paralysée ne laissaient passer que des sons sourds, pendant que les deux blouses blanches se renvoyaient la balle par-dessus le filet de son lit :

« Docteur, votre malade ? »

On eût dit un majordome présentant un plat. Samael

s'avança, se frottant les mains, qu'il avait sèches et belles, des mains de pianiste.

« Le cas de M. Artigas est très intéressant. »

Il y eut un bourdonnement approbatif parmi les blouses, et les externes pouffèrent. On aimait bien ce patient encore jeune, qui écrivait des livres et qui allait mourir. Même Jambe-de-Bois, la petite kinési bancale, était un peu amoureuse de lui. Paolini reprit la parole :

« Vous connaissez la fameuse citation du professeur Benoît, lequel est aujourd'hui de l'Académie... Ne faites pas cette moue, docteur ; vous n'aimez pas l'Académie ? Je suis sûr que M. Artigas, lui, ne crache pas sur l'Académie française... Donc Benoît écrivit un jour sur un rapport de cancer : “ Notre seul regret, à propos de cette très belle tumeur, est que sa magnifique évolution fut interrompue par le décès du malade... ” »

Samael eut un sourire forcé, qui ressemblait au mouvement de crocs du félin prêt à mordre.

« M. Artigas est venu nous voir il y a un an et demi, il souffrait alors d'un début de septicémie à colibacilles et suées nocturnes, qui fut facilement jugulée par des cachets d'antibiotiques. Mais depuis cette époque, M. Artigas, qui est LAV plus, nous a déclaré souffrir d'une fièvre tierce... »

Samael ne se compromettait pas. Il passa la radio, en se raclant la gorge d'un air dubitatif.

Il y avait un moment qu'il sentait, sous son crâne, monter l'excitation de l'homme qui n'a qu'une seule préoccupation ; comme il demeurait tous les soirs jusqu'à la nuit enfermé dans son bureau, sa vie privée, très discrète, d'homosexuel divorcé, avait peu à peu fondu. Il se demandait souvent qui, de la maladie ou de lui, aurait raison de l'autre. Cette maladie polymorphe et mortelle exigeait la ruse du détective, la patience du joueur de go et la subtilité du devin.

Chaque signe pouvait s'interpréter dans les deux sens.

Plus de globules blancs, c'était un signe de résistance du corps, mais aussi d'infection. Petit exemple : ce mal si habile à se dissimuler avait mille tours dans son sac. Il y dévouait ses nuits ; parfois, il était obligé de se gourmander pour ne pas avouer la fascination qu'il exerçait sur lui ; il lui fallait réaffirmer sa haine, qui se convertissait en estime pour ce fabuleux ennemi.

Pendant qu'il débitait machinalement l'histoire clinique d'Artigas, il jeta un œil sur le malade, jusque-là caché sous ses draps, et qui avait sorti la tête en l'entendant. Et Samael eut son second choc professionnel. Ces yeux, de couleurs différentes, il les avait déjà vus. Il ne mit pas longtemps à retrouver ; ces yeux, l'un couleur de sable et fibrillé d'or, l'autre aigue-marine, c'étaient ceux de la jeune fille, cette Ève qui s'était crue sa fille et était venue le visiter un an et quelque plus tôt.

Paolini, occupé à parader comme un dindon, ne s'était rendu compte de rien. Samael acheva en bafouillant ; ce mystère le dépassait. Plus son regard détaillait l'homme couché sur le lit de fer à roulettes, plus il se convainquait de sa propre découverte. M. Artigas ressemblait à Ève au-delà du possible.

« Est-ce que vous aimez le fromage de chèvre ? »

La question de Paolini laissa le malade sans réaction. La curiosité fit frémir le cercle des externes.

Les internes, qui connaissaient le coup, se faisaient les ongles, assis sur les dossiers.

« Vous lui avez fait l'examen pour la brucellose ? »

C'était une maladie transmise par les ruminants. Paolini y croyait beaucoup.

« Elle est endémique en Crète et en Turquie d'Europe. Et il y a voyagé. La goutte épaisse ? »

Un fou rire parcourut l'assemblée. C'était le test du palud.

Samael confirma :

« Tout est négatif. Il ne reste que la tuberculose, ou bien un virus... assez aberrant.

— Ou les deux. Vous lui avez fait quoi, comme antibiotiques ? »

Ils sortaient déjà de la chambre. Samael cita le Clamoxyl.

Paolini se crut obligé d'insister :

« Un seul à la fois ? Pourquoi pas deux ?

— Je me fie à ce que disent les biologistes. Ils disent qu'un seul est plus efficace... »

Leurs voix s'éloignaient dans le couloir, couvertes par le roulement métallique du chariot repas. Samael souleva un couvercle, et renifla un bout de poisson en sauce blanche. Il avait l'esprit ailleurs.

« Il sera toujours plus difficile d'améliorer l'ordinaire que de guérir », fit Paolini en souriant.

À son huitième mois, Ève se mit à multiplier les visites à l'hôpital. Passé midi, elle ne craignait plus de rencontrer le docteur Samael ; la grande paix de l'après-déjeuner s'étendait sur les chambres, dès que le temps des visites et des analyses était fini. Et l'agitation se transportait de l'autre côté, vers l'hôpital de jour, une petite pièce tout contre le bureau de Samael, qui y entendait, derrière la cloison de carton, le piétinement des patients attendant leur tour pour une injection, et le ronronnement de la machine, grosse comme un pick-up, où l'on plaçait l'énorme seringue. Dès une heure, il ne sortait plus guère jusqu'au soir, et Ève n'avait plus rien à craindre.

Sa prudence se comprenait aisément ; si ses liens avec Adam devenaient publics, elle ne pourrait plus échapper au test. Les femmes atteintes de la terrible maladie la transmettaient une fois sur deux à leurs enfants, elles-mêmes étaient en péril de mort. Et Ève ne voulait en aucun cas d'un avortement préventif.

Le hasard qui avait placé le docteur Samael au centre de cette toile d'araignée ne l'avait pas autrement surprise. Ève aussi était fataliste. Mais quand elle revit Adam, étendu sur sa couchette, maigre à faire peur, se laissant aller contre ses oreillers, en articulant à peine, l'inquiétude commença à la gagner. La peur, non pour elle ni pour lui, mais pour l'enfant. Devrait-il vivre sous une bulle, mis à l'index par ses camarades ?

Les héros de romans romantiques sont souvent fatalistes. Un pressentiment, sans doute, leur fait imaginer qu'ils ne sont pas eux-mêmes les auteurs de leurs actes ; et que leur destin se forme ailleurs qu'en leur propre existence. Ève finit par décider d'accepter l'échographie, à la condition qu'on lui cacherait le sexe de l'enfant.

Anne et Judith débarquaient avenue de Saxe tous les week-ends de taxis surchargés où les pots de confitures, les tomates et les concombres voisinaient avec les bouquets de fleurs tardives et les livres. Elles ne savaient rien de l'état d'Adam. Au contact de ce dernier, Ève s'était mise à aimer la lecture immodérément. C'était sa nouvelle drogue. Bronzée encore, sa nuisette bleue échancrée sur sa poitrine, elle croquait des sucreries en lisant toute la journée. Enfin, comme le neuvième mois commençait, elle voulut mettre les choses au point avec sa mère et sa tante.

« Maman, je ne suis plus une gamine. Je sais que tu n'es pas ma vraie mère...

— Chérie, tu es la fille de toutes les femmes, de tout ce qu'il y a de féminin dans le monde. Tu es notre rêve de liberté, celui des filles qu'on battait, qui pleuraient seules, qui se fichent bien des hommes et du père...

— Maman, pas de discours, ce n'est pas ton genre. Je veux l'entendre de ta bouche, ou de celle de Judith. »

Judith, qui s'était fait sa coiffure de señora et avait mis ses boucles d'oreilles à la vache-qui-rit, jeta un œil noir sur la jeune fille.

« Je t'avais prévenue que cet individu (elle ne mentionnait pas Adam autrement) était le plus dangereux des phallocrates... Il t'a bourré le crâne.

— Un phallocrate dont tu es encore amoureuse, Tantine. Dis-moi, il n'est pas plus mon oncle que tu n'es ma tante ? »

Judith eut un gros soupir, qui cachait mal son embarras.

« Tu te tortures pour rien. Pense à cet enfant, reviens-nous vite et oublie Adam...

— Maman, Judith, écoutez-moi bien. Je ne pourrai pas oublier Adam. Désormais, il est dans ma vie comme le refrain dans une chanson, le tic-tac dans l'horloge, le bruit du vent dans le Berry... Je ne peux plus le séparer de moi, même si je le voulais.

— Mon petit ! il n'est pas ton oncle, il est...

— Ton père ! »

C'était Judith qui avait crié ce dernier mot. Mais Ève, solidement accrochée à sa proie, ne voulait pas lâcher sa piste.

« Je ne te crois plus, Judith. Et toi non plus, Maman.

— Ève ! Je ne te reconnais plus... »

Elles protestaient en vain, en s'agitant dans leurs robes à fleurettes, en rougissant comme des fillettes prises en faute, ces femmes de quarante ans face à face avec cette enfant qui les jugeait.

« Assez menti ! Anne, tu n'as jamais été ma mère, en tout cas pas par le physique. Judith, c'est ton obstination qui m'a mis la puce à l'oreille. Tu étais si amoureuse d'Adam, qu'avoir un enfant de lui devint ton obsession. Ce que je ne sais pas, c'est comment tu l'as obtenu, cet enfant de lui qui devait être moi. C'est la seule pièce qui manque au puzzle...

— Ma chérie, tu es folle à lier, tu t'es fait des imaginations à cause de ton état... »

Judith sentit que sa voix, habituellement aigre et

perçante, manquait de conviction. Aussi changea-t-elle de cheval en pleine course :

« Remarque, ce n'est pas mon truc, de manipuler l'inconscient des autres. Je n'ai obligé Adam à rien...

— Encore une histoire de banque du sperme, alors ? »

Cet « encore » passa au-dessus de la tête des deux femmes, qui ignoraient l'épisode argentin.

« La nuit où tu as fait l'amour avec lui, tu avais tes règles, il me l'a raconté. Que tu veuilles à présent te faire passer pour ma mère, je te comprends ; mais comment est-il mon père ?

— Je suis ta mère, mais il n'est pas ton père... »

Judith, ayant lâché l'aveu, s'interrompit. Anne s'était levée.

« Nous la perturbons pour rien. C'est une vieille histoire, où j'ai ma part de responsabilité, et qu'il vaut mieux ne pas remuer... Quand tu sortiras, Ève, reviens dans le Berry ; tu es notre fille à toutes...

— Tu es notre fille à toutes, et ta fille notre petite-fille », cria une dernière fois Judith, ses mèches collées par la sueur, en agitant une main osseuse depuis le seuil de la chambre.

La Pitié, 2

UNE FOIS revenu dans son bureau, le bon docteur Samael se mit à bouleverser frénétiquement la pile des dossiers marqués « Personnel », qui étaient en principe ceux des soignants, mais comprenaient en fait toutes les archives délicates que les médecins s'approprient. Penser que, pendant plusieurs mois, ces deux dossiers, le 47711 et le sien propre, qu'il avait pieusement conservé, et qui relatait sa malheureuse expérience en gynécologie obstétrique, s'étaient, si l'on peut dire, tourné leur dos cartonné l'un à l'autre !

En fait de dossier, la chemise à gros grain contenait sa confession, rédigée d'une main maladroite à force de se vouloir lisible ; Samael avait depuis appris à rendre son écriture aussi indéchiffrable que celle de ses collègues.

La première feuille, jaunie, portait un vieil en-tête de la Pitié, où figuraient encore le caducée et le stéthoscope stylisés qu'un directeur ami des arts graphiques avait fait exécuter dans le style arts décoratifs. Elle indiquait seulement :

« 12 décembre 67. Liste des flacons et tubes retrouvés dans l'inspection du congélateur B 307. Identité probable des déposants et date de dépôt. »

Ce congélateur, sa simple évocation le faisait encore trembler. Quelle idée funeste il avait eue d'accepter cette tâche ingrate ! Depuis ce temps-là il ne supportait plus les congélateurs. Ces gros engins blancs ronronnants lui avaient attiré assez d'ennuis pour que le simple bruit d'un réfrigérateur lui fût une gêne.

Ah, ce congélateur B 307 ! Il revoyait le cube énorme, tapi au sous-sol, au fond d'un couloir, dans lequel on pouvait entrer tant il était géant, où trempaient dans des petites cuves d'acier poli, don de l'État de New York à la science française, comme l'indiquaient les plaques vissées dessus, des éprouvettes obscurcies de gel, collées ensemble par la glace qui s'était peu à peu formée. La surveillante de l'étage des accouchements, une grosse dame sévère à chignon, une infirmière d'autrefois, chrétienne contrariée, prétendait que certains dépôts avaient plus de vingt ans. Personne ne les avait réclamés ; la guerre, sans doute, avait éliminé et les donneurs, et les médecins responsables.

Ils durent casser le givre avec le marteau à étudier les réflexes, et perdirent ainsi le contenu de plusieurs tubes. Un nuage de brume froide et d'azote glacé envahissait le couloir, en pâlissant l'unique ampoule électrique du plafond. Sur les éprouvettes, quand les étiquettes n'avaient pas disparu, elles étaient souvent délavées par le long séjour dans l'azote liquide. Il les divisa en trois, avant de ranger les tubes dans un nouvel appareil, flambant neuf, miniaturisé et silencieux, dont le service disposait à présent. Le premier tas comprenait, après un rapide examen au microscope, des fragments de tissus humains, des débris, des cultures inidentifiables. Le second, des tubes où un ovule humain avait été conservé ; mais, pour autant qu'on en pouvait juger, ces ovules vierges n'étaient que le produit de lavements utérins. Le troisième, enfin, comprenait tous les ovules humains fécondés qu'il avait pu sauver ; il y en avait à presque tous les stades, depuis l'œuf primordial encore jamais divisé jusqu'à la « morula » gélatineuse visible à l'œil nu, en passant par le blastocyste et la blastula.

Cette collection monstrueuse, pailletée d'or et d'argent par le long séjour à moins cent degrés, tenait du cirque et du musée des horreurs. L'un des tubes portant une identification nominale lisible, qui semblait en bon état, attira son attention. Le nom « Kadmon » y figurait au crayon, sur une étiquette d'écolier d'autrefois, aux coins coupés et cernée d'un filet bleu ; il avait été ajouté sous le numéro d'ordre, plus comme un pense-bête privé que comme une indication officielle. Était-ce le nom des donneurs, ou bien celui de la personne destinée à le recevoir ? Impossible de le déterminer. Mais Samael crut naturellement qu'il s'agissait des donneurs.

Il connaissait ce nom, il en était certain. Il lui fallut quelques minutes pour le traquer dans sa mémoire. Une copine de Judith, Anne, s'appelait ainsi, une Argentine. À l'époque, les relations d'amitié entre jeunes gens ne les forçaient pas à échanger leurs noms de famille. La jeune France gauchiste en pleine agitation mettait même un point d'honneur à effacer, comme signes de bourgeoisisme, les patronymes, pour les remplacer par d'astucieux « alias » destinés à égarer une police fruste et dépourvue d'ordinateurs.

Comme le « vous » avait disparu devant le « tu » des camarades, le nom Kadmon avait disparu devant le prénom Anne. Mais un jour où la police, presque au sortir de la fac de médecine, carrefour de l'Odéon, avait contrôlé leur identité parce que le coffre de leur voiture était plein de tracts du « Comité pour une médecine populaire », il avait entendu l'agent prononcer le nom d'Anne, et avait découvert ainsi qu'elle devait être d'origine grecque.

C'était le bon temps, regretta Samael, le temps d'avant son passage de médecin aux pieds nus tiers-mondiste dans l'horreur des « maternités » de tôle, où les moustiques venaient sucer le sang des plaies ouvertes. Il s'était donné deux ans pour découvrir l'Afrique, et en avait été marqué pour vingt.

Judith, en ce bon temps-là, avait la splendeur flamboyante d'un caramel en fusion. Elle sortait du Boulevard, où elle exhibait ses jambes de reine gainées de résille noire et sa poitrine blanche comme de la crème aux désirs concupiscents des Arabes, dans une baraque à prétentions artistiques. Ce passé libidineux lui ayant donné l'aura de la féminité martyre, elle était assez considérée dans le groupe gauchiste de la fac. Anne, quant à elle, à part sa phénoménale naturalité, semblait dépourvue de tout sens politique. Elle ne prenait jamais la parole, et Judith le faisait pour deux, en assommant les réunions de ses « moi, je pense que » ; car Judith avait un redoutable clapet, et toujours quelque verset de son évangile personnel, à moitié marxiste, à moitié psychanalytique, à servir aux camarades.

« Moi, je pense qu'il faut soutenir Chiang Ch'ing (l'épouse de Mao). Il y a une contradiction secondaire quelque part, entre l'homme et la femme, et l'aspect principal c'est la femme. Il faut faire son autocritique, camarades, car c'est dans vos têtes... »

Quelque exaspérante qu'elle fût, ils tournaient autour d'elle comme des chats en chaleur, attirés par son parfum de rousse, son nez mince et long, ses boucles à l'anglaise, et surtout par l'incroyable vitalité, la continuelle énergie qu'elle manifestait. Cette grande bringue, cette cavale devait être étonnante au lit.

Elle avait ouvert, au milieu de son expérience groupusculaire, un cabinet d'analyse sauvage. C'est ainsi qu'elle avait fait la connaissance d'Anne, à l'époque collée à un réalisateur d'avant-garde sans emploi, blond et fadasse, mais héritier d'une entreprise de meubles fort prospère. Cet amant peu convaincant, âme petite-bourgeoise infiltrée de trotskisme, choisit le velours râpé du canapé de Judith pour se faire maltraiter tout à loisir ; Judith avait une conception sadique de la relation psychanalytique. À peine les clients pouvaient-ils placer un mot ; elle les noyait dès l'abord sous des suppositions injurieuses pour leur virilité, assenées d'une voix claironnante, qui allait jusqu'au palier, traversait un salon d'attente peuplé d'hommes défaits, tremblants, et déjà prêts à tout avouer, portant Lénine et Mao à la boutonnière.

En tant que secrétaire du groupe, Samael fut un objet privilégié pour elle, du moins au tout début. Elle l'agaçait de mille manières pendant les réunions, lui pinçant les mollets sous la table sous prétexte de chercher ses chaussures à talons hauts, qu'elle lançait sans égard pour les jambes des camarades aussi loin que possible dès qu'elle s'était assise ; si on pouvait appeler s'asseoir la danse du postérieur et les remontées de jupe auxquelles elle s'adonnait avant de prendre un siège.

Samael était en ce temps-là un caractère naïf. Le voile rouge et noir de la pensée gauchiste n'avait pas encore réussi à recouvrir tout ce que son esprit, presque impubère, contenait de ressources passionnées, de désirs inexprimables. Il crut trouver en Judith l'aboutissement, à la fois, de sa quête du sexe (à vingt ans passés, il était encore puceau, et les histoires de salle de garde le faisaient rougir), et de cet incoercible mouvement du cœur par lequel il partageait le sort des plus démunis : Judith était une ouvrière du sexe, une « sexploitée » par essence.

Mais la rousse psychanalyste ne se laissait pas atteindre. Le temps que Samael se décidât à répondre à ses avances, un autre amour, pour le frère d'Anne, leader charismatique de la Sorbonne, avait dévoré son cœur volage. Semblable à la mante religieuse, elle pensait plutôt, en général, à dévorer qu'à l'être. Ce fut le cas pour Samael ; elle ne l'écoutait que pour mieux le torturer. Il fallut le grand succès d'Anne, à un collage de nuit, où elle vint en chemisier et short en portant le seau de colle sur sa tête, pour l'amener à résipiscence. Elle avait elle-même introduit Anne dans le groupe, avec l'espoir de se rapprocher de ce frère tant aimé. Elle sentit aussi se détourner d'elle l'éros collectif, pour se porter sur la nouvelle arrivée, ses longues jambes brunes, et sa poitrine comme soulevée à la rencontre de l'interlocuteur.

Menacée de la perte de sa royauté, Judith se rejeta avec d'autant plus de force dans cet amour impossible, le frère d'Anne étant homosexuel. Ce fut à ce moment-là que l'innocent Samael lui fit une confidence qu'il devait regretter toute sa vie.

Ils étaient dans la cour de la fac ; Judith, soucieuse, car son irréalisable désir lui causait force cauchemars, posait nonchalamment, appuyée sur le socle de la statue de Pinel. Et Samael bégayait une proposition maladroite :

« Allons chez toi, tu mettras un mot pour avertir tes clients que tu es indisponible. Rien qu'une fois, Judith, je t'en supplie...

— Je ne sais pas, je n'ai pas envie, répondait l'allumeuse d'une voix qu'elle rendait exagérément enfantine, tu ne me veux que pour mon corps... »

Samael se mordit les lèvres. Répondre oui, c'était rabaisser Judith à l'état d'objet. Répondre non, se condamner à la chasteté. Lui traversa l'esprit, flèche de feu de l'invention, l'idée de recourir lui aussi à la jalousie.

« Ta copine, cette Anne je ne sais pas quoi... Elle est vachement mignonne. Tu couches avec elle ? »

Judith eut un rire de gorge ; que lui importaient de telles insinuations ?

« Mais non. Je pourrais sans peine, mais c'est son frère qui me plaît. Même que j'en suis amoureuse comme jamais... »

Elle se refaisait à présent les ongles, avec un vernis rouge trop vif. Autour d'eux, d'autres couples de jeunes gens, aux costumes corrects, aux tailleurs stricts, aux cheveux nets, qui portaient des serviettes de cuir héritées de leurs pères, échangeaient mille autres marivaudages.

Ce fut alors que Samael pensa à son éprouvette.

« Ce qui me fait me rappeler... Elle s'appelle comment, déjà ? »

Judith se renversa, et jeta sur la petite silhouette fragile aux lunettes embuées d'hésitation un regard perçant.

« Kadmon. Anne Kadmon. C'est égyptien. Pourquoi veux-tu savoir son nom ?

— Kadmon... Ce serait vraiment extraordinaire, mais ce n'est pas un nom courant... »

Il pensait tout haut. Judith en rajouta .

« C'est même un nom unique, il n'y a qu'une seule famille qui s'appelle comme ça, la sienne.. »

Elle pensait au frère, et lui saisit le bras L'autre continuait de soliloquer :

« Cela ne peut pas venir d'elle, elle n'était pas encore née quand ce tube a été congelé.

— Quoi ? Qu'est-ce qui a été congelé ? »

Il ouvrit le robinet de ses confidences, en trahissant allègrement le secret médical. Judith fut tout de suite très intéressée. Le mot est faible ; elle fut envoûtée.

« Un ovule fécondé... Cela ne peut venir que de sa mère. Je savais que ça se faisait chez les vaches, le transfert d'embryons ; chez la femme, c'est sûrement interdit, mais pas plus difficile. Ce sont les préjugés bourgeois... Il suffit de le replacer dans l'utérus avec une pipette... », ajouta Samael.

Judith, pendant qu'il monologuait, était devenue sérieuse. Elle réfléchissait intensément, et, à mesure qu'elle réfléchissait, son attitude par rapport à Samael se modifiait physiquement.

« Camarade Samael... Tu as de beaux yeux, tu sais. »

C'était vrai, il avait de beaux yeux rieurs, cachés par les verres.

« J'ai été un peu trop dure avec toi. »

Elle le prenait par l'épaule ; il tressaillit de plaisir Enfin cette grande femme féroce s'adoucissait à son contact.

« On ira chez moi. Au fait, tu pourrais me le donner, ce tube ? »

Il sursauta violemment. Il n'en était pas question. S'il appartenait à quelqu'un, hors la Pitié, c'était à Mme Kadmon, à la rigueur à Anne et son frère.

« Je vais te dire un secret, moi aussi... »

Ses longs cheveux rouges, défaits, lui coulaient sur les épaules. Samael mit ses mains dans ses poches pour se retenir d'y plonger les doigts.

« Je suis stérile. »

C'était donc ça, cette agressivité permanente envers le sexe masculin, et cette hystérie de séduction ! La malheureuse Judith, par suite d'un double étranglement des trompes, était incapable d'enfanter naturellement. Il devina où elle risquait d'en venir, les journaux ayant parlé de fécondation artificielle chez des brebis stériles, et se pinça pour avoir trop parlé. Amoureuse comme elle venait de l'avouer, de ce frère d'Anne que Samael ne connaissait pas, hantée depuis longtemps, dans sa petite tête obstinée, par le désir d'un enfant de lui, elle tombait sur ce cadeau merveilleux, disponible par l'intermédiaire de ce petit Samael, dont elle pensait bien ne faire qu'une bouchée.

C'était dix-huit ans plus tôt. Chez ces jeunes doctrinaires révoltés, les idées et la morale sexuelle n'avaient aucun de ces traits d'humanité que l'âge apporte aux convictions ; dans l'univers simplifié de leurs théories, il n'y avait pas de place pour les dégradés délicats du bien et du mal. Leurs idées étaient simples et carrées ; loin de leur faire peur, la science moderne était pour eux la seule morale. Ils pensaient se glorifier en s'égalant à des objets techniques. Aussi n'est-ce ni la crainte de transgresser un commandement, ni le souci de la future victime, l'enfant né d'une telle réimplantation, ni même la simple honnêteté devant un vol, qui faisaient hésiter Samael ; mais plutôt la jalousie. Ce fécondateur et cette fécondatrice inconnus, Judith voulait en détourner le fruit pour se l'approprier parce qu'ils étaient du sang de son amoureux.

Elle avait toujours été égoïste et autoritaire, mais là elle passait les bornes. Il tâcha de lui faire sentir l'irréalisme, et l'inconvenance, de son idée. Elle ouvrait de grands yeux, prenait à témoin le monde de sa sincérité. Elle serait une excellente mère. Cet enfant-là au moins aurait été voulu.

« Mais ça ne marchera jamais. Une chance sur cent, peut-être... »

Il avait lu lui aussi ce reportage, qui faisait allusion à des expériences en cours sur l'homme, en Australie. Plusieurs bébés, laissait-on entendre, étaient secrètement nés des transplantations d'ovules fécondés sur des patientes stériles ; mais on s'intéressait plus aux banques du sperme, alors en pleine expansion. Le taux de réussite était si bas...

« Il faudrait au minimum t'obtenir un rendez-vous dans mon service, pour examiner les causes de ta stérilité... »

Il capitulait très vite. Ce projet fou commençait à l'exciter, et la résolution de Judith à tout piétiner, les conventions comme la propriété, pour satisfaire son désir d'un enfant apparenté à cet homme, ce Kadmon si séduisant, lui paraissait signe vigoureux de son idéologie prolétarienne.

Judith lui fit divinement bien l'amour. L'idée qu'à eux deux ils allaient, comme des pionniers d'une planète nouvelle, tenter de bâtir une nouvelle humanité d'où la propriété sexuelle, et même la production privée d'enfants seraient abolies leur donnait des forces inattendues.

Plus tard, lors des congrès internationaux, quand il sera amèrement surpris par la mauvaise foi de ses collègues, leur ardeur à contester ses résultats et ses protocoles d'expérience, il se souviendra de la mauvaise foi de Judith ; elle avait tiré les ficelles, et lui, aveuglé, n'avait fait qu'obéir. Heureusement, il put se débarrasser de l'autre externe, un provincial sans ruse, en l'envoyant chercher des papiers introuvables ; il avait emporté une petite thermos, il mit ses gants isothermes et la remplit de liquide réfrigérant, y plaça le tube, et transporta le tout dans sa serviette jusqu'au congélateur de sa mère, femme d'avant-garde malgré ses soixante ans, et qui avait eu la première machine à laver d'Europe. Et le tube demeura là, entre les pizzas et les glaces vertes et roses, pendant que Samael ingurgitait tous les livres concernant la fécondation artificielle, et suivait assidûment les cours consacrés au sujet.

Samael se perfectionnait peu à peu. Pour être sûr de bien la mémoriser, il avait accroché au mur de sa chambre une représentation en coupe agrandie des organes féminins. Pavillons, trompes, follicules de De Graaf n'avaient plus de secret pour lui. Le soir, il refaisait sur des calques le trajet de la pipette, qui déposerait la goutte encore froide au creux chaud de la matrice. Il tremblait maintenant de ne pas être à la hauteur de sa tâche ; cela semblait si simple, et tout dépendait d'un geste raté, d'un tube qui casse, d'un retard de quelques minutes.

Il comprit très vite qu'il fallait, pour avoir quelque chance de réussite, choisir avec soin le moment le plus propre : celui où le flux des hormones destinées à favoriser la fixation de l'embryon était à son maximum. Judith était réglée ; sa stérilité, l'examen le confirma, provenait seulement de l'impossibilité, pour l'ovule frais pondu, de trouver un chemin à travers ses trompes obstruées.

Oui, ils étaient des têtes brûlées. Samael, avec ses cheveux longs bouclés, ses lunettes psychédéliques, et elle, Judith, avec son amour obsessionnel qui lui faisait fabriquer de toutes pièces l'enfant qu'elle ne pouvait faire naturellement ; et aussi leurs amis que cette entreprise insensée, inhumaine, n'aurait qu'à peine étonnés : entre la Révolution et la conception artificielle de l'homme nouveau, leurs imaginations exaltées et gorgées de matérialisme triomphant eussent fait le pont sans peine.

Cet enfant serait celui de la Révolution. Seule l'hypocrisie bourgeoise avait retardé de telles expériences. Il concentrerait en lui l'avenir de l'humanité. Samael, après de longues études, avait donc découvert que le principal obstacle auquel se heurtaient les recherches sur le transfert d'embryons tenait aux cycles hormonaux. Il fit faire à Judith des prises de sang pour mesurer ses taux de progestérone, d'hormone embryonnaire et d'œstradiol, indicateur du cycle de fécondation. Quand ce dernier taux dépassa sept cents unités, Samael sut qu'il était temps.

Il fallait absolument, pour que l'opération réussisse, que l'introduction de l'ovule se fît au moment « naturel » ; puisque l'organisme ignorait qu'il y avait fécondation, il fallait le tromper par un traitement hormonal afin de permettre à la réimplantation de « prendre », et ainsi mimer le cycle naturel. Il donna à Judith, afin de choisir le meilleur moment, des papiers tests qu'elle devait tremper toutes les six heures dans ses urines, et qui en indiquaient le PH. Quand ils vireraient de couleur, ils indiqueraient le début de la décharge de LH, l'hormone lutéique, qui resterait au maximum de concentration pendant quarante-huit heures. Le pic eut lieu le soir, en octobre, après bien des injections inutiles. Les feuilles des marronniers roussissaient à travers les fenêtres du labo de la fac, dont Samael avait emprunté la clé sous prétexte de réunion politique.

Les carreaux de faïence blanche luisaient faiblement, et la veilleuse bleue, seule allumée, apaisait l'atmosphère. Ils travaillaient à la bougie ; dans les amphis déserts, ils avaient forcé des armoires, et récupéré cathéters, désinfectants, gants et pipettes. Dans un coin, au bain-marie, une éprouvette réchauffait lentement. Le liquide cryoprotecteur était, par chance, du propanédiol. Il avait empêché la détérioration des tissus de l'œuf, en paralysant la formation de glaçons ; Samael se répéta : « par chance », car la méthode de décongélation pouvait être beaucoup plus rapide qu'avec l'autre conservateur, le glycérol. À présent, le propanédiol se dissolvait dans le sérum ; il aurait été toxique pour l'œuf réanimé.

Anne, qui après tout était la seule représentante des propriétaires légitimes de cet ovule, ses longs cheveux nattés et l'air grave d'une madone de Raphaël, belle comme la Révolution, tenait la main de Judith. Cet enfant serait à elles deux. Dans la douce pénombre, les conjurés se regardaient avec anxiété. Il y avait quelque chose de presque religieux dans l'air, avec ces bougies aux flammes droites, et cette grande femme rousse, à la chair blanche, à qui Samael achevait la toilette du col.

Il avait mis l'œuf à décongeler depuis deux heures. Cette méthode accélérée, souvent employée pour les ovules bovins, était sûre. Une vague rumeur née de la ville endormie entourait cette crèche d'un genre nouveau.

Lentement, avec des gestes précautionneux, Samael prit le cathéter de transfert, vérifia que la minuscule vie avait bien quitté le tube pour l'intérieur de la seringue, puis commença d'enfoncer le fin tuyau de plastique à travers la rousseur automnale des poils, au-delà du col, jusqu'à l'utérus. Il ne restait plus qu'à vider d'une main, en appuyant sur le piston, le contenu du cathéter. En accomplissant le mouvement, tandis que Judith geignait faiblement de joie et d'inquiétude, Samael se sentit le créateur du monde

Il retira l'engin. Judith battit des paupières. Dans la cour, un oiseau égaré s'était mis à pépier. Samael dit simplement, de sa voix la plus douce :

« Camarade Judith, tu es enceinte. »

Il n'osa ajouter : enceinte de l'avenir de l'humanité.

Neuf mois plus tard, Mai 68 éclatait, et Judith accouchait, dans la crèche sauvage de la Sorbonne, d'une petite fille qui ressemblait étonnamment à Adam, cet Adam, trotskiste de choc, qui hurlait des slogans au haut-parleur dans la cour de la fac. Mais il n'eut jamais l'occasion de se comparer au bébé, ni même de savoir qu'un petit être vagissant qui était comme son double à quelque vingt ans d'intervalle venait de voir le jour si près de lui.

Adam, 6

ÈVE chérie, l'hôpital, où l'on naît, où l'on meurt, c'est notre mère, notre père et notre bourreau. Pour un peu, on s'y marierait ; je regrette que nous ne puissions nous y épouser. Les infirmières nous jetteraient des grains de riz en gage de fécondité, et un cortège blanc t'environnerait, ta robe de mariée perdue au milieu de leurs tuniques immaculées.

L'hôpital, aussi, c'est un voyage. Voyage sur place, voyage entre les services, voyage dans la souffrance et la mort, jusqu'au bout. Sur cette planète, les parallèles, ce sont les heures de la journée, si lentes à venir, ces heures vides et pourtant bouchées, remplies sans une faille, sans un instant à soi. Les méridiens, ce sont les « gestes » médicaux, c'est une expression de médecin ; ils disent d'une opération que c'est un « petit geste », ou un « geste important », comme s'ils étaient des artistes new-yorkais de l'action painting.

Il y a l'infirmière qui vient piquer et dépiquer, l'externe qui pose cent fois les mêmes questions, d'un ton pénétré, la visite et la chambre envahie par dix personnages qui opinent du chef aux propos du patron ; et puis les visites, celles des amis, auxquels je ne peux refuser l'entrée : les malheureux sont si sûrs de faire ainsi la preuve de leur bon cœur.

Il y a la toilette, qui prend une heure, toilette de chat

avec une compresse stérile en guise de gant, minuscule et minutieuse. J'en avais assez, et trouvais humiliant que les infirmières me savonnent, me retournent, avec quelle peine, et me talquent comme un gros poupon paralysé. Alors, en dépit de ma fatigue, je me lève et je m'assieds face au lavabo, et je me lave par petits morceaux.

Un jour, je me suis vu, torse nu, devant la glace, en me relevant. On dirait une photo de camp de concentration. Les côtes ressortent sous la peau comme si elles allaient la crever. Les bras sont des allumettes, les jambes ont fondu. Je n'ai même plus de fesses. Et en plus je suis couvert d'escarres à force de vivre couché. Enfin et surtout, j'ai le regard traqué, paniqué, d'une bête sauvage aux abois.

Allons, la liste de mes malheurs serait interminable. Ma consolation est de savoir que ta grossesse avance bien. C'est curieux, mais je fais malgré moi la comparaison entre la progression de mon mal et celle de la vie que tu portes. Nous subissons les mêmes examens, prélèvements, prises de sang, endoscopies et échographies, scanners et radios.

Patience. Seule une immense patience peut m'aider à survivre. Patience de l'œil qui suit la trotteuse de ma montre, minute par seconde, en attendant l'effet d'une piqûre dont le froid liquide gonfle et fait battre la veine. Patience des attentes, à la radio, aux consultations ; à l'hôpital on ne fait qu'attendre indéfiniment. Attendre un résultat d'examen qui ne vient pas, une amélioration trompeuse, un pire qui est toujours sûr.

Il y a une fenêtre étrangement placée dans ma chambre. C'est un long panneau vitré, au niveau du sol ; quand je délire de fièvre, je pense souvent que c'est par là qu'ils jettent les cadavres ; en bas passe une allée où une benne les recevrait.

En fait, cette fenêtre me permet, depuis le lit, de voir marcher les passants, le personnel en manteau bleu de l'Assistance publique, passer les ambulances toujours pressées, les familles arabes qui viennent en 404 visiter leurs malades, les camions de livraison, ceux qui transportent le linge, les mobylettes des garçons de salle, qui sont presque toujours noirs, et même les amoureux qui vont s'asseoir sur un banc public en face de moi, transis, n'osant plus s'embrasser.

Ève chérie. Que tu m'aies menti n'a plus aucune importance. Ton aveu m'a touché ; lors de ta dernière visite tu as enfin été franche, et je t'en suis profondément reconnaissant. Je n'ai plus de désirs, mon corps est trop faible, sinon je te prouverais mes sentiments par mes embrassements.

Tu m'as menti dès le début, mais par ton amour tu t'es disculpée, et tu m'as suffisamment donné la preuve de ton affection. Il n'y a jamais eu de Karim, ni de participation à la résistance afghane, comme tu l'avais écrit à mon intention après notre première rencontre. Tu as donc fait deux mois de tôle pour trafic de drogue ; dix plaques de cinq kilos de hasch, cachées sous le tapis de sol de la voiture que tu pilotais.

Il n'y a jamais eu de Karim, et c'est par tes trafics que tu es entrée en contact avec Boy. Quand je pense que tu as eu le culot de me mettre en garde contre lui ! Vous envisagiez déjà de m'utiliser comme passeur. Mais tu pensais aussi, petite friponne, à le doubler, tu ne penses qu'à doubler les gens. Et tu imaginais déjà un moyen de te débarrasser de lui.

Passeur, je l'ai été, en ignorant le risque que tu me faisais courir. C'est sur le bateau seulement que j'ai compris, et ta duplicité, et ton incapacité à te retenir d'utiliser les autres.

L'autre jour, dans une des innombrables salles d'attente où l'on traîne mon lit baladeur quand je refuse de me lever (et le grand nigaud qui le pousse, pour s'amuser, imite le tchou-tchou d'un train à vapeur en roulant dans les couloirs), j'ai surpris une conversation qui m'a abasourdi.

C'était un aide soignant, chenu et vieilli par les nettoyages, les transports et les nuits de garde, qui parlait à la caissière, d'une voix plaintive et courroucée à la fois. Il existe une caissière par pavillon, aussi désagréable que celles des supermarchés. La caissière lui demandait où il était donc passé ces derniers mois, qu'on ne le voyait plus. L'autre d'embrayer .

« J'étais chez les vieilles, les gâteuses, au pavillon Charcot, celui qui tombe en ruine. Ah, ce n'est vraiment pas un plaisir, elles font toutes sous elles dès que vous avez le dos tourné. Elles en étalent de longues traînées avec leurs doigts, sur les murs, partout. À peine avez-vous fini de nettoyer une chambre qu'il faut en refaire une autre. »

Il se pencha vers l'hygiaphone et ajouta en criant presque :

« On ferait mieux de les piquer définitivement. À quoi ça sert de les faire durer, je vous demande ? »

Ce charmant propos se tenait devant plusieurs civières, quelques fauteuils roulants, et un bon nombre de consultants plus normaux et valides. Ce n'était pas méchanceté : le personnel ici est incroyablement dévoué. Mais simple inconscience, effet d'un voisinage trop commun avec la mort et la souffrance.

Pour moi, je crains peu la mort ; après tout, ce serait enfin le but atteint, le terminus de l'attente. C'est pour toi que je crains ma disparition ; survis-moi, c'est ma dernière volonté. Et pense à moi plus tard, si tu le veux, si tu le peux. C'est ma seule espérance.

Parenthèse pour moi seul :

Je ne crains pas la mort, je crains la souffrance. J'ai déjà beaucoup souffert, et je sais qu'il existe une limite au-delà de laquelle je ne veux pas aller. J'ai peur de l'acharnement thérapeutique ; mon corps, mon pauvre corps douloureux, crucifié, demandera la paix. Qu'on me laisse mourir en paix est une prière japonaise. Mon aphasie est une préparation au grand silence.

Quand j'étais enfant, j'avais constaté que chaque année nouvelle me paraissait bien plus courte que la précédente, comme si le temps accélérait inexorablement son cours à mesure que j'avançais en âge. Dès la première seconde de vie, croyais-je, le temps qui reste à vivre est inférieur à celui déjà vécu. Il se divise en deux moitiés nécessairement inégales ; ce calcul approximatif m'a longtemps obsédé.

La première année était plus longue que toutes les autres, même mises bout à bout ; les premières vacances dureraient plus que toutes les vacances qui suivraient..

Et puis, à l'hôpital, le temps s'est inversé. Chaque journée est plus longue que la précédente, chaque heure plus durable et chaque minute étirée, chaque seconde allongée jusqu'au point de rupture.

Je n'ai pas une minute à moi et je ne fais rien de la journée. Les infirmières, les aides soignantes, sont en permanence débordées, malgré leur courage, leurs bras nus et leur volonté de fer. On doit tout leur répéter dix fois ; à peine la porte refermée, elles oublient pour courir vers une autre urgence. Elles sont sans cesse pressées ; le claquement de leurs compensées imprime un rythme haletant à l'étage ; mais elles ont beau courir, elles n'iront jamais assez vite.

Piquer, dépiquer, prémédiquer, changer les perfs, refaire les pansements, enlever les fils, donner la boîte aux médicaments (qui est conçue comme une horloge et délivre sa charge de comprimés matin, midi et soir), relever le lit qui s'effondre, remettre ou enlever l'oxygène dans le nez du malade, faire les prises de sang dans l'artère pour mesurer les gaz dissous, injecter les calmants dans la veine perfusée, courir vider le pistolet dans le bocal à urines, et le rincer au jet, refaire encore le lit en changeant les draps souillés, faire prendre la température et revenir la noter, prendre la tension et la noter aussi, recommencer encore une fois le pansement, chercher le sparadrap, les ciseaux, la pince ou la seringue, changer l'aiguille trop grosse, vider le bassin et le torcher, ouvrir et fermer les fenêtres, transmettre le grand cahier où tous les soins de la journée sont indiqués, rouler le chariot à médicaments et compresses, ranger draps sales et couvertures, déplacer les tables roulantes pour laisser passer une civière, soutenir un patient qui s'est aventuré jusqu'au téléphone, retrouver la manivelle qui sert à remonter la tête de lit, désinfecter jusqu'aux roues du même lit, mettre la desserte à repas en position haute ou basse, faire les prélèvements sur des Coton-tige, éteindre la sonnette, la sinistre sonnette dont le bouton est souvent difficile à atteindre, un malin génie l'éloignant du lit tous les jours, la sonnette qui aboutit à une lugubre sirène dans le local des infirmières ; une sirène qui siffle parfois pendant dix minutes, et qui paraît geindre « Au secours, au secours », d'une voix désespérément aiguë...

Elles en deviennent tapées, de ce rythme infernal ; elles oublient tout et pourtant font tout. Cent fois le même trajet, mille fois le même geste.

Alors, on enlève les gants de plastique, pour aller plus vite ; et d'ailleurs, si on se pique, mieux vaut ne pas avoir de gants, m'ont-elles expliqué ; il est plus facile de faire perler le sang pour chasser la petite bête qui guette sans répit les malheureuses.

Et tout ce dévouement, les docteurs qui restent de huit heures du mat' jusqu'à des neuf du soir, le personnel qui ne manifeste jamais, au grand jamais, ni dégoût ni peur, et ne prononce à aucun moment le nom de la maladie (on dit pudiquement « cancer », comme autrefois pour le cancer on disait « longue et cruelle maladie »), tout ce dévouement, donc, ne peut conduire qu'à une seule issue, programmée et prévue dans le plan d'occupation des lits de la surveillante : et cette issue est la mort rapide du malade. Chacun le sait ici : c'est le secret de polichinelle. Un psychiatre est passé me voir ; j'ai dû réconforter le pauvre jeune homme, il était au bord des larmes. Je préfère encore les visiteuses de l'aumônerie, leurs lunettes de fer et leur maladresse de convertisseuses.

L'autre jour, le téléphone sonne. J'ai un téléphone, mais il ne marche que dans un sens. On peut m'appeler, moi pas.

« Allô, la salle des prières ? »

J'explique que c'est une chambre de malade. On raccroche ; le téléphone sonne à nouveau :

« Allô, la morgue ? »

Ce ne sont pas de cruelles blagues, mais le vieux standard aux connexions en toile d'araignée qui fonctionne mal.

Enfin, ne nous plaignons pas. J'ai un matelas à air comprimé, qui se gonfle et se dégonfle alternativement toutes les deux minutes pour relaxer les escarres. Mon matelas respire mieux que moi ; et je l'envie parfois, quand j'entends le souffle de la machine pénétrer sans gêne jusqu'au fond de l'enveloppe en plastique.

Et puis il est une grande distraction, la promenade des perfusés. On se risque jusqu'au mail, où le personnel joue aux boules pendant les pauses, ou jusqu'à l'église, ou même jusqu'au kiosque de l'entrée, à la Pitié. Je trouve à tous ces hôpitaux, décidément, de bien beaux noms : Hôtel-Dieu, Enfants-Malades, Pitié, Salpêtrière...

Alors, on les voit, clignant des yeux en plein jour, amaigris et haletants, pousser chacun leur pied à perfusion d'où pendent en cliquetant les bouteilles de glucose et d'antibiotique, qu'un mince tuyau plastique, rougi de leur sang au moindre effort, relie à leur veine qui peine. Les petites roues accrochent, grincent, ils poussent, ils tirent, ils passent. On dirait la forêt de Macbeth. Chaque pied est un arbre grêle de métal, aux fruits énormes : les bocaux de la perfusion qui leur apportent la vie.

Est-ce à toi, ou à moi-même que je m'adresse ? Je ne sais plus. Nouvelles du dehors : Seth s'est installé chez les Féministes du septième arrondissement, où il pille le frigo et met ces dames en émoi.

J'espère que ça ne se passe pas trop mal ; je me sens responsable de lui, comme d'un grand fils que nous aurions eu autrefois. Je l'ai arraché à son Uruguay natal et transporté en France ; le moins est de lui fournir le vivre et le logement. Je ne pense pas qu'il risque grand-chose médicalement. Tout de même, malgré sa hantise religieuse à l'égard de l'hôpital, il serait plus prudent de lui faire faire des analyses. Ce n'est guère pénible, sinon le temps perdu.

Une chance sur cent. D'après le docteur, que j'appelle « Samael » comme tout le service, lequel est une petite communauté rotative faite de gardes successives, c'est le pourcentage de risques. Une chance sur cent d'attraper cette saleté chaque fois qu'on fait l'amour avec un malade. Cette idée de contamination me poursuit. Je prie quotidiennement un dieu auquel je ne crois pas qu'elle n'ait pas lieu, ni pour Seth, ni pour toi, ni pour l'enfant. Avons-nous fait l'amour cent fois ? Je ne sais plus, je me perds dans mes comptes. Surveille bien ta santé, ton poids, tes poumons. Pour l'instant du moins, la certitude que tu es séronégative est ma consolation dans ce monde de dangers ; mais si tu devenais positive, il ne faudrait pas désespérer. La médecine progresse si vite.

Tout à l'heure, je t'ai reproché ta duplicité. En insistant, malgré mon horrible maladie, pour faire l'amour avec moi, tu m'as donné la plus belle preuve de ta sincérité, de ta bonté, de ton cœur aimant. J'ai su que le quant-à-soi frileux, le repli, la défiance te sont étrangers. Si tu es capable des méfaits les plus noirs, tu es aussi capable, avec la même impétuosité, le même allant, de la générosité la plus insensée. On dirait parfois que ta propre vie ne compte pas pour toi, que tu en as fait le sacrifice. Cet héroïsme sans phrases m'a séduit tout de suite. Tu ne crois pas aux belles paroles, ni aux belles âmes ; tu m'as avoué un jour que tu pensais au suicide depuis que tu étais toute petite. C'est de là que tu tires ta force. Celui qui a renoncé à tout peut tout se permettre.

Notre destin voulait que nos deux existences se croisent ; moi non plus, je n'ai plus rien à craindre ou à espérer ; et je peux tout oser ; j'ai par moments l'impression, je l'ai dit à Samael, que la maladie me couvre, me protège comme son armure le chevalier. Impression fausse, bien sûr. Mais, par exemple, j'imagine la tête du policier chargé de m'arrêter, si je menaçais de lui cracher à la figure en précisant de quel mal je suis atteint. Tu y avais pensé avant moi, à cette sorte de protection.

Au fond, ça me serait égal que la terre entière sache mon état, à la seule condition que ma mère, elle, reste dans l'ignorance. Je sais bien qu'elle nous a plus ou moins donnés à nos persécuteurs, en Uruguay, mais ça n'a rien à voir. Elle est incapable de l'avoir fait exprès, il y a là un malentendu dans lequel je mourrai sans doute...

Pour en revenir aux soins intensifs que je subis, le désir pathologique des médecins de voir à l'intérieur du malade me laisse très démuni. Je t'approuve entièrement d'avoir refusé, après l'amniocentèse et l'échographie, de connaître à l'avance le sexe de ton enfant, de notre enfant. Cela me fait tout drôle, à la fin d'une vie d'homosexuel, de parler de mon enfant...

Samael, pour charmant qu'il soit, n'échappe pas à la règle : faire gonfler un dossier devenu un sac obèse de radios et de numérations de globules ; on dirait les sacs de plaideurs chez Racine ; c'est infini. On a commencé par m'infliger un électrocardiogramme, puis une échographie cardiaque, parce qu'on avait trouvé un petit souffle irradiant. Puis est venu le scanner du cerveau, avec, pour améliorer le contraste, cette désagréable piqûre d'iode qui chauffe le sang, et cette impression de pénétrer la tête la première dans la tombe d'un pharaon, par le trou situé au milieu de la face pyramidale, une pyramide métallique qui ronronne de manière inquiétante. Il y a eu les endoscopies : on m'a glissé une petite lampe au bout d'une sonde dans les poumons, par le nez, on m'a injecté et repris du liquide, c'est le « lavage alvéolaire » ; j'étouffais, je toussais, j'avais les larmes aux yeux, mais rien n'y fit. Et ce n'était qu'un début ; pour mesurer l'état de mes nerfs (quelle imprudence de m'être plaint de mes douleurs aux extrémités !), on m'a fait passer du courant dans les jambes ; et, pendant que je subissais cet « électromyogramme », le médecin plaisantait avec l'assistant sur les chaises électriques du Nouveau Monde ! J'ai eu des ponctions lombaires par-derrière, des ponctions sternales par-devant, où l'interne troue d'un coup de poignet le cartilage de la poitrine, comme le cloueur de vampires. Le pire fut l'endoscopie du foie. J'ai cru que j'y passais. Le docteur, un Maghrébin, était très au point, rassurant d'autorité. Il m'a fait étendre sur le billard, a allumé une sorte de téléviseur, auquel une caméra à rayons X envoyait l'image de mon intérieur viscéral. Bref, le rêve réalisé, la vision intégrale et interne. Cela grâce à un certain ordinateur qu'il pianotait frénétiquement. Puis il m'a introduit, ô douleur, au niveau du cou, dans la jugulaire, un filin d'acier, qui est descendu le long de la veine jusqu'au foie. Tu imagines ma tension à me figurer cette progression, qu'il suivait attentivement sur l'écran.

Enfin, parvenue au contact de l'organe, la sonde a mordu, grâce à une partie coupante située à son extrémité, et emporté dans son retrait un morceau saignant du tendre tissu. Je te laisse à penser dans quel état cet examen m'a mis. J'ai l'impression de vivre un nouveau supplice de Prométhée, ou qu'une souris aux dents longues me grignote le foie. Cela pince, cela pique, c'est odieux.

C'est une folie scopique : endoscopie, colonoscopie, rectoscopie, je te passe les détails. On se sent transformé en chose, en mannequin, en jouet qu'on éventre et dont les ressorts sautent à la figure de l'explorateur, à subir de telles investigations. L'idéal, pour eux, serait de retourner le corps comme un gant, de rendre entièrement visible le plus intime de chacun, de l'étaler et de le palper tout à loisir. Idéal terrifiant d'inquisiteur.

Voilà pour les médecins. Et pour la vie de malade ? Ce que je hais le plus, dans cette existence d'hôpital, c'est l'obligation constante de se forcer à vivre. Le train-train des efforts pour respirer, pour manger, pour boire... J'avale en faisant passer chaque bouchée par une gorgée d'orangeade ; je me lève en me forçant, je me lave, et même je dors en me forçant. Il faut tout FAIRE, rien n'arrive seul. Le patient déploie une volonté et une énergie absurdes pour parvenir au tiers ou au quart du résultat auquel nous parvenons chaque jour sans même y avoir pensé. Chaque geste est voulu, et tout repose sur la constance de cet effort qui me tue.

Il se trouve que mon mal est la Maladie inconnue, comme le soldat ou le chef-d'œuvre. Ils ne savent pas. Eux, les savants, les maîtres, ils bafouillent, ils ignorent. On n'arrive ni à localiser la cause de ma fièvre (poumons ? reins ? foie ? vessie ? rate ?, etc.) ni à trouver l'agent microbien. Tu sais, comme tout le monde, que le virus n'agit pas directement ; il déclenche des infections, dites opportunistes, comme le parti radical autrefois ; d'habitude, on trouve vite la bactérie responsable. Chez moi, rien à faire. Les semaines, les mois, et les examens peuvent passer, les résultats sont négatifs. À en perdre son Vidal. Samael, le docteur, reconnaît volontiers que je suis un malade exceptionnel. Je le crois bien ; cette vaine attente est épuisante. Il dit aussi que c'est la phase la plus désagréable de la maladie, celle où l'on cherche sans savoir ce que l'on cherche. Tuberculose ? Paludisme ? Infection des voies urinaires ? Les questions sans réponses s'accumulent. Je vis suspendu à ces hésitations. On en vient à souhaiter d'avoir quelque chose, n'importe quoi d'identifiable, de précis. Là encore, l'attente est la part la plus pénible.

Peut-être mourrai-je d'une maladie inconnue, intestat scientifiquement, en quelque sorte, ne laissant à la postérité qu'un grand point d'interrogation planté dans mes entrailles. Peut-être l'autopsie permettra-t-elle de découvrir un microbe jamais vu, un virus inobservé, ou une mycose atypique. On ne lui donnera même pas mon nom ; les malades n'ont pas droit à cet honneur. Ce sera la maladie de Samael, je crois. Les médecins volent aux patients leurs découvertes, c'est ainsi depuis que le monde est monde.

Ma vieille amie, la douleur, est revenue me visiter. Il est probable que je ne tourne plus très rond, car je l'ai accueillie avec sérénité, presque avec plaisir ; je lui étais reconnaissant de sa fidélité, à elle aussi. Constante gardienne de mon éveil, plantée à côté de mon lit comme un arbre tutélaire, riche d'expérience, elle est mon bâton, mon adjuvant. Elle m'aide à vivre en peuplant le désert désolé des jours de ses attaques et de ses retraits. Ô souffrance, amie du faible !

Du coup, mes rapports avec Samael se sont renforcés. Je suis passé par bien des étapes : de l'amour immodéré (je le trouvais un saint, un dieu, je croyais au miracle), à la haine recuite, et à la défiance systématique. L'idée qu'il voulait ma mort m'a hanté ; celle qu'il me mentait aussi ; mais il ne ment pas, il ne sait pas, simplement.

Depuis la première fois que nous nous sommes rencontrés, lors d'une visite avec Paolini, j'ai su que je lui rappelais quelqu'un. Toi, sans doute ; je ne sais à quel moment il t'a vue, mais je suis certain qu'il te connaît. Il a eu cette façon de me dévisager, la bouche ouverte...

Te souviens-tu l'avoir rencontré ? Pense à me le dire, je suis curieux de savoir ce que mon médecin peut avoir en commun avec toi. Et peut-être est-ce l'un des éléments du puzzle originel.

Il me parle de métaphysique, il en devient touchant. L'autre jour, pendant la consultation, dans son minuscule cabinet, le téléphone siffle. Il a des téléphones et des interphones en pagaille, il est très gadget. Il décroche, et, devant moi, sans le moindre complexe, se met à discuter le protocole d'admission au nouveau médicament, l'AZT. Il voulait modifier ces conditions d'accès. Il m'avait dit qu'il y aurait trois groupes : le premier soigné à l'AZT, le second à la fois à l'AZT et au Zovirax, le troisième avec des pilules placebo. J'ai trouvé la méthode cruelle pour le troisième groupe, et lui ai dit. Comme ce groupe comprend les cas non élucidés, je suis sûr d'en faire partie. Bref, il discutait maintenant ferme au téléphone, car son interlocuteur, le labo américain qui fabrique le produit, hésitait à le lui fournir, suite à certains articles chauvins de la presse française. Il finit par obtenir que ce fameux « 3e groupe », au bout des six mois de l'expérience, aurait automatiquement droit, en compensation, à ce précieux AZT. À ce moment-là, je l'ai trouvé profondément humain.

Il me conjure de lire, d'écrire. Il croit à la vertu du travail, à l'effet dynamique de l'occupation. Lire ! Voici les lectures que m'ont apportées mes visites, avec un sens très sûr de l'opportunité : les *Fables* de La Fontaine, lesquelles se sont aussitôt ouvertes sur « Les animaux malades de la peste » :

> *Un mal qui répand la terreur,*
> *Mal que le ciel en sa fureur*
> *Inventa pour punir les crimes de la terre...*

Plus *La Légende de saint Julien l'Hospitalier*, de Flaubert, où le héros couche avec un lépreux avant de monter au ciel avec lui ; plus Baudelaire, « Mon cœur mis à nu » et les imprécations contre la Belgique, Baudelaire qui se plaint à chaque page de la syphilis qui l'emportera bientôt ; et pour couronner le tout, le *Journal* d'Alice James, long récit de son agonie de cancéreuse...

Peut-être est-il vrai, ce raisonnement que me tenait un sociologue : les périodes de grandes épidémies, de contagion sexuelle, sont aussi celles où l'activité érotique, aiguillonnée par le risque, se déchaîne le plus. Voir la Renaissance, le XIXe siècle...

Il est arrivé un curé dans le service. Je pensais qu'il venait apporter son réconfort, pas du tout, c'est un malade. J'avoue que j'en suis tout perplexe. On trouve de tout, dans ce capharnaüm que nul Sauveur ne visite. L'ascenseur et le hall des consultations, où est installé un téléphone mangeur de pièces, sont les principaux lieux sociaux. J'y ai fait des rencontres. Des gens que je croyais à dix mille années-lumière de ce virus maudit. Un couple d'Arabes, dans la cinquantaine, lui moustachu ouvrier, elle, une tour voilée, geignante, honteuse ; et c'était pour elle qu'ils consultaient. Il lui avait sans doute refilé le germe qu'il avait attrapé sur une folle française... On trouve même des enfants. Eux, le service les pouponne, presque les larmes aux yeux. Des mères accablées, le deuil déjà prêt, parcourent les couloirs en se tordant les mains, tandis que des pères fument nerveusement cigarette sur cigarette. Enfin j'ai vu passer chaque jour un vieux, très vieux homosexuel, un pilier de pissotière, tavelé, taché, courbé, voûté, qui vient se faire piquer longuement. L'autre fois, Samael lui disait :

« Vous allez mieux. Vous n'aurez plus que six séances par semaine...

— Oh oui, je me sens fort », répondait-il en gonflant sa poitrine débile.

Le même, parlant à l'infirmière de l'hôpital de jour, une Bretonne autoritaire, s'écriait :

« Je sors de chez moi, dans le dix-huitième, et pas de taxis ! Il n'y a jamais de taxis dans le dix-huitième. Je devrais déménager pour un autre quartier... »

Il serait capable de le faire, ou de venir se loger en face de l'hôpital. En tout cas, lui résiste, tient par inertie, par économie de moyens. Les vieillards, plus égoïstes, plus rassis, tiennent mieux ; les jeunes, eux, flambent leurs forces tout de suite. J'ai vu aussi deux jeunes types, beaux à croquer tous les deux (au point que j'ai presque eu un regret de mon temps d'homosexuel), l'un blond, l'autre châtain, qui n'avaient pas quarante ans à eux deux. Ils attendaient sur la banquette. Au premier abord, je les avais pris pour des amants ; ils me confièrent, de leur voix rauque et sauvage, qu'ils étaient frères et venaient d'Amiens.

« Et vous vous êtes contaminés l'un l'autre ? demandai-je vicieusement.

— Oui. Mon frère l'a eu d'abord, puis moi, à cause de la seringue... »

C'étaient seulement deux drogués qui avaient partagé la même aiguille. Ils avaient cette attitude provocante, ce besoin aussi de s'épancher, de se juger et de se plaindre, qui est propre à ces gens-là. J'ai tenté de les rassurer. Mais je suis sûr qu'eux flamberont comme du bois sec.

Aujourd'hui j'ai fait trois pas dehors. Ils ont changé les fleurs des plates-bandes, et les cannas ont été remplacés par des primevères et des pensées encore bien étiolées. J'ai marché jusqu'à la grille, et j'ai éclaté de rire, car sur la façade des pompes funèbres, installées délicatement au sortir de l'hôpital comme un charognard près d'un mouroir, était inscrit le nom du propriétaire : « Gay, caveaux et pierres tombales. » Voilà un humour involontaire qui est désopilant.

J'avais donné ton adresse, avec ton seul prénom, c/o tes amies de l'avenue de Saxe, aux services de l'hôpital. J'y étais contraint ; Samael m'avait demandé une liste de personnes de ma famille pour étudier leur compatibilité avec mon propre système immunitaire. C'est chez les frères et sœurs que la compatibilité est la plus forte, mais elle se présente aussi entre oncle et nièce, entre parents et enfants. Compatibilité sanguine, mais surtout de la moelle : il est question de me faire une greffe de cette précieuse substance, dont j'ignorais le rôle fondamental dans la fabrication des globules et la défense de l'organisme.

Ma pauvre moelle : j'en ai vu un petit bout, rouge de sang, et j'ai pensé à la moelle de bœuf avant cuisson du pot-au-feu ; cette moelle qu'on déguste en cachette, à la cuisine. On m'a fait un électroencéphalogramme. J'ai regardé ces courbes entrecroisées, qui ne m'ont rien dit. Réseau arachnéen de sinusoïdes, la carte de mon moi ne s'adresse qu'aux spécialistes. Eux y lisent de mystérieux messages qui me restent inconnus.

Que devenons-nous après la mort ? Je veux dire, non pas ce que devient notre âme, notre esprit ou notre conscience, je ne parle ni du paradis ni du nirvana. Par « nous » j'entends notre bon vieux corps.

Le christianisme a bien compris le problème, qui parle

de la résurrection des corps, tels qu'ils n'ont jamais pu être, à l'apogée de leurs facultés et de leur beauté. Malheureusement, avant cette résurrection, avant que « les os se recouvrent de chair et de peau », comme dit le prophète, quand il s'exclame : « Ils ressusciteront, vos morts ! », et que je puisse m'écrier comme saint Paul : « Ô mort, où est ta victoire, où est ton aiguillon ? », avant ce moment béni, aura eu lieu cette lente phase de décomposition et de retour à la poussière.

Je me suis documenté grâce aux livres de la petite bibliothèque hospitalière. La mort est la dissolution du lien organique qui unissait les cellules du corps en une seule volonté de vivre. Chacune des cellules devra mourir à son tour ; milliards de petites morts, étalées sur des semaines, qui achèvent le décès du cerveau, de la respiration et du cœur...

Comment mourrai-je ? À peine le coma profond commencé, et la tension artérielle effondrée, le cœur fibrillera, et en moins de dix minutes l'électroencéphalogramme deviendra plat. Le processus de destruction pourra débuter. Le cadavre se videra de ses excréments ; pendant cinq heures, mon corps sera tiède et mou. Puis il se rigidifiera ; au bout de vingt-quatre heures, apparaîtront les taches dues au sang coagulé, et la rigidité cadavérique diminuera de nouveau ; gaz et sérosités putrides se dégorgeront ; de nouvelles taches, vertes, feront leur apparition. Cheveux, poils, ongles continueront à pousser ; le cerveau aura été détruit en premier. Le foie disparaîtra à la troisième semaine, le cœur entre le cinquième et le sixième mois. Les cellules, elles, mourront par autolyse, en se supprimant elles-mêmes, après avoir utilisé toutes leurs réserves. Le délitage des os prendra encore quatre à cinq ans. Les dents demeureront pour l'éternité...

Tristes réflexions, me diras-tu. C'est pourtant ainsi que nos cendres se mêleront ; car j'espère bien, comme

Tristan et Yseult, Philémon et Baucis, et tous les amants célèbres, que tu joindras dans très longtemps ton tombeau au mien pour la dernière embrassade, et qu'une même vigne vierge, plantée par tes soins, liera nos deux sépulcres, nourrie par notre lente décomposition.

Pour moi, la vie d'hôpital est l'antichambre de la mort. Pour toi elle est le vestibule d'une nouvelle vie. Par moments, cette petite vie pépère, avec ses habitudes, ses horaires réglés, ses plateaux-repas et ses sorties pour la radio, son bourdonnement d'abeilles diligentes et ses alternances dans le service (Josyane remplace Valérie qui a remplacé Odette qui remplaçait Véronique, laquelle remplaçait Josyane la semaine dernière), me suffit et m'endort comme en un cocon. J'aurai, ou j'aurais de la peine à m'en extirper.

Il paraît que les anciens prisonniers de la Santé, une fois dehors, se sentent perdus. Et qu'ils reviennent d'eux-mêmes boire de mélancoliques pastis au café qui fait face à la porte de la célèbre prison, lequel café a pour enseigne : On est mieux ici qu'en face. Ils ne le pensent pas ; et, paradoxe fréquent, c'est un regard de regret et de nostalgie qu'ils ont pour ces murs noirs, ces cours et ces barreaux, pour l'univers qui leur est à présent interdit.

Les malades d'hôpitaux, à la longue, deviennent comme les taulards. Leur lit, leur chambre leur manquent cruellement dans la vie dite « normale ». Même la souffrance, ils la réclament.

On trouve de tout, dans un hôpital, c'est une ville en résumé. Restaurants, pharmacies, terrains de sport, bains publics, bureaux, usine à déchets qui broie et brûle les ordures, garages, ateliers, magasins... On trouve même de quoi s'amuser un peu. Hier, je marchais vers le mail, bien doucement ; et sur un banc était assise une femme pâle, aux lèvres violettes, qui se pensait encore belle et se serrait dans une couverture empruntée à son lit, que ses rayures faisaient vaguement ressembler à un poncho. Il ne lui manquait que le chapeau melon et la pipe pour en faire une parfaite Indienne des Andes. Un demi-sourire éclairait cette face morne ; quand je l'ai croisée, j'ai cru entendre un petit sifflement. Je me suis retourné, et le bruit a recommencé ; c'était bien elle qui le produisait. Cette femme, cette chose, ce débris humain, me draguait. Était-ce pour l'argent ou pour le plaisir ? Je ne le saurai jamais. J'ai pris mes jambes à mon cou et me suis sauvé en courant.

Ce matin, Samael est entré chez moi tout ébouriffé. Je ne l'avais pas encore vu ainsi. Il était blême, il bégayait, incapable de s'exprimer clairement. Il m'a interrogé presque violemment :

« Vous savez que vous êtes un cas ? »

J'ai cru qu'ils avaient découvert quelque chose d'important concernant ma maladie. Tu parles, Charles. Il s'agissait de bien autre chose.

« Non, non, rien de nouveau dans vos cultures. (On cultive, sous des étiquettes à mon nom, un vrai jardin de tubes, au quatrième étage, et j'en suis rendu à ma soixantième prise de sang.) Ce n'est pas cela qui m'amène. C'est votre parente. »

Je n'allais pas lui confier qu'elle était plus ma fille que ma nièce. J'ai cru qu'il t'était arrivé quelque accident de grossesse, un grand froid m'a envahi et j'ai murmuré :

« Ève ? »

Il m'a entendu, il s'y attendait.

« Oui, Ève Kadmon, c'est bien son nom ? Elle va aussi bien que possible, rassurez-vous. Vous savez que j'ai fait faire des analyses de compatibilité entre elle et vous, elle avait d'ailleurs refusé de se nommer... »

J'opinai du chef. Il la connaissait donc.

« Eh bien, non seulement vous êtes compatibles... »

C'était plutôt une bonne nouvelle. Je le coupai :

« Je ne vois pas ce qu'il y a d'effrayant là-dedans, docteur.

— Laissez-moi finir. Non seulement vous êtes parfaitement compatibles, vous appartenez au même groupe sanguin, le O pur, qui est assez rare ; il n'existe qu'en France et chez certains Indiens d'Amérique latine...

— Pourtant, docteur, je peux vous dire que ma famille est une vraie mosaïque ! Enfin, tant mieux pour les transfusions n'est-ce pas ? »

L'idée que le sang d'Ève pourrait couler dans mes veines me remplissait de la même joie intense que j'éprouvais, enfant, à sceller dans le sang du poignet une amitié éternelle avec un camarade de classe.

« Ce n'est pas fini. Vos sangs sont identiques, votre moelle est identique, vos cellules sont identiques, vos caryotypes sont identiques..

— Nos quoi ?

— Vos caryotypes. Vos bagages chromosomiques respectifs. Vos hérédités...

— Je ne vois pas ce qui vous étonne. Nous sommes proches parents.

— Vous n'êtes pas parents, vous êtes pareils ! Comme cela m'intriguait au plus haut point, j'ai voulu avoir une confirmation indiscutable. Je m'intéresse à votre “ nièce ”. Déjà vos yeux m'avaient frappé. Car cette bidominance brun et bleu signifiait que les mêmes deux caractères dominants de couleur, fait assez rare, vous étaient communs. En général, il y a une couleur dominante, visible, et une autre, dominée, qui ne se manifeste que chez certains descendants... J'ai donc procédé à un test infaillible. J'avais fait faire, à tout hasard, un électroencéphalogramme de votre parente, lors de son prélèvement. Je l'ai comparé au vôtre. Je n'avais jamais vu cela À peine chez des jumeaux, et encore, élevés dans la même maison...

— Vu quoi, docteur ? Assez joué aux énigmes.

— Vous savez (je ne savais rien, mais j'approuvai pour gagner du temps) que le rythme alpha occipital est pour ainsi dire la signature inconsciente de l'individu. Mieux que l'empreinte digitale, ils sont uniques ; chacun de nous a le sien.

— Et alors ?

— Votre parente et vous-même avez des courbes qui se superposent parfaitement. Autrement dit, vous avez, au repos, exactement le même rythme alpha. Vous n'êtes pas semblables, vous êtes identiques, comme un seul être à deux faces... »

Adam, 7

LES PLUIES d'octobre avaient sali les hauts cosmos roses, violets, et blancs, abattu leur feuillage aux nervures légères, et compromis les dernières floraisons des dahlias et zinnias du jardin. Les roses formaient leur ultime remontée, sur des tiges trop longues, plus proches de la ronce que du rosier, et les géraniums déjà rentrés flétrissaient à la faible lumière des fenêtres voilées. Seuls les chrysanthèmes aux teintes de cimetière florissaient encore.

Adam avait toujours adoré les dahlias, surtout les gros, échevelés, jaunes ou feu, qui pourrissaient lentement par la périphérie. Il ramassait les plus avancés, les débarrassait de leur couronne fanée, et composait d'énormes bouquets fragiles qui salissaient le carrelage en s'émiettant, à la grande irritation de Judith.

L'hôpital lui ayant accordé une permission, suite à une rémission, il était revenu dans le Berry. Samael, systématiquement optimiste, déclarait qu'après tout ça pouvait finir comme ça avait commencé, sans explication, et que la maladie pouvait bien disparaître comme elle était venue. Pourquoi pas ? se disait Adam sans y croire.

Ève et lui partageaient la chambre nuptiale, l'ancienne demeure des maîtres, des propriétaires, à l'étage noble, le premier, bien qu'il lui fallût un quart d'heure pour gravir l'escalier de chêne aux contremarches trop hautes.

Les murs étaient couverts de papier peint rouge à ramages d'argent ; deux fenêtres à petits carreaux donnaient sur le parc ; une toilette de marbre et acajou à vasque pivotante qui ne servait plus, des lampes à abat-jour de moire et un bureau à cylindre, où le maître du domaine serrait autrefois ses contrats de métayage, formaient le mobilier. Et puis un grand lit à baldaquin, où ils restaient des heures, tandis qu'en bas Judith passait rageusement l'aspirateur sur le tapis du salon, en faisant le plus de bruit possible.

Pour échapper à l'agressivité de cette dernière qui croyait Adam seulement victime d'une mauvaise bronchite, ils marchaient ensemble à petits pas dans le parc, en écrasant les feuilles mortes qui jonchaient les épaules des statues et les allées, et les bogues aux piquants verts qui libéraient des marrons d'Inde brillants, cirés, au goût amer. La pluie les ramenait au coin du feu, dans la grande cuisine à la propreté hollandaise. Ou bien, empruntant la deux-chevaux d'Anne, qui se doutait du véritable mal dont souffrait Adam et se montrait complaisante à souhait, ils sortaient faire des visites ; et tout le pays jasait de voir cette fille enceinte jusqu'aux yeux, qui n'avait que dix-huit ans, et son oncle qui avait l'air si malade, rouler par les petits chemins au hasard des pancartes et des éclaircies.

Adam éprouvait des impressions d'une intensité inédite. La musique, le soir, sur le vieux pick-up, ou bien un rayon de soleil allumant mille gouttes de rosée dans la forêt, ou encore l'odeur de feuilles mortes, quand ils cherchaient sans conviction de rares morilles en remuant les herbes d'un bâton paresseux, le mettaient au bord des sanglots. C'était la première fois qu'il éprouvait si fort des choses si simples, dont il avait été sevré depuis des semaines d'hôpital. Il en vint à remercier la maladie, qui, en s'interrompant, lui fournissait de telles joies. Il serrait convulsivement la main d'Ève, l'embrassait sans prévenir, au risque de lui faire commettre une embardée sur la route. Elle, que des envies de femme enceinte dévoraient, était nerveuse, parfois impatiente ; lui n'attendait plus rien, il aurait voulu que tout restât ainsi, immuable, dans cet automne humide qui n'en finissait pas.

Ils se prirent de passion pour les champignons. Les sectes cryptogamiques n'eurent bientôt plus de secrets pour eux. Certains étaient boletistes, peu nombreux en la région, où quelques beaux bordeaux au chapeau chamois clair et au pied énorme venaient sous les chênes ; le seul cèpe courant, c'était le bolet rude au chapeau rouge, poilu de noir sur le pied, de peu d'odeur et de peu de saveur. Et puis il y avait les orongistes ; cette amanite des Césars, d'un bel orange, ne poussait malheureusement que jusqu'à septembre. Les amanitistes, capables de reconnaître la pâle phalloïde de la délicieuse rougissante ; les morillistes, qui se contentaient le plus souvent d'helvelles, indigestes avant cuisson ; les amateurs de trompettes de la mort, à la chair cartilagineuse et au parfum puissant ; et les chasseurs de champignons des prés, plus abondants que ceux des bois : rosés ou pratelles qui poussent en ronds de sorcière dans les bouses des vaches, et la reine, la coulemelle ou lépiote élevée, à bien distinguer de la petite qui est toxique, avec son grand chapeau en ombrelle, et son goût de musc, délicieuse à l'ail et huile.

Il cheminait lentement ; Ève, plus agile, ramassait.

Ils s'enivraient des odeurs, rapportaient des sacs trop pleins, et la récolte s'abîmait faute d'être consommée à temps. La cuisine devenait un sous-bois ; omelettes, fricassées, poêlées aux croutons et crème, potages, Anne ne savait plus quoi inventer pour les utiliser. Ils firent des couronnes de mousserons séchés pour les sauces, des sachets de cèpes déshydratés et en tranches, des conserves de rosés. Rien n'y faisait ; il fallut jeter les restes dans le parc. La grosse vétérinaire prétendait que cela ferait pousser les champignons l'année suivante.

Adam avait appris à l'apprécier, la vétérinaire, qu'il avait de prime abord traitée un peu par-dessous la jambe. La mort de son amie, survenue à la fin de l'été, l'avait laissée bien seule. Sous ses dehors frustes, elle était d'une science et d'une curiosité universelles. Sa conversation les tenait sous son charme ; avec sa pipe, son petit verre de prune qu'elle réchauffait entre ses gros doigts courts, son teint de brique, elle se révélait une vraie mine de connaissances.

« Mais pourquoi vétérinaire, et pas docteur ? » demanda un soir Adam à la dame, dans l'ancienne gare où elle habitait, et qu'elle avait transformée en un petit musée zoologique.

Elle prétendait y entendre la nuit siffler des trains fantômes. Ils s'y rendaient souvent les jours de pluie, et restaient des heures, entre des spécimens de papillons, d'oiseaux de nuit empaillés, effraies, chouettes, hiboux, grands ducs, et de carnassiers, fouines, belettes, blaireaux, renards, montés sur socle.

Elle soupira, comme si elle écrasait un regret.

« Vous êtes comme tout le monde, vous croyez que le véto est l'inférieur du médicastre… Mais c'est l'inverse. Comme l'architecture n'est qu'une section de la pièce montée de pâtisserie, le docteur n'est que la sorte de véto spécilisé dans l'homme. Règne : animal. Phylum : chordés. Subphylum : vertébrés. Superclasse : tétrapodes. Classe : mammifères. Infraclasse : euthériens ou placentaires. Ordre : primates. Sous-ordre : anthropomorphes. Famille : hominiens. Voilà dans quelle petite case se range le genre " homo ", et l'homo sapiens en tant qu'espèce. Un peu de modestie… »

Bien sûr, comme la petite communauté qui fréquentait Anne et Judith, Lisette (c'était le charmant prénom de leur amie qu'elle leur avoua en assombrissant la cuisson de sa face) était tentée de théoriser sur la supériorité du féminin ·

« Certes, chez l'homme, c'est le mâle qui est hétérogamétique...

— Hétéro quoi ? demanda Ève, soupçonnant une cochonnerie.

— Hétérogamétique. Qui a une paire de chromosomes dissymétrique, la paire sexuelle. Mais, chez les oiseaux, c'est la femelle qui est hétérogamétique. Chez les tritons aussi. Et surtout, la parthénogenèse n'est de toute façon possible que chez les femelles... »

Ce fut le tour d'Adam de marquer sa stupéfaction.

« Cela existe donc ? Je croyais le mâle indispensable.

— Pas du tout. Des divisions spontanées ont été décrites dès 1936 par Pincus pour des œufs de souris et de cochons d'Inde. Ils effectuent tout seuls la première division somatique, celle qui permet de passer d'une à deux cellules et qui est le début de la construction de l'embryon. On a même observé ce phénomène dans des ovaires humains.

« Certes, c'est en vain qu'en 1955 un quotidien anglais a cherché à recenser les filles nées de parthénogenèse par un appel public. Mais absence de preuve n'est pas preuve d'impossibilité. Il y a bien une parthénogenèse fonctionnelle des insectes, pour quinze pour cent des œufs. Et Olsen décrit un développement parthénogénétique chez la dinde. Chez les poules, il est presque de rigueur. Pucerons et abeilles ont le choix entre les deux voies de reproduction, parthénogénétique et sexuelle. Enfin, au début de ce siècle, Loeb chez l'oursin et Bataillon chez les grenouilles, au moyen d'une simple stimulation par piqûre, ou par échauffement, ou encore par contact chimique ou électrique, ont réussi à amorcer le processus de déclenchement de l'œuf...

« Le même Pincus, en 1939, a fait subir des chocs à un œuf de lapine, *in vitro*. Puis il l'a replacé après avoir constaté la première division, dans l'utérus de la mère, dûment préparée hormonalement. Et il a obtenu trois petites lapines, qui avaient exactement les mêmes chromosomes que la mère. »

La conversation, ce soir-là, roula encore sur la division sexuelle des espèces, des possibilités de franchir également cette barrière naturelle ; ou encore, d'obtenir des souris « tétraparentales » ou « hexaparentales », fruit de quatre ou six parents. L'inverse en somme de la parthénogenèse.

Lisette élevait dans son jardin des « pomates », hybride monstrueux de tomate et de pomme de terre. Tout en voulant les convaincre de la supériorité du vétérinaire sur le médecin, elle étendait à présent ses raisonnements aux végétaux.

« Ils souffrent et sentent comme nous. Et nous préfigurent. Ce sont des vétérinaires qui ont découvert la " peste porcine " et le virus des volailles, bien avant qu'on parle du singe vert comme porteur du LAV... »

Cette fois, ce fut Adam qui rougit. Mais Lisette ne prit pas garde à sa gêne. Elle montrait par la fenêtre, rayée d'une pluie tenace, les lignes noires d'ormeaux morts, le long de la rivière, squelettes du crépuscule.

« Le feu de l'orme, cette autre peste parasitaire, était un signe, pour celui qui sait lire dans la nature. Le temps des virus et des parasites est venu, et ils bouleverseront la face de la terre. La biosphère entière, telle que nous la connaissons, est menacée... »

Les jours suivants, Lisette leur confia les raisons de sa passion pour leur petit couple. Ils formaient une sorte de miracle génétique ; les probabilités, pour voir réapparaître le « type pur » d'un individu déjà réalisé, dans sa propre descendance ou dans celle de sa parentèle, étaient infimes. Quand Adam lui raconta que ces iris de teintes différentes se retrouvaient dans ce portrait du Fayoum appelé *La Vaironne,* elle se mit à délirer sur les mouches drosophiles et sur les nombreuses manipulations qu'avait subies la couleur des yeux de ces pauvres bêtes. Mais ils n'étaient pas des mouches, et les passionnait plus l'initiation à la génétique humaine. Ils étaient plus concernés que quiconque par ces arcanes, où s'était complotée leur ressemblance insensée.

« Ne tirez pas trop d'orgueil de cette fameuse ressemblance, conseillait Lisette ; heureusement, vous êtes un cas exceptionnel. Toute l'évolution repose sur la sexualité, c'est-à-dire sur la différence et l'individualité. Sinon, nous serions des êtres monocellulaires, se reproduisant par simple division, et tous semblables entre eux, de monotones bactéries qui ne mutent que par hasard, sans progrès ni complexité possible. Bien sûr, nous payons notre avantage ; le prix de la sexualité, c'est la mort... »

Ève manifestait des signes d'avancement dans la grossesse. Je m'en inquiétai ; les yeux cernés, le visage plombé (Judith prétendait qu'il s'agissait là du célèbre « masque de grossesse »), elle avait déjà quelques pénibles nausées. Et en lui caressant les seins, dans notre couche matrimoniale, je voyais l'aréole noircir et gonfler de jour en jour.

Moi-même, aux derniers jours de novembre, je ressentis une nouvelle attaque de fièvre, doublée d'une toux persistante et affaiblissante. Le mal empirait d'heure en heure ; il me fallait renoncer à mon projet de passer mon quarantième anniversaire à la campagne ; ce plaisir élémentaire nous était refusé. Nous devions rentrer à la maison, c'est-à-dire à l'hôpital.

Pour ne plus être séparés par de longues distances, nous avions convenu qu'Ève accoucherait à la maternité de la Salpêtrière. Anne et Judith, qui ne doutaient pas un instant que l'enfant serait une petite fille, et s'en faisaient à l'avance grande réjouissance, prirent le train avec nous, en laissant les clés à la fidèle Lisette.

Nous sommes arrivés gare d'Austerlitz ; l'entrée de l'hôpital était la porte à côté. Ève avait à repasser chez ses logeuses ; elle attendrait les derniers jours, très proches, pour se faire hospitaliser. Moi, je regagnai en geignant ma petite cellule moderne aux murs saumon (rose vomitif supposé réconfortant par le décorateur de l'Assistance publique), et mon lit à bascule avec son matelas inspiré. Il n'était que temps ; les premières radios furent catastrophiques. De grandes taches blanches mangeaient le poumon droit et toutes les côtes du bas. Le profil était pire encore. On ne distinguait plus qu'un nuage à la place de la grille costale. Je compris à la tête de Samael que cette fois c'était sérieux. Un nouveau lavage alvéolaire se révéla négatif. Le traitement antituberculeux, commencé depuis un mois, n'avait fait que m'affaiblir. La fièvre faisait des bonds inquiétants, et la courbe, punaisée sur le panneau de liège face à mon lit, marquait tous les trois jours des clochers à quarante degrés. Ma tête me brûlait, la toux me secouait comme un prunier. Je crachais des sérosités vertes, ignobles, qui m'étouffaient.

Devant l'urgence, Samael adopta sa politique habituelle, qui était de laisser à d'autres les moments les plus désagréables et de se réserver les futures bonnes nouvelles. J'étais si faible que les radios étaient désormais effectuées au-dessus de mon lit, à l'aide d'un appareil transportable, monstre pesant à roulettes, que brutalisait une manipulatrice en permanence exaspérée. Mon transfert à l'hôpital Tenon, spécialisé dans les affections pulmonaires, fut brusquement décidé. Ainsi, notre tentative, à Ève et à moi, de nous réunir, aboutissait à une nouvelle séparation. Tenon était à l'autre bout de Paris, près des Buttes-Chaumont. Une ambulance confortable (pour la première fois je bénéficiais d'une suspension pneumatique) m'emporta vers mon nouveau lieu de supplice. Tenon était sinistre : un carré de bâtiments d'hospice, datant du XIXe siècle, des chambres à deux, un vacarme incessant, un personnel débordé et sans douceur. À côté, la Salpé devenait un asile de charme et de confort.

Tenon Ce nom résonnait comme un gémissement. Les premiers jours, je continuai à m'affaiblir. Je ne mangeais presque plus, et roulais sur ma couche d'un flanc sur l'autre. On m'avait placé dans la même chambre qu'un garçon colombien, qui s'appelait Vélasquez, comme le peintre. Lui avait subi trois semaines plus tôt ce que j'allais connaître incessamment. Il ne se levait encore qu'à grand-peine. À voir sa tête quand il entendit le professeur m'annoncer une « petite biopsie », je sus que j'allais souffrir.

La « petite biopsie », me précisa-t-on, serait accompagnée d'un drain pour assécher mon poumon. Un, ou deux. Au seul énoncé du mot « drain », le visage de Vélasquez se tordit de douleur. Ce mot « drain », brutal et lourd, suffisait à réveiller sa peine.

Mais le professeur, lui, nageait dans l'optimisme. Ce n'était qu'un « geste » chirurgical sans grandes conséquences ; on me fit tout de même signer une décharge de responsabilité, que je paraphai aveuglément. Le piège était tendu, ses mâchoires allaient se refermer sur moi.

Entre-temps, Vélasquez partit pour une maison de repos, à Rambouillet, dont il me dit mille horreurs dans une carte postale que je reçus après l'opération. Il lui vint de l'eau dans tous les membres, et il gonfla comme un ballon.

Le jour de son départ, que je regrettai vivement, un jeune homme dans la trentaine, rouge de fièvre ou de bronzage à la lampe, c'était indécidable, fut transporté en urgence dans le lit du Colombien. Les infirmières avaient à peine eu le temps de changer les draps. L'homme était atteint d'un pneumocystis carinii à forme aiguë ; j'appris, en écoutant son interrogatoire, que la maladie l'avait brusquement pris, comme un point de côté, quelques jours auparavant, pendant qu'il jouait au tennis. Je savais que la pneumocystose était une des principales infections opportunistes dues au LAV. Quand le professeur lui demanda s'il était homosexuel, mon nouveau voisin répondit d'un ton boudeur qu'il était échangiste. C'était bien son genre.

Avec lui, les nuits étaient terribles. L'oxygène bouillottait dans l'humidificateur, et l'échangiste gémissait interminablement en respirant avec effort dans un masque embué. Nos douleurs parallèles ne se croisaient jamais. Nous n'avons échangé ni un mot, ni un sourire. Il m'énervait, je priais pour sa mort ; et lui, sans doute, pour la mienne.

Enfin, au bout d'une dizaine de jours tuants, on me transféra à nouveau, en chirurgie cette fois. Le service de la chirurgie pulmonaire était sous les toits, au dernier étage ; les chambres, minuscules et mansardées, donnaient juste sur le clocher de la chapelle, et les heures sonnaient pour ainsi dire à mon chevet. Au reste, comme je devais le vérifier plus tard, les chambres étaient parfaitement insonorisées.

Vint le matin fatal. Le chirurgien en chef, un barbu aimable et réservé, était passé me préparer psychologiquement. Innocent comme l'agneau qui marche au sacrifice, j'étais inconscient des risques.

On me prémédiqua, c'est-à-dire qu'une piqûre froide me rendit peu à peu insensible à ce qui m'entourait. Mon lit déménagea, via l'ascenseur, jusqu'au rez-de-chaussée, dans une salle ou d'autres civières vinrent me rejoindre au cours d'une interminable matinée ; elles ramenaient les opérés pour la réanimation. Deux infirmières antillaises en étaient chargées ; l'une d'elles giflait doucement le patient, le sommant de se réveiller d'une voix persuasive. L'autre introduisait un aspirateur dans la gorge du client, sans doute pour le débarrasser des glaires accumulées pendant l'opération.

Ce fut en écoutant les cris déchirants de ceux qui s'éveillaient que je commençai à comprendre le drame qui m'attendait. J'avais cru que la sortie de l'anesthésie était une lente et douce remontée vers la lumière ; cela avait plutôt le caractère brutal d'un accouchement. Mais il était trop tard pour les regrets ; déjà l'infirmière poussait ma civière, franchissait les portes de la salle d'opération, me faisait rouler de la couchette sur le dur billard. Une lumière solaire, éblouissante, reflétée par une couronne de miroirs, me plaqua sur le froid métal. Des mains tremblantes de hâte s'affairaient sur moi, une nouvelle piqûre m'engourdissait le bras. Un masque s'adaptait à mon nez et ma bouche ; l'odeur écœurante du chloroforme m'envahissait. Je sombrai dans le noir.

Il se réveilla en entendant quelqu'un hurler. Ce quelqu'un, c'était lui-même. Il hurlait à perdre haleine, comme un chien qu'on martyrise, sans repos ni reprendre son souffle ; il hurlait à la mort.

La douleur était incompréhensible, insoutenable. Malgré lui, il porta les mains à son flanc droit tout en criant. Une voix nègre, à côté de lui, affirma péremptoirement :

« C'est interdit d'y toucher. Laissez vos mains tranquilles. »

Il souffrait tant qu'il obéit. Il souffrait même trop pour pleurer. Il ne pouvait que hurler, et hurler encore ; mais ce qu'il prenait intérieurement pour un hurlement n'était peut-être qu'une légère plainte à peine audible d'autrui.

On lui enfonçait un tuyau dans la bouche, on lui aspirait tout l'intérieur. Il criait dans le tuyau, criait pour l'éternité. Jamais il n'avait vécu ni rêvé pareil cauchemar. Puis d'autres mains poussèrent sa couchette ; les roulettes se mirent en marche en couinant. Il criait dans le couloir, dans l'ascenseur, dans le hall, il criait encore quand les infirmiers refermèrent la porte de sa chambre. Il devait crier ainsi pendant deux jours et deux nuits sans interruption.

« Insoutenable. Cette douleur est insoutenable », se

répétait-il en hurlant. Et pourtant, il la soutenait. En se soulevant un peu pour mieux crier, il avait contemplé l'étendue du désastre. Il ne pouvait pas voir la première cicatrice, celle de la biopsie, longue de plus de vingt centimètres, qui courait du thorax jusque sous l'aisselle, mais il la sentait sous le pansement. Plus bas, entre les côtes, deux trous énormes, gonflés de sang noir, deux trous par lesquels s'échappait son fluide vital, écartaient en force les côtes inférieure et supérieure. Deux tuyaux en sortaient, profondément enfoncés dans la plaie, deux tuyaux démesurés, de la taille des tuyaux d'arrosage, durs, rigides, armés de fil de fer, qui s'élançaient vers une machine située au dos du lit. Il ne la voyait pas, mais il en entendait le glouglou menaçant. Cette machine aspirait et rejetait son sang bouillonnant en drainant la sérosité de ses poumons. Bruit affreux, qui le glaçait de frayeur ; c'était donc ça, les fameux drains. Non pas, comme il l'avait cru, un petit tube de plastique souple d'où s'écoulerait goutte à goutte l'excès de liquide, mais cette machine de torture, ces gros tubes, cette atroce sensation.

Il hurlait toujours ; les secondes passaient lentement, chacune hésitant à faire place à la suivante. Au pied du lit, il ne pouvait l'apercevoir mais plus tard il en découvrira la présence, un grand bocal de verre, où s'achevaient les drains, recueillait le sang mêlé de glaires. Des litres s'y accumuleront, ignoble potion, pendant les deux jours du supplice.

Il ne mange ni ne boit, il ne pense même plus. Il crie. Sa bouche sèche, ses lèvres boursouflées ne laissent plus passer que cette vaine protestation contre ce qu'il subit, ce cri intermittent et renouvelé. Mais la chambre, l'étage sont bien insonorisés

La nuit est venue, il hurle encore. Le clocher de la chapelle égrène lentement les coups. Le miracle, c'est que, malgré tout, le temps passe.

Vers minuit, l'acces de fièvre monte encore, en passant

allégrement les quarante degrés. Il vit s'élever des vols de papillons noirs, depuis le coin de sa chambre, vols silencieux et mortels qui l'entouraient de leurs battements discrets. Il se souvint du flanc percé du Christ, d'où coulait aussi l'eau. Et puis la porte de sa chambre s'entrouvrit, pour la énième piqûre de calmant, qui ne lui laisserait qu'un instant de répit. En sortant, l'infirmière oublia de la refermer ; même une infirmière a ses distractions.

Délirait-il ? Était-ce un drame rêvé ? Soudain, il entendit, avec la netteté de la proximité, deux voix qui dialoguaient :

« Pour le quinze, c'est fini. On peut l'enlever, annonçait une voix d'homme, indifférente et rocailleuse.

— Merde, non, ce n'est pas vrai ! » s'écriait la voix de l'infirmière, tragiquement secouée.

Ce fut là toute l'oraison funèbre du défunt. Car dans son esprit surchauffé, il n'y eut pas un instant de doute : le quinze venait de décéder.

Deux malabars, préposés sans doute à cet office, s'affairaient à présent ; le quinze était juste en face de sa porte, et il les entendit s'apostropher l'un l'autre :

« Attrape le mannequin ! Elle n'est pas lourde, la poupée. »

Était-ce pour tromper la vigilance de la compagne de chambre de la morte (il s'agissait d'une femme cancéreuse, ils discutaient à présent la nécessité de la maquiller) qu'ils employaient ces mots ? Les préparatifs lui parurent durer des heures. Et l'infirmière fut de retour dans sa chambre, une nouvelle seringue à la main, avant qu'ils fussent achevés. Elle avait l'air bouleversé ; il lut dans ses traits tirés confirmation de ses doutes. Comme elle fermait la porte en partant, il supplia, entre deux gémissements :

« Non, laissez la porte ouverte. Je veux saluer la morte quand elle passera....

— Qu'est-ce que vous racontez ! Il n'y a pas de morte ! »

Sa voix manquait de conviction. Mais elle maintint fermement la porte close, après l'avoir semoncé :

« Vous avez rêvé.

— J'ai tout entendu, toute la conversation...

— Quelqu'un est peut-être mort dans un autre service, mais pas chez nous, je vous le promets. »

Dans le couloir, quand l'infirmière fut partie, le grincement des roulettes accompagna l'inconnue dans son dernier voyage.

Le lendemain fut pire, si un pire était possible. Au milieu de l'après-midi, un externe frisé à binocles épais vint lui signifier, pour le réconforter, que la biopsie avait enfin donné un résultat. Il le regardait sans le voir, l'œil vitreux, en continuant à crier.

« Cela devrait vous faire plaisir de savoir que tout ça n'a pas été inutile. On vous a trouvé une pneumocystose... »

Il n'interrompit pas sa plainte. Il savait trop bien que la pneumocystose était une étape inévitable de la maladie. Plus tard, le chirurgien barbu passa à son tour, hochant la tête d'un air soucieux devant la courbe de température. Le chirurgien considérait toute fièvre supérieure à trente-huit comme une injure personnelle. Mais il était vrai que dans ce cas exceptionnel...

À force de crier, ses forces diminuèrent. Une infirmière lui en fit durement la remarque :

« Si vous continuez, vous allez vous épuiser. »

Et puis deux hommes entrèrent, jeunes, en civil. Dans sa fébrilité, il crut que c'étaient des exécuteurs, ou des croque-morts. L'un d'entre eux se pencha vers lui et dit d'une voix étonnamment douce

« Je suis le kinési. »

Il lui posa une main tiède, vivante, au creux du plexus et ajouta :

« Ne criez pas. Respirez à fond. »

Instantanément, son cri s'affaiblit. Mais il continuait à expirer un « ah » sonore.

« Non, pas “ ah ”. Soufflez simplement, du fond des poumons. »

Il lui montrait comment faire. Il en ressentit un soulagement immédiat. Il respira ainsi, guidé par cette main amie, une dizaine de fois. Puis l'autre se releva, et dit à son assistant d'une voix égale :

« Bonne journée, aujourd'hui. »

Et à lui, qui déjà regrettait ce contact :

« À demain. Nous en ferons un peu plus. »

Le lendemain était samedi. Il ne devait pas le revoir avant le lundi ; mais l'impulsion était donnée.

Le samedi matin, le docteur barbu lui arracha un drain ; la douleur le fit hurler à nouveau, mais une seule fois, tendu en arc sur son lit. Le soir, rentrant d'un autre lieu d'opération, en province, fatigué et tremblant, le chirurgien lui arracha l'autre. Il était si profondément engagé, et la plaie s'était si fermement soudée autour, qu'il crut s'évanouir. Mais quoi : le pire était passé ; on le recousit avec du gros fil noir noué très serré. Et les jours continuèrent de passer, de moins en moins lentement.

Le dimanche, il souffrit beaucoup, autant que le samedi ; mais le lundi, il commença à admettre ses plaies, et leur guérison possible. La terrible machine, l'affreux pot à sang avaient disparu. L'espoir, cette ortie indéracinable, repoussait malgré tout. Grâce à des interventions haut placées (depuis l'attaché de presse de la Présidence jusqu'au ministère de la Santé) qu'avaient tentées ses amis et son éditeur, il fut retransporté à la Salpêtrière dans une chambre pour lui seul, pour une convalescence qui s'annonçait longue et complexe.

Dès le jeudi, sans perdre une journée, on l'avait mis

sous perfusion de Bactrim, un antibiotique puissant qui faisait merveille contre le pneumocystose. Les doses étaient colossales ; il entendit une infirmière s'en étonner auprès du médecin. Deux fois la dose maximale, disait la feuille de service ; n'était-ce pas une erreur de prescription ? Mais non, c'était, dans un tel cas, la règle. Pendant quinze jours, il supporterait dans ses veines le lent écoulement du mortel liquide. On lui supprima Doliprane et aspirine, ne lui laissant que les calmants, la Viscéralgine surtout, afin de pouvoir mesurer sa fièvre sans l'interférence des médicaments. Elle tenait bien, faisait des sautes, des retours. Mais de semaine en semaine elle perdait du terrain.

Il avait réintégré sa chambrette sobrement moderne de la Salpé. Il attendait tous les jours une visite d'Ève. Mais elle-même était à présent entre les mains des docteurs, car l'heure de la délivrance approchait. Il s'en réjouissait d'autant plus que les analyses du foetus restaient négatives. Pour lui-même, il était question de refaire un scanner ; il avait des maux de tête, et de l'eau séjournait encore dans ses bronches. Samael se limita à une ponction pleurale ; on lui enfonça une aiguille dans le dos, entre deux côtes, et le liquide souillé s'écoula de nouveau, rouge de sang, dans le flacon de verre. Quant au scanner, il fut impossible d'obtenir un rendez-vous avant la fin décembre...

Ève avait suivi avec un sérieux de petite fille les exercices de préparation à son premier accouchement. Les médecins donnaient des conférences sur l'hygiène et la puériculture, qui lui faisaient irrépressiblement penser aux manuels féminins 1930 retrouvés dans un coin de la maison du Berry, et où dormir la fenêtre ouverte résumait la sagesse moderne. Pour l'initier à son nouveau rôle de mère, les docteurs avaient insisté pour qu'elle participât à des groupes d'expression, où chacune se délivrait par la parole de ses angoisses et phantasmes. Elle trouva plus de profit aux exercices : contrôler sa respiration, muscler l'abdomen, assouplir le périnée et les articulations du bassin, apprendre à coordonner respiration et effort de poussée, même si c'était lent et long, lui paraissait plus utile qu'un déballage de culpabilité.

Quelques jours avant la date prévue, le médecin accoucheur, hanté par la crainte de rater cette naissance, lui fit faire une amnioscopie ; on lui introduisit une sonde dans le vagin, puis dans le col ; une petite lampe permettait, à travers la translucidité des eaux, de voir la tête du foetus. La clarté du liquide rassura le praticien. Mais il déclara à Ève que sa délivrance s'opérerait entièrement sous surveillance électronique ; le monitoring, comme il disait, permettait d'enregistrer à la fois les contractions de l'utérus et le rythme cardiaque du bébé.

Ce soir-là, la nuit d'hiver était tombée très tôt. Judith et Anne, pieds nus pour cette dernière (à la grande fureur des infirmières), comme l'âne et le bœuf de la crèche, s'étaient installées à son chevet, et lui bassinaient le front en éliminant à mesure la sueur. Ève avait demandé un accouchement sous anesthésie, une péridurale. Les médecins, peu économes de la souffrance, avaient renâclé, et fini par céder. Le monitoring servirait à suivre les effets de l'anesthésique sur le petit être.

Le moment sacré était venu. Le corps déformé d'Ève fut couvert de capteurs, d'où partaient des fils reliés à des appareils genre sismographes, qui déroulaient imperturbablement des courbes sur papier millimétré. Des sangles maintenaient les deux capteurs placés sur son ventre ; un autre était enfoncé dans l'utérus, un autre le plus près possible du fœtus.

Depuis deux semaines, son ventre était légèrement dégonflé, signe que le bébé s'engageait vers la sortie. Des contractions irrégulières étaient venues. Quand elle perdit une glaire sanguinolente que l'accoucheur appelait le « bouchon muqueux », elle sut qu'il ne restait que quelques heures. Elle avait peur, mais moins qu'elle ne l'eût cru. L'accoucheur avait les mains froides : c'était son seul dégoût.

Les véritables contractions avaient commencé, à raison d'une tous les quarts d'heure, quand on débuta l'anesthésie.

L'homme aux mains glacées la fit asseoir au bord du lit, en lui demandant de faire le « gros dos », ainsi qu'un chat qu'on caresse. Comme la position lui était trop pénible, elle se coucha sur le flanc, en chien de fusil. Il ne restait qu'à procéder à la piqûre, en profitant de l'espace ainsi créé entre les deux vertèbres.

Elle sentit le froid du liquide antiseptique. Ce n'était que le nettoyage préparatoire. Puis les mains, que l'homme avait réchauffées, palpèrent son dos, cherchant le creux entre la troisième et la quatrième vertèbre. Une première piqûre, à peine plus forte qu'une piqûre d'épingle, insensibilisa la zone.

Ève ne voyait rien, puisque cela se passait dans son dos. Mais on lui avait expliqué cent fois le processus. Pour parvenir jusqu'au nœud de nerfs qui forme la sensibilité du bassin, l'aiguille devait se frayer un chemin parmi les ligaments. Un cathéter souple, très fin, suivait l'aiguille : il restait en place au moment où on la retirait, et était fixé dans le dos par un long ruban adhésif. Il n'y avait plus qu'à injecter l'anesthésique.

Eve s'était remise sur le dos. L'effet ne vint qu'au bout d'une demi-heure, ou plutôt l'absence d'effet : à part des fourmillements et un léger échauffement dans les pieds, Ève ne ressentait que la disparition des douleurs. Elle s'inquiétait un peu à l'idée que, n'étant plus forcée par la souffrance, elle risquait de ne pas pousser assez fort. L'accoucheur la rassura : le petit corps était engagé vers la sortie.

Judith poussa un cri ; les contractions s'étaient accélérées, et devenaient plus énergiques. La dilatation du col s'accomplissait lentement. Et la poche des eaux s'était spontanément rompue : c'était cet écoulement qui l'avait surprise. Le bébé, Ève le sentait, tournait sur lui-même, passant de la position sur le flanc à un agenouillement horizontal ; c'était la meilleure façon d'utiliser l'espace créé par la dilatation du col. Il présentait ainsi à l'ouverture son plus petit diamètre ; la phase d'expulsion pouvait commencer.

Les contractions se firent longues, intenses, presque continues. La tête apparut par le crâne, distendant le périnée, le vagin et la vulve. C'étaient Judith et Anne qui suaient à présent, et qui peinaient plus que la parturiente.

Le crâne hésitait, remontait et descendait dans la vulve. Puis, très progressivement, le va-et-vient aboutit : le front puis le nez, la bouche, le menton firent leur sortie. Anne avait apporté une glace de poche, et elle l'orientait pour qu'Ève pût tout voir ; Judith haletait. Le travail d'expulsion durait depuis une demi-heure.

La tête effectua une lente rotation, et les épaules se présentèrent au passage. Leur dégagement fut le moment le plus difficile ; le tronc, puis le bassin sortirent à la suite, lubrifiés, en un seul effort. Aussitôt, l'utérus commença à se rétracter. Mais il restait à expulser le placenta et les membranes. En attendant cette dernière phase, on s'affairait autour de l'enfant, recouvert d'un drap ; le cordon coupé, il poussa enfin son premier cri. Ève sentit les larmes lui couler sur le visage. Elle était un peu déçue de n'avoir rien senti, mais elle n'avait pas eu le temps d'y penser. Et elle éprouvait maintenant cette satisfaction béate de l'accouchée.

Soudain, un souci lui fit froncer les sourcils ; avec tout ça, elle ne s'était même pas préoccupée du sexe de son enfant, qu'on avait omis de lui annoncer, ou bien n'avait-elle pas écouté. On venait de le lui placer sur le ventre,

encore gluant, malgré l'essuyage, et tout rouge et fripé. S
main descendit pour vérifier, mais la seule vue de la min
que faisaient sa mère et sa tante avait suffi à la renseigner
Anne avait l'air effondrée. Judith, elle, en gardant un
contenance de femme désappointée, exultait secrètement
Il n'y avait pas de doute possible, c'était un garçon.

La nuit de ce même samedi 9 décembre était tombé
sur le pavillon Lavedan. Samael tira la porte à lui, et jur
intérieurement ; les boiseries étaient d'un tel bruyant
dans cet hôpital ! Il pénétra dans la chambre, referm
doucement la fenêtre, et alluma la veilleuse. Le corp
recroquevillé, si maigre sous le drap, n'avait pas bougé. I
eut un instant d'affolement ; et si... Il n'osait fini
mentalement sa phrase. Il se précipita sur le pouls du bra
qui dépassait, et eut une suée de soulagement. Faible
mais régulier, le pouls continuait à battre.

Adam s'éveilla au contact rêche du tissu de l'appareil
prendre la tension. Elle était anormalement basse. Samae
songea à une injection, puis y renonça. Trouver un
infirmière libre, à cette heure et en ce jour, relèverait d
l'exploit. Et ce n'était pas la première fausse alerte...

« Ah, c'est vous, docteur. Vous avez l'air fatigué... »
balbutia Adam. C'était juste. En trois ans de ce service
Samael avait pris dix ans. Soudain, malgré sa grand
faiblesse, Adam fut pris d'une pitié sans nom pour l
médecin. Il en sentit les larmes lui monter aux yeux.

« Reposez-vous, docteur. Nous avons tellemen
besoin de vous. »

Il parlait à voix basse, confuse. Samael, surpris de ce
épanchement, répondit par un tout autre biais ·

« Je suis venu vous dire au revoir. Je pars demain pou
New York, et je ne sais pas quand je reviendrai... »

Ainsi il mettait sa vieille menace à exécution. Là-bas

on lui offrait une chaire de professeur, un salaire décent, et surtout des crédits considérables, une chance de succès.

« Vous viendrez me rejoindre, vous en avez les moyens. »

Adam médita quelques minutes sur la tête que ferait Desbourses, s'il entendait cela.

« Tenez, faisons-nous la bise en attendant. »

L'homme en blouse blanche se pencha sur le lit, et déposa deux baisers discrets sur les joues creuses de son malade. Celui-ci voulait le retenir, parler encore ; mais sa langue était paralysée. Il sentit avec horreur le retour de l'aphasie. Sans se rendre compte de rien, Samael se dirigeait déjà vers la sortie.

« Prenez bien soin de vous. Et ne vous inquiétez pas, j'aurai de vos nouvelles. »

Au moment de claquer la porte, il se souvint du but premier de sa visite.

« Ah, au fait, il n'y a aucun doute possible. Mlle Ève n'est ni votre nièce, ni votre fille. J'avais pensé à une superfécondation, deux spermatozoïdes et deux ovules en même temps. Mais le fait même que vous êtes en miroir... »

Samael n'allait pas lui dire qu'il en savait plus que quiconque sur la naissance de cet enfant-là. Mais il ne pouvait pas non plus le laisser indéfiniment dans l'ignorance.

« Vous et elle, vous êtes les fruits d'un même œuf, sans doute divisé il y a quarante ans ; on a conservé sa moitié pour remplacer la vôtre. Quant à la division, c'est si simple. Il suffit d'un cheveu et d'un microscope. C'est l'effet fil à couper le beurre... Du temps des nazis, qui étaient des fanatiques des jumeaux, il y a eu des expériences de ce genre... »

Il eut un petit rire et acheva :

« Donc elle n'est ni votre nièce, ni votre fille, mais

votre sœur jumelle décalée dans le temps. Son enfant devrait diantrement vous ressembler. »

Il s'éveilla à nouveau, plus tard dans la nuit. Il se sentait horriblement épuisé, et pensa avoir des hallucinations. Du fond du couloir, du hall peut-être, une rengaine étouffée montait à travers les portes, en devenant parfois plus forte quand un vent coulis la poussait.

Mon Dieu, mon Dieu
Laissez-le-moi
Encore un peu
Mon amoureux...

Piaf chantait dans le Teppaz de Véronique, l'infirmière de garde. Ce soir, les infirmières offraient un bal aux externes.

Des couples s'étaient formés : le grand duduche dansait avec Josy, la Martiniquaise ; le petit aide soignant africain embrassait dans le cou l'immense matrone chargée des prises de sang.

Même la surveillante, la sévère Mme Gélin, riait et se laissait aller à dodeliner en mesure.

Et c'était comme si tout recommençait.
La même innocence...

Les disques se succédaient dans le désordre, au milieu des fous rires. Piaf, c'était trop vieux ; on voulait Johnny ou bien Frédéric François et Jean-Luc Lahaye ; d'autres défendaient le rock.

Da dou ron ron, da dou ron ron...

Les refrains idiots et les airs trop souvent entendus traversaient la chambre d'Adam. Il voulut se redresser : un filet tiède s'échappait de ses narines. Un peu de liquide atteignit sa bouche ; c'était légèrement salé, et poisseux. C'était du sang.

Sa main se tendit convulsivement vers la poignée de la sonnette, qui était comme toujours hors d'atteinte... On lui avait dit qu'à l'Assistance, on mourait le dimanche. Les statistiques le prouvaient. Ainsi le lundi, la chambre était libre.

Moi j'essuie les verres au fond du café...

La musique l'immobilisait, le ligotait d'un invisible ruban, en le soulevant du lit. La musique ; jamais elle ne lui avait fait pareil effet. Les larmes se mêlèrent au sang qui coulait toujours, tiède épanchement de sa vie.

Les battements de son cœur se synchronisèrent avec la batterie lointaine du disque. Une sorte de raclement lui parvenait aux oreilles ; c'était son propre râle. Chaque aspiration le rapprochait de la dernière, tandis qu'il sombrait dans le coma.

La musique se tut. À cet instant où le grand sommeil voilait ses pupilles, il entendit, dans un coin de la chambre, une voix tropicale qui murmurait une prière en espagnol, dont il saisit miraculeusement le sens :

Passe donc de corps en corps
Subis des tourments nouveaux
Brebis perdue loin du Père...

Et il entrevit, en tournant d'un cran sa tête si lourde, la haute silhouette noire de Seth, qui priait pour l'âme de l'agonisant. Il était entré sans rien demander à personne ; les postes de garde étaient désertés, tous étaient à la fête.

Adam eut un hoquet, sentit sa fin venir. Et il eut la claire vision de la lignée germinative qui l'assemblait à elle, de cette vie éternelle dont son corps n'avait été qu'un hôte provisoire, le phénotype apparent, cette lignée de gènes qui s'étendait devant lui et continuerait après, royalement indifférente, immortelle, insensible.

Ses sens, avivés à l'extrême par l'agonie, se tendirent pour percevoir, à travers les murs, les vitrages, montant sur les toits et franchissant les allées, un cri léger, que lui seul entendit ; le cri du nouvel être qui arrivait à la vie à trois bâtiments de là. Un être parfaitement identique au mourant et pourtant séparé de lui par quarante années.

Et, le cœur en diastole, le poumon en expiration, il rendit précisément à cet instant son dernier souffle. Mais son âme qui bondit hors de sa poitrine creuse, en volant dans les nuages, en traversant portes et fenêtres, aérienne et vivante, heureuse, venait de rejoindre le petit corps rougeaud qui se débattait sur le ventre de sa mère.

« Nous l'appellerons Adam », fit pensivement Ève.

Note épilogique

Réponse aux objections nées dans l'esprit de lecteurs demi-savants et rationnels.

La ressemblance entre Ève et Adam est d'autant plus impossible qu'ils ont vécu jusque-là loin l'un de l'autre.

Que l'identité soit plus forte entre jumeaux séparés qu'entre jumeaux élevés ensemble est bien le « paradoxe des jumeaux », pour reprendre une formule célèbre. Cette idée est empruntée, comme la « dominance » des filles dans les couples gémellaires de sexes différents, au meilleur gémellologue actuel, René Zazzo (notamment dans sa dernière mise au point préfaçant l'édition 1986 de son livre *Les Jumeaux, le couple et la personne*).

Inventer une congélation et un transfert d'embryon respectivement en 1945 et en 1968 est tomber dans l'anachronisme.

La congélation et le transfert d'embryons déjà fécondés, permettant la création de jumeaux décalés dans le temps, qu'il ne faut pas confondre avec la fécondation *in vitro*, ne sont aucunement une nouveauté, au moins pour l'animal. Les premières tentatives de transfert d'un œuf d'un animal à l'autre remontent aux travaux de Walter Heape, à Cambridge, et à la fin du XIXe siècle. Mais cette technique ne fut à nouveau expérimentée qu'après la Seconde Guerre mondiale. Quant à la congélation,

Parkes, en 1940, avait montré qu'on pouvait congeler, puis conserver à la température de l'azote liquide, des spermatozoïdes.

Le transfert d'embryons est bien antérieur à 68 ; des embryons recueillis sur des femelles ont été, longtemps avant cette date, replacés dans l'utérus ou la trompe d'autres femelles dont le cycle avait été synchronisé avec celui de la donneuse. Pour cueillir les embryons, on avait d'abord perfusé la trompe avec du sérum, et recueilli les œufs dans le pavillon. Puis on préféra attendre que les œufs fussent descendus dans l'utérus, et une simple sonde avec lavement se révéla suffisante. Les expériences de réimplantation reprirent notamment en 1953, quand le professeur Willet, de l'université du Wisconsin, réussit à prélever l'embryon chez une vache et à le transférer chez une autre avec plein succès. La même expérience fut pratiquée par Rowson sur une brebis en 1957. Ce dernier transplanta même des embryons de brebis chez une lapine pour les faire voyager plus commodément. Enfin, c'est en 1973, cinq ans après la date supposée de la naissance de mon Ève, qu'eut lieu officiellement le premier essai de transplantation sur une femme, par le docteur Shettles, aux États-Unis. Lequel d'ailleurs expérimentait dans cette voie depuis des années. Mais l'expérience fut interrompue pour des raisons d'éthique. La même année, des médecins australiens, puis le docteur Edwards en Angleterre renouvellent l'essai. Enfin, en 1974, cinq ans avant la naissance célèbre de Louise Brown chez le même Edwards, le professeur Douglas Bevis, de l'université de Leeds, avait annoncé que trois bébés conçus *in vitro*, puis congelés, puis réimplantés, étaient devenus des enfants normaux après transfert dans l'utérus d'une femme porteuse

La division artificielle de l'œuf, pour fabriquer des jumeaux, elle, ne pouvait être connue lors de la dernière guerre.

C'est en 1897 que Herlizka a obtenu pour la première fois deux tritons jumeaux en isolant les deux premières cellules d'un embryon. En 1936, Morita a fait de même pour l'œuf d'oiseau. Depuis, des souris, des rats, des agneaux, et même des veaux jumeaux uniovulaires sont nés de cette manière. Certes, les œufs de tritons, grenouilles, crapauds ou oursins sur lesquels ont travaillé, il y a presque un siècle, Herlizka, Loeb ou Bataillon, sont très gros (près d'un millimètre de diamètre). Mais rien n'empêche d'imaginer, grâce aux progrès de la technique microscopique, la même opération appliquée à l'œuf humain.

Des jumeaux nés d'un même œuf, donc monozygotes, ne peuvent en aucun cas être de sexes différents.

En 1961, à l'hôpital Saint-Louis de Paris, le professeur Lejeune a observé un couple de jumeaux de dix-sept ans, l'un mâle, l'autre fille. L'étude de leurs groupes sanguins, puis les greffes réciproques, parfaitement tolérées, prouvèrent qu'il s'agissait de monozygotes. S'il y a une paire de jumeaux pour quatre-vingts couples frère-frère ou frère-sœur normaux, il y a encore beaucoup moins, une paire pour des milliers, de jumeaux monozygotes de sexes différents.

Des jumeaux monozygotes seraient nécessairement, entre eux, stériles.

En 1972, après avoir obtenu des dizaines de jumeaux tritons par division artificielle des embryons, des chercheurs français en ont traité certains aux hormones féminisantes. Ils sont devenus femelles, et ont pu s'accoupler avec leurs « frères », et être fécondés.

Certains généticiens expliquent d'ailleurs par ce moyen des jumeaux interfécondants, la naissance de l'humanité Pour qu'apparaisse le premier couple, ayant subi la même mutation (du singe à l'homme), et donc né du même œuf, il faut supposer l'enchaînement de trois événements : une grossesse gémellaire, un remaniement chromosomique simultané, et une double fécondation qui aurait donné ce qu'on appelle une « chimère », créant une femelle par collage génétique, en ajoutant un X à l'un des membres du couple.

Peut-être atteint-on là la limite de l'idée d'une évolution au hasard de mutations par « erreur de copie » d'une génération à l'autre, tant le processus paraît complexe On pourrait soutenir que la création du premier couple humain, fertile, Adam et Ève jumeaux, par cette voie raccourcie, n'est pas seulement un gain de temps indispensable à une évolution trop resserrée pour n'être qu'accumulation d'accidents. Elle a quelque chose de prodigieux, de téléologique, de quasi intentionnel, comme si le processus se créait lui-même à mesure, dont témoign d'une autre façon la Genèse biblique. (Voir, sur ce point *Jumeaux, mosaïques, chimères* de Jean de Grouchy ; su le transfert et la congélation d'embryons, René Frydmar *L'Irrésistible Désir de naissance*, Jacques Testard, *l'Œu transparent* ; sur la génétique, J. Ruffié et F. Jacob.)

L'enfant éventuel d'un couple de jumeaux monozygotes ne serait pas nécessairement lui-même jumeau de ses parents. Il leur ressemblerait certes beaucoup, mais brassage génétique s'opérant strictement au hasard, différerait à coup sûr d'eux par plusieurs caractères rest chez eux inexprimés mais présents dans l'héritage.

En effet. C'est là ma seule véritable entorse à vraisemblance scientifique.

Quant a imaginer qu'une grave maladie puisse aider Adam à traverser les frontières sans contrôle...

Il y a seulement deux ou trois ans, c'était vrai. L'humanité, depuis, a bien régressé.

TABLE